Napoleon Hill

QUEM CONVENCE ENRIQUECE

SAIBA COMO UTILIZAR O PODER DA PERSUASÃO
NA BUSCA DA FELICIDADE E DA RIQUEZA

CB005741

Título original: *Succeed and Grow Rich Through Persuasion*

Copyright © 1970, 1991 by The Napoleon Hill Foundation

Quem convence enriquece

4ª edição: Agosto 2020

Direitos reservados desta edição: CDG Edições e Publicações

Autor:
Napoleon Hill

Tradução:
Gabriel Zide Neto

Preparação de texto:
Lúcia Brito

Revisão ortográfica:
Renato Deitos

Criação e diagramação:
Dharana Rivas

DADOS INTERNACIONAIS DE CATALOGAÇÃO NA PUBLICAÇÃO (CIP)

H647q   Hill, Napoleon

Quem convence enriquece / Napoleon Hill. – Porto Alegre : CDG, 2017.

352 p.

1. Motivação. 2. Autorrealização. 3. Sucesso pessoal. 4. Autoajuda.
5. Psicologia aplicada. I. Título.

CDD - 131.3

Produção editorial e distribuição:

contato@citadel.com.br
www.citadel.com.br

AS REGRAS DE OURO DA ARTE DE VENDER

Se você souber se vender...

Se souber vender para os outros a sua personalidade e o que você oferece...

Se souber fazer a adversidade trabalhar a seu favor, não contra você, vislumbrar e agarrar as oportunidades cada vez que elas aparecerem (e do jeito que aparecerem)...

Se seguir as lições de Napoleon Hill, mais do que testadas através dos tempos, der cada passo de acordo com as instruções e se inspirar com as histórias reais das pessoas que seguiram esse caminho e colheram as recompensas...

Então você saberá que...

QUEM CONVENCE ENRIQUECE

O guia mais valioso já escrito por Napoleon Hill
para se obter riqueza e felicidade

Edição revisada e atualizada para os novos tempos

SUMÁRIO

INTRODUÇÃO

SOMOS TODOS VENDEDORES. Aqueles que ganham a vida ligando para clientes e consumidores para vender um produto ou serviço são vendedores mais óbvios, mas todo mundo está sempre vendendo alguma coisa – uma ideia, um sonho ou um ponto de vista.

Quem diz isso é Wally Armbruster, publicitário que chegou ao Olimpo da profissão e cujas campanhas se tornaram referência nos Estados Unidos. Armbruster ganhou inúmeros prêmios por sua criatividade e conquistou vários títulos importantes, mas sua verdadeira paixão sempre foi *vender*. No livro *Where Have All the Salesmen Gone?* (Para onde foram todos os vendedores?), ele escreve: "Um supertrabalho de vendas, penso eu, pertence à categoria das artes. É com certeza uma arte *prática*. Talvez o ponto alto de todas as atividades humanas".

Se você não tem nada a vender, diz Armbruster, é bom checar seu pulso – provavelmente você está morto.

A PERSISTÊNCIA COMPENSA

Comecei minha carreira de vendedor aos seis anos de idade, vendendo jornais na barra-pesada que é a Zona Sul de Chicago. Não era tarefa para os fracos. Eu era seguidamente ameaçado aos berros pelos meninos maiores e mais velhos que queriam as esquinas mais movimentadas para eles.

Embora não tenha percebido na época, foi lá que compreendi o significado de uma das frases favoritas de Napoleon Hill: "Toda adversidade traz em si a semente de um benefício equivalente ou maior". A necessidade me ensinou a transformar limões em limonada.

Depois de algumas altercações com os meninos mais velhos, comecei a pensar se não haveria maneira melhor de vender jornais. Perto da esquina onde eu tentava trabalhar – e onde vivia tendo problemas com os concorrentes mais agressivos –, funcionava o restaurante Hoelle's. Era uma situação muito assustadora para uma criança de seis anos, mas entrei e comecei a vender meus jornais.

Não demorou muito para o dono me botar para fora, mas eu já havia vendido três exemplares. Quando Hoelle não estava olhando, entrei de novo e vendi mais um – e ganhei dez centavos de gorjeta de um cliente simpático que aparentemente gostou da minha determinação. Na terceira vez que entrei, os clientes mandaram o dono me deixar em paz. Ele deixou, e só saí depois de vender todos os jornais.

No dia seguinte, voltei ao Hoelle's, e ele voltou a me acompanhar até a porta, mas, como continuei retornando, ele simplesmente ergueu as mãos para o céu e disse, exasperado: "De que adianta?". Com o tempo, acabamos nos tornando grandes amigos, e eu vendia meus jornais normalmente no restaurante dele.

Essa experiência me ensinou que, quando você se propõe a vender certa quantidade de alguma coisa, isso é possível. A única maneira de se atingir uma meta é fixá-la para si mesmo e não desistir até conseguir. Essa lição foi reforçada continuamente ao longo de minha vida.

Usei as técnicas que aprendi vendendo jornais para começar a carreira no ramo de seguros. Comecei a vender apólices de seguros de acidente... por acidente. Quando eu estava prestes a ingressar no ensino médio, minha mãe entrou nesse ramo empenhando os dois únicos diamantes que tinha para abrir uma companhia de seguros em Detroit. Eu fazia o ensino médio em Chicago e passava as férias de verão com ela. Foi lá que comecei a desenvolver minhas técnicas de venda.

No primeiro dia de emprego, estudei a apólice que em breve venderia aos insuspeitos clientes de Detroit. A ordem era fazer a ronda no edifício do Dime Bank, batendo em todas as salas, menos a da administração do condomínio. No começo, eu estava mais do que um pouquinho nervoso, mas lembrei da regra que impus a mim mesmo quando criança: *Quando se dispuser a fazer alguma coisa, não volte até ter feito.*

Muita gente me deu conselhos pelo caminho – alguns bons, outros apenas bem-intencionados – e, com esses conselhos e minha própria experiência, aos poucos fui desenvolvendo um sistema que nunca me deixou na mão.

Antes de mais nada, fui até onde os clientes potenciais estavam. Eu trabalhava em grandes edifícios, onde era possível visitar o dobro de clientes na metade do tempo – uma técnica que eu aprendera aos seis anos de idade, vendendo jornais no Hoelle's.

É claro que eu sentia medo e insegurança. Eu era um adolescente abordando empresários de sucesso em escritórios chiques! Do lado de fora de um escritório, sem saber quem estava lá dentro, eu procurava motivos para entrar. E, como procurava, achava. Eu dizia a mim mesmo: *O sucesso só é alcançado por quem tenta. Quando não há nada a perder e tudo a ganhar numa tentativa, tente de todas as formas!*

Era uma ideia que fazia sentido, mas ainda assim não aplacava a resistência emocional de passar por uma porta e arriscar-se a ser rejeitado por um completo estranho. Felizmente para mim, dei de cara com outra fonte de automotivação que uso até hoje: *Faça isso agora!* Cultivei tanto essas três palavras que elas se tornaram parte inseparável de mim. Todos que me conhecem, conhecem essas palavras e provavelmente já me ouviram usá-las mais de uma vez.

O VALOR DO ENTUSIASMO

Aprendi mais uma coisa naqueles primeiros tempos: o valor do entusiasmo. Eu sabia que, para alguém comprar alguma coisa de mim, eu teria que acreditar no que estava vendendo. Teria que estar convicto de que estava vendendo algo de que a pessoa precisava, por um valor justo. Teria que a deixar entusiasmada com meu produto por meio do meu entusiasmo contagiante.

Ralph Waldo Emerson disse: "Nada de grandioso jamais foi alcançado sem entusiasmo". Andrew Carnegie sabia bem disso. Ele contou a Napoleon Hill que o motivo de pagar US$ 1 milhão por ano a Charles Schwab para administrar suas siderúrgicas era a capacidade de Schwab de despertar o entusiasmo dos trabalhadores. O próprio Schwab dizia: "A pessoa pode ter êxito em praticamente qualquer coisa pela qual sinta um entusiasmo sem limites".

O que eu mesmo descobri sobre o entusiasmo é que ele pode ser ensinado. Qualquer um pode aprender a gerá-lo dentro de si. Aliás, a definição de entusiasmo implica que ele tem que vir de dentro. A palavra deriva dos termos gregos *theos* (deus) e *en* (dentro).

A maioria de nós tem uma timidez natural que precisa ser superada antes de podermos obter o sucesso em vendas. Pessoalmente, descobri que a única maneira de superar a sensação de medo era controlando minha voz. Depois descobri que o controle da voz era a chave para todo o processo de desenvolver o entusiasmo.

Descobri que nenhum cliente potencial seria capaz de perceber que eu estava tremendo ou suando por dentro se eu empregasse um tom de voz firme e entusiasmado. A descoberta me levou a cinco regras que desde então utilizo e que treinei milhares de pessoas a usar em seu próprio benefício:

1. FALE ALTO. Imposte a voz de maneira que os outros possam ouvi-lo e perceber claramente que se trata de uma pessoa autoconfiante.

2. FALE RÁPIDO E SE CONCENTRE NO INTERLOCUTOR. Olhe nos olhos da outra pessoa, de maneira a inspirar confiança, e mantenha os pensamentos em ordem.

3. FAÇA PAUSAS PARA DAR ÊNFASE. Dê uma paradinha no momento de uma vírgula ou de alguma interrupção natural e enfatize as palavras importantes.

4. TENHA UMA VOZ SORRIDENTE. Um tom de voz resmungão ou antipático não demora a matar o entusiasmo. Um sorriso no rosto faz a mente pensar que você está alegre.

5. MODULE A VOZ. Uma fala arrastada e monótona é chata e desagradável. Volta e meia abaixe a voz, de modo que o interlocutor tenha que se esforçar para ouvir, e a seguir

eleve o tom abruptamente em algumas palavras-chave antes de voltar ao tom normal.

Embora sejam regras simples, elas empregam um princípio psicológico bem conhecido: as emoções podem ser controladas pelas ações.

Você pode sentir entusiasmo por qualquer coisa que fizer. Quando cumprimentar alguém, aperte a mão do outro com entusiasmo. Quando falar no telefone, pense em coisas agradáveis. Exale uma sensação de vitalidade pelo telefone, para que a pessoa do outro lado se sinta melhor por ter conversado com você.

O entusiasmo é como uma bomba de água: primeiro você tem que a acionar, mas, depois que flui, segue fluindo. Pratique acionando o seu próprio entusiasmo e veja como ele flui magicamente dos outros.

Você tem que bombear,
Tem que ter fé e acreditar,
Tem que dar de si
Antes que mereça receber.
Beba toda a água que puder,
Lave o rosto, refresque os pés,
Mas deixe a garrafa cheia para os outros.
Muito obrigado, Pedro do Deserto.
(da canção *folk* "Desert Pete")

O PODER DO SUBCONSCIENTE

Embora não estivesse plenamente consciente naquela época, eu estava começando a utilizar a técnica da autossugestão para ir em frente. Palavras são muito mais do que um conjunto de caracteres numa determinada língua – elas simbolizam ideias. Quando você as ouve e entende, está sujeito ao poder da sugestão. E, quando as utiliza, emprega a autossugestão consciente.

Um exemplo: quando você pronuncia uma expressão negativa, tipo "não posso", deve agregar mais uma frase negativa, tal como "não posso falhar!". Você estará usando a autossugestão para desenvolver uma atitude mental positiva, porque uma expressão duplamente negativa se transforma numa expressão positiva.

Crie o hábito de, quando ouvir sugestões prejudiciais a você, questioná-las imediatamente. Empregue um pensamento positivo, mesmo sem expressá-lo verbalmente. Por exemplo, quando alguém disser: "Você não pode fazer isso!", pense: "Talvez você não possa, mas eu posso. Talvez eu ainda não saiba como, mas posso e vou encontrar um jeito!". Você pode rechaçar uma sugestão negativa aplicando uma autossugestão positiva.

Montei um repertório de frases de automotivação que se incorporaram de tal forma à minha vida que a resposta é automática e instantânea. Por exemplo, para neutralizar o medo, confrontar problemas de uma maneira mais direta, transformar desvantagens em vantagens, buscar realizações maiores, resolver problemas sérios ou controlar minhas emoções. Quando necessário, uso uma dessas minhas favoritas:

- Deus é sempre bom.
- Está com um problema? Que bom!
- Toda adversidade traz em si a semente de um benefício equivalente ou maior.
- O que a mente é capaz de conceber e acreditar, ela é capaz de realizar.

- Procure uma boa ideia que funcione e trabalhe em cima dela!
- Faça isso agora!
- Para ser entusiástico... aja com entusiasmo!

Mesmo enquanto você dorme, seu subconsciente trabalha a todo vapor. Se já aconteceu de você acordar no meio da noite com uma ideia brilhante ou a solução para algum problema, isso foi o subconsciente trabalhando. Enquanto a mente consciente descansava, o subconsciente trabalhava no problema. Você pode deliberadamente tirar proveito desse magnífico recurso. Ao encher a mente de pensamentos positivos, você estará se autocondicionando para o sucesso.

Ao visualizar uma meta que planeja atingir, você se convence, por meio do subconsciente, de que irá alcançá-la. Ao repetir alguma coisa para si mesmo com bastante frequência, o subconsciente vai tomar essa afirmação como fato. Se você estabelecer uma meta razoável e alcançável, que não viole as leis de Deus ou os direitos do próximo, seu subconsciente vai ajudá-lo a alcançá-la.

Por exemplo, digamos que você deseje vender imóveis no valor total de US$ 1 milhão neste ano. Todo dia de manhã, olhe-se no espelho e diga em voz alta: "Neste ano vou vender imóveis no valor total de US$ 1 milhão. Vou vender imóveis num total de US$ 100 mil neste mês". (Nos outros dois meses você pode tirar férias, estudar ou aperfeiçoar suas habilidades.) Repita sua meta cinquenta vezes todas as manhãs e reze por orientação todas as noites.

É claro que você tem que fazer tudo direito para atingir a meta. Tem que pesquisar clientes potenciais, ligar para eles, conseguir referências e utilizar todas as técnicas de venda que podem ser aprendidas facilmente. Seu subconsciente irá ajudá-lo a manifestar seus desejos no mundo físico.

Napoleon Hill me contou certa vez uma história que é a ilustração perfeita do uso eficaz da autossugestão. Quando terminou o manuscrito de seu segundo livro, ele deu o título provisório de *13 passos para a riqueza*. Mas o editor queria um título mais instigante, que capturasse a imaginação dos compradores potenciais. Queria um título de um milhão de dólares. Todos os dias ele telefonava para Hill pedindo o novo título, mas, embora Hill tivesse pensado em seiscentas possibilidades diferentes, nenhuma parecia a certa.

Um dia o editor telefonou e avisou: "Preciso do título para amanhã. Se você não tiver um, tenho esse que é um estouro: *Use Your Noodle and Get the Boodle* (algo como Use a cuca e ganhe uma bufunfa).

"Esse título é ridículo. Vai acabar comigo!", gritou Hill.

"Pois bem, é esse aí, a menos que você arranje um melhor até amanhã de manhã", respondeu o editor.

Naquela noite, Hill conversou com seu subconsciente: "Estamos juntos há um bom tempo. Você fez muito por mim e aprontou algumas. Mas preciso encontrar um título de um milhão de dólares, e tem que ser esta noite. Entendeu?". Hill passou várias horas pensando nisso e depois foi dormir.

Por volta das duas da madrugada, acordou como se sacudido por alguém. Ao despertar, uma frase brilhava em sua mente. Foi até a máquina de escrever e pôs a frase no papel. Depois agarrou o telefone, ligou para o editor e gritou: "Já temos nosso título de um milhão de dólares!".

Ele estava certo! *Pense e enriqueça,* um clássico no campo do desenvolvimento pessoal, vendeu trinta milhões de exemplares nos últimos cinquenta anos.

Você pode usar as mesmas técnicas para ativar os poderes escondidos de seu subconsciente.

PREPARE-SE

Para fazer como Napoleon Hill e ativar os poderes que lhe estão disponíveis, você deve estar antes de tudo preparado para aceitar e aplicar as informações.

Se acreditar que os princípios do sucesso vão atuar a seu favor da mesma maneira que atuaram para outros, independentemente de suas experiências passadas, da falta de estudo, de seu ambiente ou saúde física, eles vão. No entanto, se você acreditar que está destinado ao fracasso e que não há nada que possa fazer, com certeza vai fracassar.

A mente tem um jeito incrível de transpor nossos pensamentos para a realidade física. Se você permitir que sua mente rumine pensamentos de fracasso e pobreza, pode ter certeza de que seu destino será esse. Mas, se enfocar pensamentos positivos, desenvolver a crença em si mesmo e for em busca de oportunidades, você será um sucesso. Como eu e Napoleon Hill sempre dissemos em nossos escritos: "O que a mente é capaz de conceber e acreditar, ela é capaz de realizar".

Você é produto de sua hereditariedade, de seu ambiente, corpo físico, de sua mente consciente e subconsciente, de sua experiência em ação e pensamento, sua posição e direção específicas no espaço e no tempo e algo mais – inclusive poderes conhecidos e desconhecidos.

Você é a pessoa mais importante no que diz respeito a você e sua vida. Você dispõe de poder potencial para afetar, utilizar, controlar ou harmonizar toda a sua vida, pois é dotado de um cérebro e de um sistema nervoso e com eles poderá desenvolver o hábito de fazer uso daquilo que aprendeu com a mente consciente e afetar, com as devidas ações, o seu subconsciente.

Você é uma mente com um corpo. Sua mente consiste de poderes potenciais duplos e invisíveis – seu consciente e seu subconsciente, que dispõem de poderes enormes quando corretamente utilizados. O poder criado pela mente consciente ao dirigir o subconsciente é quase ilimitado.

A velha frase "Conhecimento é poder" está correta apenas em parte. Conhecimento é apenas poder potencial. Só vai se transformar em poder se for utilizado, assim como a gasolina no tanque do carro é apenas um poder potencial até você girar a ignição e utilizá-la. Quando as mentes consciente e subconsciente agem em harmonia, podem afetar, controlar, utilizar ou se harmonizar com todos os poderes conhecidos e desconhecidos.

Você pode dobrar sua produtividade com o uso desse poder. Você é capaz de se imaginar realizando o dobro do que normalmente faz no mesmo período de tempo? O que seria preciso? Escreva numa folha de papel: "Amanhã eu vou...".

A seguir, relaxe por quinze minutos e abra sua mente para ideias de como alcançar os objetivos escritos. Anote as ideias à medida que ocorrerem, mas não se preocupe em organizá-las de maneira lógica ou atribuir prioridade. Tente manter aberto o fluxo de ideias. Talvez ajude visualizar "portões de lógica" na mente. Concentre-se em mantê-los abertos e deixar as ideias emergirem do subconsciente.

Se depois de meia hora de livre fluxo de pensamentos o papel estiver uma mixórdia de ideias rabiscadas, vá em frente e arrume numa ordem lógica. Se você ainda não chegou a uma noção de como dobrar sua produtividade, continue tentando. Tem gente que precisa de várias semanas de prática diária até dominar o processo. Eu nunca vou dormir à noite sem antes tirar um tempo para pensar, estudar e planejar. Recomendo fortemente que você também desenvolva esse hábito. Ele é crucial para explorar ao máximo suas habilidades.

O PODER DA ORAÇÃO

Há uma fonte diária de poder sobre a qual a maioria de nós tem, na melhor das hipóteses, um entendimento apenas superficial. Sabemos que em algum lugar existe uma estação de energia à qual nossos lares estão conectados; plugamos nossos eletrodomésticos e computadores e eles funcionam. Abrimos latas, processamos palavras e alimentos, fazemos cálculos matemáticos complexos e lavamos a louça.

No entanto, se pedissem à maioria de nós para provar o poder da energia elétrica – inclusive se ela existe mesmo –, provavelmente não conseguiríamos, mesmo com a ajuda de um engenheiro. Não somos capazes de ver a eletricidade – só os resultados.

O mesmo vale para a oração. Não somos capazes de medir ou quantificar seu poder, apenas ver os resultados. Não se pode provar cientificamente que a oração tem o poder de mudar o curso da civilização, evitar guerras, curar doenças físicas ou mentais e transformar fracassados em pessoas produtivas e bem-sucedidas. No entanto, vimos a oração realizar tudo isso e muito mais várias vezes no curso da história. Existem registros.

Tive a oportunidade de estudar essas coisas por muitos anos e debater com muitos dos maiores estudiosos do assunto. Quanto mais estudo, mais aprendo; quanto mais estudo a vida das pessoas bem-sucedidas, mais me convenço de que o maior de todos os poderes é o da oração. Já comprovei isso muitas e muitas vezes.

Ao longo dos anos, recebi inúmeras cartas de pessoas que leram meus livros, artigos e colunas. Muitas tiraram um tempo para me dizer que meus escritos as inspiraram ou motivaram a alcançar alguma coisa que antes acreditavam ser impossível. São cartas gratificantes, mas as que mais me tocam são as dos leitores motivados a voltar à igreja ou buscar ajuda divina para salvar suas vidas, ou que utilizaram a oração com sucesso para recuperar a saúde física, mental ou moral.

Não é sequer importante saber como a oração funciona – basta saber que funciona. Há muitos mistérios no cosmos que talvez nunca possamos entender, mas sabemos que existem certas leis universais que sempre se aplicam. Pelo poder da oração somos capazes de ligar nossa vida a canais positivos e produtivos. E ninguém na face da Terra é capaz de impedir isso.

Mas você deve lembrar que a oração é algo participativo, não passivo. Não basta pedir uma orientação, você tem de agir. Se vale a pena rezar por alguma coisa, vale a pena trabalhar por ela. O ciclo do sucesso é: rezar, agir, trabalhar. Você pode atingir qualquer meta que estabelecer para si mesmo se obedecer a esse ciclo.

Cada um de nós prefere rezar numa determinada hora do dia. Recomendo que seja de manhã e à noite, quando as coisas estão calmas e pacíficas, mas qualquer hora do dia serve, desde que você reserve o momento para uma oração reverente e elaborada. Poderíamos aprender com outras culturas que levam as orações muito mais a sério do que qualquer compromisso profissional e reservam um tempo para rezar mesmo na hora do trabalho. A harmonia e a paz interior advindas da oração diária pagam ótimos dividendos.

Verifiquei que, além das orações que sabemos de memória, é muito útil seguir a abordagem de um dos líderes mais sábios da história norte-americana, Benjamin Franklin, e também rezar por sabedoria. Enfoque os ideais e atributos que irão fortalecer o melhor em você. E reze pelos outros, inclusive todos os seus parentes.

Ao rezar, siga essa regra: ore como se tudo dependesse só de Deus, depois aja como se tudo dependesse só de você. Se fizer isso, você vai realmente aproveitar o maior poder que a humanidade conhece – o poder da oração.

ACREDITE EM SI

Depois de idealizar o que deseja conseguir e o que precisa fazer para chegar lá, você deve *acreditar* que vai ser capaz de alcançar. E isso pode ser mais difícil.

Esse tipo de crença exige autoconfiança e autodisciplina. No livro *The Road Less Travelled* (O caminho menos percorrido), o psicólogo M. Scott Peck escreve que autodisciplina é cuidar de si. "Se acreditarmos que somos valiosos, então vamos ver que nosso tempo é valioso, e, se sentirmos que nosso tempo é valioso, vamos querer usá-lo bem."

Peck acredita que a sensação de ter valor, a pedra fundamental da autodisciplina, é produto direto do amor dos pais. "Essa convicção tem que surgir na infância. É muito difícil ser adquirida na vida adulta", diz. "Por outro lado, quando as crianças aprendem por intermédio do amor dos pais que são valiosas, é quase impossível que as vicissitudes da vida adulta destruam seu espírito."

Sei que Peck tem razão porque tive uma mãe amorosa que me ensinou a ter autoestima. Essa foi a base do meu sucesso. No entanto, se você não teve uma formação assim, nunca é tarde demais. Você pode aprender a ter autoestima lendo livros de desenvolvimento pessoal e motivacionais, como este e tantos outros.

Depois que tiver dominado a capacidade de conceber e acreditar, você vai ser capaz de *dobrar* sua produtividade. Eu fiz isso, e você também pode fazer. Talvez não imediatamente, mas posso garantir sem sombra de dúvida que, quando usei o processo apresentado aqui, dobrei minhas vendas e depois dobrei de novo e mais outra vez.

Me perguntei: "Por que não posso vender num dia o que antes vendia em uma semana? Por que não?". E vendi. Depois decidi vender em uma semana o que outros vendiam em um mês. No fim, eu vendia em um mês o que outros vendiam em um ano.

A FÓRMULA R2A2

Ao treinar vendedores, sempre adotei como regra pessoal nunca dizer a eles *o que* fazer, a não ser que pudesse ensinar *como* fazer. Sigo a mesma regra nos meus escritos. Se você estiver pronto para adotar esses princípios, aqui estão dois deles capazes de garantir seu sucesso:

1. Reconheça, Relacione, Assimile e Aplique os princípios, sistemas, métodos e técnicas daquilo que vir, ouvir, ler e vivenciar que possa auxiliá-lo a atingir suas metas e anseios. Chamo essa fórmula de R2A2. Como você certamente já percebeu, R2 significa Reconhecer e Relacionar, A2 significa Assimilar e Aplicar.

2. Invoque o poder de seu subconsciente de maneira a direcionar seus pensamentos, controlar suas emoções e organizar seu destino, motivando-se quando bem entender e motivando os outros a se automotivarem para atingir objetivos de valor.

Para utilizar essa fórmula, você deve ter seus objetivos sempre em mente e estar *pronto* para aceitar informações úteis. Quando tem um desejo ardente de atingir a meta que estabeleceu para si mesmo, você vê o mundo em relação a seu objetivo. Tudo que você aprende sobre qualquer assunto, toda ação que faz, o deixa mais perto da meta ou não. Ter o objetivo firme em mente ajuda a estabelecer prioridades mais facilmente e ajuda a focar no que é importante.

Por exemplo, ao ler um livro de desenvolvimento pessoal, concentre-se no significado das palavras e dos ensinamentos em relação a seus objetivos. Leia como se o autor fosse um amigo próximo que estivesse escrevendo só para você.

Leia o livro *inteiro* – dedicatória, prefácio, inclusive sumário e bibliografia, bem como todas as páginas na devida ordem. Se o livro for seu, *sublinhe* ou *realce* os trechos e frases que lhe pareçam importantes, especialmente os que deseje memorizar.

Ponha pontos de interrogação ao lado daquilo que não entender. Faça anotações rápidas nas margens das páginas e outras mais extensas num bloco de notas, quando tiver ideias inspiradas ou vislumbrar a solução potencial de algum problema em função do que você leu.

Outro exemplo de foco seria ouvir um sermão ou a fala de um palestrante motivacional. Como as ideias costumam vir dos lugares mais inesperados, é importante ouvir com um bloco de anotações à mão. Anote qualquer coisa interessante (um vislumbre inspirado ou a solução de algum problema).

Concentração também é importante ao se ouvir uma palestra, pois você deve sempre se perguntar: "O que isso significa para mim?". Com ideias específicas na cabeça, você depois pode abordar o palestrante com perguntas destinadas a ajudar na aplicação da fórmula R2A2.

A segunda parte da fórmula é a mais importante, mas é essa que muita gente tende a evitar ou a olhar superficialmente. É bem fácil identificar essas pessoas, pois são as que sempre inventam desculpas.

NADA ACONTECEU

Há alguns anos, o telefone do meu escritório tocou, e Linda, minha assistente administrativa, atendeu. "Quero falar com o Sr. Stone", exigiu uma mulher furiosa. Linda respondeu: "O Sr. Stone está fora da cidade no momento. Posso ajudar?".

No decorrer da conversa, a mulher revelou que ela e o marido estavam brigando por causa do dinheiro que haviam "jogado fora" em dois livros meus – *Atitude Mental Positiva* e *The Success System that Never Fails* (O sistema de sucesso que nunca falha). A mulher disse a Linda que tinha lido os dois livros e nada acontecera.

"Meu marido continua desempregado", disse ela, "e continuo passando dez horas em pé todo dia naquele restaurante xexelento! O Sr. Stone escreveu no livro: 'O que quer que a mente humana seja capaz de conceber e acreditar, ela é capaz de alcançar'. Promessa é promessa, e trato é trato!".

"Mas que ação você tomou em consequência de ler os livros do Sr. Stone?", perguntou Linda.

Seguiu-se um longo silêncio, e então a resposta: "Fiquei esperando".

Linda falou o mesmo que me ouviu dizer tantas vezes: "O autor de um livro de desenvolvimento pessoal julga o próprio trabalho pelas ações que seus leitores tomam como resultado direto da leitura. Por que você não lê os livros de novo? Não espere que um passe de mágica salte das páginas. Procure um princípio ou ideia que tenha um significado especial para você e então parta para a *ação*".

Elas conversaram mais um pouco, e Linda deu mais algumas sugestões específicas de como proceder. A conversa terminou em tom agradável.

Muitos meses depois, a mulher ligou de novo. "Você provavelmente não lembra de mim", disse ela, "mas eu sou aquela que ligou alguns meses atrás, e você sugeriu que eu lesse de novo os livros do Sr. Stone e tomasse alguma atitude. Eu precisava telefonar para contar *o que* aconteceu."

A leitora falou que ela e o marido leram os livros de novo – dessa vez juntos, motivados a agir. Ela decidiu fazer um curso de administração à noite. Embora estivesse ganhando menos temporariamente no restaurante por trabalhar menos horas por dia, ela estava investindo em seu futuro. Ela já fora informada de que estava sendo considerada para três novos empregos que estariam à disposição quando terminasse o curso, com um salário que era o dobro do que ganhava como garçonete.

"Ainda temos uma longa estrada pela frente", ela disse, "mas estamos no caminho. Só quis ligar para agradecer. Você tinha razão. A resposta estava nos livros, mas o passe de mágica de que você falou estava dentro de mim".

Já faz um tempo que não ouço falar dessa mulher, mas, se fosse para especular, apostaria que ela está se dando bem. Quando começou a pôr em prática as informações que recebeu, começou a mudar a vida para melhor.

O empreendedor Del Smith fundou a Evergreen Aviation International, Inc., uma empresa extraordinariamente bem-sucedida, sob a premissa de que "desempenho é a única coisa que conta", e acho que esse é um ótimo lema para todos nós adotarmos. Boas ideias são como boas intenções. Não vai acontecer nada se não forem postas em prática!

Embora a parte da ação na fórmula R2A2 seja a parte mais importante, ela não vai dar certo sem a primeira parte. Para aplicar o R2, você descobre uma ideia e a relaciona a suas necessidades ou situação. Então você a assimila, absorve, e ela passa a ser sua.

Pode ser difícil assimilar uma ideia. Geralmente é um processo de três etapas:

1. Compreensão – significa que você vê a ideia e todas as suas implicações e desdobramentos. Se você realmente

compreende uma ideia, será capaz de explicá-la a alguém.

2. Experimentação – testar a ideia para ver se você se sente à vontade com ela. Suponha, por exemplo, que você utilizou o R2 da fórmula a respeito de frases de automotivação. Você poderia testar repetindo uma frase como "Faça isso agora!" para si mesmo várias vezes por dia, todos os dias, para ver se funciona e como se encaixa em seu estilo pessoal.

3. Afirmação – dizer: "Sim, essa ideia ou esse método se encaixa na minha maneira de encarar a vida", e transformá-la num hábito pessoal.

Como todas as fórmulas, a R2A2 tem duas funções: uma descritiva e uma prescritiva. O aspecto descritivo tem algo de satisfatório, mas há uma grande diferença entre apenas conhecer o significado da fórmula $E = MC^2$ e saber utilizá-la para fabricar um reator nuclear. O mesmo vale para a R2A2. As pessoas que compreendem o princípio mas são incapazes de colocá-lo em prática vão continuar à margem, realizadoras teóricas que se escondem atrás de desculpas.

Partir para a ação evidentemente envolve risco, mas você pode reduzir os riscos pensando cuidadosamente sobre as ações e invocando o poder de seu subconsciente para garantir que está empregando todos os ativos à sua disposição para assegurar o êxito.

O INGREDIENTE MÁGICO

Quando comecei a pensar no que escreveria nesta Introdução, refleti sobre o trabalho que eu e Napoleon Hill realizamos juntos e passei os olhos em algumas de minhas velhas anotações. Lembrei de nossa empolgação com as novas descobertas sobre as vitaminas naqueles idos de 1955.

Decidimos inventar nossa própria vitamina, que chamamos de Vitamina I. A essa altura você já ouviu falar bastante sobre as vitaminas A, B, B1, complexo B e vitaminas C, D, E, K, mas, se não ouviu falar da Vitamina I, permita-me discorrer um pouco. A Vitamina I é a "Vitamina da Inspiração".

Todos nós sabemos que o corpo só absorve a quantidade de vitaminas que pode assimilar. O que não pode utilizar é eliminado. Ao longo da vida, você gasta um dinheirão para obter as vitaminas presentes na comida e nos suplementos alimentares, pois devemos reabastecer nossos estoques vitamínicos.

A Vitamina I, por outro lado, pode ser absorvida das mesmas fontes várias vezes, sem esgotá-las. Pode ser gerada dentro de nós e estimulada de fora, selecionando-se as influências externas benéficas para ajudar a atingir a inspiração que se busca.

O subconsciente reage a influências externas inspiradoras se exposto por tempo e com frequência suficientes. Escolha influências ambientais com o mesmo cuidado que escolhe a comida e os suplementos alimentares para seu corpo. Visto que sua mente subconsciente reage a pensamentos inspiradores com mais rapidez e eficiência do que às influências externas, cultive pensamentos inspiradores.

Assim como as vitaminas devem ser tomadas regularmente para manter o corpo saudável, a Vitamina I tem que ser tomada para manter a mente sã. Inspiração sem ação é linda, mas não vale nada. Dura pouco e se apaga como uma chama – muitas vezes para não mais voltar. A mente é afetada até certo ponto pela condição física do corpo, mas este é ainda mais afetado pela condição da mente. Escolha bem o seu suplemento diário de Vitamina I.

A ARTE DA AUTOMOTIVAÇÃO

O maior poder de que nós, seres humanos, dispomos é o poder de escolha. Mas para isso precisamos tomar uma decisão. E às vezes decisões são dolorosas, muitas vezes difíceis. Aqueles que se dedicam a estudar os padrões de comportamento das pessoas e como convencê-las a mudar o comportamento para seu próprio bem chegaram a algumas conclusões inescapáveis. Uma regra fundamental é a seguinte: você e eu herdamos instintos, emoções, sentimentos e tendências. Desenvolvemos humores, hábitos e impulsos. Mesmo as pessoas mais lógicas não agem de maneira apenas racional. Agimos com base em emoções e sentimentos, tanto quanto na lógica.

Uma das coisas maravilhosas de nossos fantásticos cérebro e sistema nervoso é que somos capazes de usar tanto a razão como a emoção para nos motivar à nossa vontade. Mas isso exige um pequeno salto de fé. Temos que aceitar como fato que existem poderes conhecidos e desconhecidos que podemos utilizar a nosso favor – forças que nos motivam.

Afinal de contas, a motivação é definida simplesmente como tudo aquilo que induz à ação ou determina uma escolha. É o que fornece um motivo. Seus motivos são anseios interiores que pertencem somente a você. São as coisas dentro de você que o incitam a agir – uma ideia, emoção, desejo ou impulso. É a esperança ou alguma outra força que o coloca em ação na tentativa de alcançar um resultado específico.

Muito já se escreveu sobre o conflito fundamental que aparentemente todos carregam dentro de si. A batalha entre o bem e o mal é tema de grandes obras dramáticas e romances fuleiros, e reconhecemos alguns desses mesmos conflitos quando tentamos nos motivar. Todos nós temos emoções complexas e às vezes contraditórias, mas pessoas bem-sucedidas aprendem a controlá-las. Elas superam uma tendência natural para o fracasso motivando-se a fazer uma coisa antinatural – ter sucesso!

Se você entender como a motivação atua em si mesmo, pode avançar muito no entendimento dos outros. Quando for capaz de determinar o que motiva alguém, você será um gestor melhor porque saberá como inspirar seus funcionários a estabelecer e atingir metas cada vez mais ambiciosas. E também será um pai ou uma mãe melhor porque estará mais preparado para ajudar seus filhos a realizar o potencial deles. E, se souber o que motiva um comprador potencial, saberá como vender suas ideias, produtos ou serviços para ele.

TRIBUTO A UM MESTRE DA MOTIVAÇÃO

Alguns anos atrás, fiquei surpreso ao ver a revista *Inc.* "descobrir" Napoleon Hill. O artigo se chamava "Napoleon quem?", e, embora a falta de conhecimento sobre a obra de Hill fosse um tanto inquietante, o texto concluía que *O manuscrito original de Napoleon Hill* (editora Citadel) deveria ser leitura obrigatória para qualquer empreendedor.

O que realmente me surpreendeu foi que o artigo rotulava a obra de Hill como "um clássico do *underground*". A meu ver, era o contrário. O que poderia ser mais *mainstream* do que a lista dos maiores *best-sellers* de todos os tempos organizada pela Associação dos Editores dos Estados Unidos? Ela situa *Pense e enriqueça* no topo dos livros de negócios. Poucos autores têm uma lista de seguidores tão diversificada quanto Hill. Entre seus fãs estão o inventor Thomas Edison, o magnata da indústria automobilística Henry Ford e o astro da música pop Michael Jackson. F. W. Woolworth, cujas ideias revolucionaram o varejo, disse que sua rede de lojas foi montada com base nos princípios do sucesso expostos por Hill. Disse ele: "Presumo que não seria exagero se eu dissesse que o Edifício Woolworth poderia perfeitamente ser chamado de um monumento à solidez desses princípios".

O interesse de Michael Jackson pela obra de Hill parece ter surgido do fato de um de seus heróis ter sido Thomas Edison, a quem Hill conhecia bem e sobre quem escreveu bastante. Jackson tem uma vasta coleção de *memorabilia* de Edison, que ele me mostrou recentemente, quando jantei em sua casa na Califórnia.

Embora Jackson já tivesse me telefonado e conversado comigo várias vezes, esse foi nosso primeiro encontro pessoal, e fiquei impressionado com o entendimento que ele tinha do laço comum que une os homens e as mulheres que obtêm grandes conquistas na vida. A personalidade pública de Michael mascara uma forte inclinação filosófica. Imagino que pouquíssimos, se é que algum, de seus milhões de fãs têm a menor ideia do grande interesse dele pelas fontes de motivação e realização humanas.

Jackson e eu descobrimos que temos muitas ideias em comum, e não me surpreendi com o fato de a obra de Napoleon Hill ter nos aproximado. Hill tinha uma facilidade de expressar pensamentos com os quais praticamente qualquer pessoa é capaz de se identificar.

A filosofia de Napoleon Hill coincidia tanto com a minha que em 1937 mandei um exemplar de seus livros para todos os meus representantes de vendas. *Bingo!* Acertei na mosca! As vendas explodiram.

Mais de vinte anos depois, convenci Hill a sair da aposentadoria e voltar a escrever e dar palestras. Ele aceitou sob uma condição: que eu administrasse seus negócios. E fiz isso por dez anos, e a aliança de MasterMind que eu e ele formamos foi uma das experiências mais gratificantes de minha vida.

Napoleon Hill dedicou a vida a ajudar os outros a realizar seu potencial, e hoje a fundação que leva seu nome continua a espalhar a mensagem. Foi um grande prazer ter sido presidente da fundação por muitos anos e ver os resultados de sua filosofia.

As palavras que você está prestes a ler podem mudar positiva-mente sua vida de uma maneira que você não é capaz de imaginar agora – se estiver preparado para aceitá-las e agir.

— W. CLEMENT STONE

Capítulo 1

ATITUDE MENTAL POSITIVA

O PODER DA PERSUASÃO POSITIVA lhe mostrará como definir e adquirir o que você deseja da vida, com um amplo poder de transformar qualquer adversidade numa oportunidade mais rica e desejável. Esse poder o ajudará a construir um eu melhor, mesmo depois de achar que já aplicou todos os seus melhores talentos. Enquanto você estiver estudando este livro, espero estimular e trazer à tona todos os grandes poderes que estão dentro de você. Quando um trecho trouxer um novo entendimento e direção, pare e faça uma anotação, de modo que sempre possa voltar a ela e desenvolver o hábito de acionar esse poder.

Você vai ver que muitos desses grandes poderes já estão dentro de você. Podem estar precisando ser despertados e aprimorados a fim de que você desenvolva seu maior potencial. É impossível para o autor saber onde ou quando cada leitor irá descobrir o princípio necessário para acabar com a distância que separa, em cada um, o sucesso da mediocridade.

Uma atitude mental positiva é algo básico em todas as conquistas. Ao se lançar no estudo pessoal rumo a uma vida mais exitosa, comece fazendo uma reflexão sobre os seus hábitos de pensamento. Sua atitude mental determina sua reação diante de qualquer questão que você enfrente. Você age de maneira favorável ou desfavorável, construtiva ou destrutiva, positiva ou negativa. Nossa atitude mental define nossa personalidade. Homens e mulheres que alcançaram grandes conquistas aprenderam a arte de manter uma mente positiva. Aprenderam a arte de manter a mente dirigida para o que desejam da vida.

A ESCOLHA É SUA

Em algum momento da vida, a maioria das pessoas se conscientiza agudamente, às vezes dolorosamente, de que sempre terão de fazer escolhas – escolhas que determinam seu destino. É como se, ao nascer, tivessem recebido dois envelopes selados, cada qual contendo as regras que comandariam suas vidas. Um envelope traria uma longa lista com as bênçãos que a pessoa poderia aproveitar se reconhecesse e se apoderasse do poder da própria mente, tornasse ela positiva e a direcionasse cuidadosamente para os fins que escolhesse, sem violar os direitos dos outros. O outro envelope conteria uma lista igualmente grande de penalidades que a pessoa teria de pagar se não reconhecesse o poder da mente e não o utilizasse de maneira construtiva.

Nossa mente é a única coisa que podemos controlar. Ou a controlamos, ou cedemos o controle para outras forças, e nossa mente e a vontade ficam como gravetos num lago, jogadas de um lado para o outro sem nunca chegar a uma conclusão satisfatória, presas fáceis de qualquer vento negativo que sopre.

Sem controle, a mente perde a sua poderosa eficácia e é como um braço atrofiado. Com controle, exercício e direção, a mente adquire poder.

Você deve lidar com qualquer situação que venha a confrontar. Não há como não reagir a uma situação. A situação é um fato. Ser positiva ou negativa vai depender da sua reação. O sábio reage de maneira consciente e bem pensada, benéfica para a situação específica. Ele opta em reagir de maneira esclarecida, com propósito e da forma mais adequada aos seus interesses. Isso é domínio da situação. O pensador positivo está ciente da escolha. É um realista.

Conquista é resultado do controle da mente. A prática assegura o controle permanente. Mesmo quando a situação parece desastrosa, existe a possibilidade de uma atitude positiva.

O melhor exemplo é o caso de um fazendeiro forte e saudável que de repente foi acometido por uma paralisia dupla. Desanimado e aparentemente sem esperança, ele teve de encarar o fato de que sua vida de fazendeiro se encerrara para sempre. Ele lembrou de ter lido um livro em que o autor afirmava: "Toda adversidade traz em si a semente de um benefício equivalente ou maior".

O homem reuniu a família e avisou que queria que plantassem milho em cada metro quadrado da fazenda. Queria que o milho alimentasse os porcos e que os leitões fossem transformados em salsichas pequenas. Milo Jones ficou milionário com o produto da mesma fazendinha que antes só lhe permitira uma existência humilde. Hoje a Jones Farm Sausages é uma marca querida em todos os Estados Unidos, e a empresa fundada por Jones emprega milhares de funcionários.

Brownie Wise era uma viúva desanimada, sem emprego e sem dinheiro para sustentar o filho inválido, quando deparou com um exemplar de *Pense e enriqueça*. Fascinada com o que leu, começou a se direcionar para uma vida melhor. Organizou festas em casa com produtos Tupperware e começou a treinar mulheres para vender esses utensílios de cozinha. Num único ano, suas vendas superaram US$ 30 milhões, e a sede da Tupperware perto de Orlando, na Flórida, virou atração turística.

Existem inúmeros exemplos de indivíduos que encontraram "a semente de um benefício equivalente" no tipo de adversidade que escraviza outras pessoas em uma atitude mental negativa pelo resto da vida. As adversidades vão atingir a todos em algum momento da vida. Como você as enfrenta, o que faz com elas e o que permite que elas tirem de você ou lhe deem é determinado por seus hábitos mentais. Toda experiência vai fazer alguma coisa POR você – ou CONTRA você.

AVANCE EM DIREÇÃO À SUA META

Uma atitude mental positiva não pode ser adquirida de forma alguma a não ser pela construção passo a passo, por decisão consciente. O primeiro tijolo com o qual você pode dar forma a uma atitude mental positiva é o hábito de avançar com firmeza de propósito rumo à sua meta.

Se você ainda não sabe o que quer da vida, se o seu objetivo ainda é nebuloso, variável ou não tem nome, você deve defini-lo. Sem um propósito, sem um planejamento adequado para realizar qualquer que seja a meta, sua mente estará de portas abertas para atitudes mentais preguiçosas e negativas. As pessoas bem-sucedidas

são aquelas que definem uma meta positiva, planejam como esperam atingi-la e estabelecem um cronograma para isso. Nesse exato
momento, enquanto o assunto está fresco em sua mente, escreva
um esboço claro do que deseja dentro de um período definido de
tempo, digamos nos próximos cinco anos.

Anote a renda que deseja e redija uma declaração igualmente
clara do que pretende dar para ter essa renda, porque não existe
essa coisa de algo a troco de nada. A declaração deve citar o quanto
você pretende ganhar a cada semana, cada mês e cada ano.

Faça uma descrição completa do tipo de casa em que pretende
morar, se possível com uma planta arquitetônica. Poste num lugar
onde possa ver diariamente. Anote a quantia aproximada que pretende investir na casa.

Faça uma lista do carro ou dos carros que deseja dirigir. Pegue
uma foto do carro e a mantenha em sua mesa.

Se não for casado, descreva a pessoa que deseja como compa-
nheira. Inclua detalhes de todos os traços de caráter, todos os hábitos
e todas as características físicas que deseja que ela tenha. Depois faça
uma lista dos traços de caráter e de todas as qualificações que você
tem ou pretende desenvolver para ter direito ao tipo de pessoa que
descreveu. Lembre-se de que a parceria sagrada do matrimônio é
uma via de mão dupla e os dois lados têm direito a faixas iguais.

Faça uma lista de como pretende usar as 24 horas que você
tem à disposição todos os dias. Você conta com aproximadamente
três períodos de oito horas – um para dormir, um para os negócios,
profissão ou vocação e o terceiro, o "tempo livre", pode ser usado
como você achar melhor.

Descreva sua ocupação, negócio ou vocação profissional. Depois escolha a pessoa mais bem-sucedida que conhece numa área e posição parecida e decida ser tão bem-sucedido quanto ela – ou mais – num determinado período de tempo.

Separe uma hora por dia das oito horas de "tempo livre" e dedique-a inteiramente a leitura que o inspire a manter a mente positiva. Seu material de leitura deve estar ligado à sua ocupação ou de alguma maneira ajudá-lo na carreira.

Finalmente, e talvez o mais importante, faça uma prece de gratidão pelo menos duas vezes por dia, logo antes de se recolher à noite e ao se levantar de manhã, pelas bênçãos que já tem e pelas coisas que espera alcançar no futuro. Quando estiver rezando, projete em sua mente todos os seus desejos e objetivos e reze para que, quando os conseguir, você se lembre de ser igualmente fervoroso na gratidão.

FORME UMA ALIANÇA DE COOPERAÇÃO

O segundo tijolo necessário para uma atitude mental positiva é a formação de uma aliança de cooperação harmoniosa com outras pessoas: "Se for possível, quanto estiver em vós, tende paz com todos os homens".

Você e só você é a pessoa adequada para determinar o que deseja da vida, mas a escolha que fizer pode ser de tal magnitude que precisará da ajuda de outras pessoas para chegar onde quer. As pessoas mais exitosas são aquelas que descobriram como atrair outras para trabalhar com elas, de modo a se beneficiar da educação, experiência, influência e, às vezes, auxílio financeiro destas.

Thomas Edison, por exemplo, só teve três meses de educação formal, mas escolheu uma profissão que exige a utilização de muitos ramos do conhecimento, como química, eletrônica, física, matemática e engenharia. Ele resolveu esse problema cercando-se de pessoas que tinham a educação e o treinamento que lhe faltavam.

Henry Ford deu início à grande era do automóvel forjando alianças amistosas de negócio com homens que podiam fornecer o que ele necessitava para produzir os automóveis. Encontrou gente como os irmãos Dodge, de grande perícia em mecânica, e James Couzens, que tinha dinheiro e conseguiu fundos adicionais para investir na empresa.

Lembre-se disso ao formar sua aliança cooperativa: ninguém faz nada sem motivo. Certifique-se de que cada membro da aliança receba uma compensação equivalente à quantidade de serviço prestado. Se falhar nisso, você terá defecções no grupo, e mais adiante algumas delas podem acabar sendo suas concorrentes.

Andrew Carnegie pagava a um dos seus aliados de MasterMind, Charles Schwab, um salário de US$ 75 mil por ano, fenomenal na época. Às vezes pagava até US$ 1 milhão de bonificação no fim do ano pelos serviços prestados por Schwab. Perguntado se seria necessário pagar a Schwab um valor tão alto que não havia sido prometido, Carnegie respondeu: "Não, não seria necessário, mas pareceu melhor do que correr o risco de ele parar de trabalhar para mim e virar meu concorrente".

Instado a dar maiores explicações, Carnegie respondeu: "Pago US$ 75 mil por ano pelo trabalho pessoal dele e um valor muito maior de bônus pelo que ele instiga os outros a fazer, inspirando-os a trabalhar com uma atitude mental positiva".

Isso dá uma ideia do valor que Andrew Carnegie atribuía a pessoas que emanavam uma atitude mental positiva.

FAÇA UM ESFORÇO EXTRA

Como tijolo número três na criação de uma atitude mental positiva, cultive o hábito de fazer mais do que aquilo que é pago para fazer ou que esperam que você faça. Habitue-se a ir além, prestando um serviço que não é esperado, pois isso atrai amigos, clientes e apoiadores em muitos sentidos.

Pode-se dizer muita coisa sobre o velho clichê "sirva com um sorriso no rosto". Se a sua atitude interior e exterior é positiva, se você vai além e presta mais e melhor serviço do que o prescrito, você está no caminho certo para ter relações valiosas, que não só podem ser agradáveis, como esplendidamente recompensadoras, ao acelerar a realização de suas metas mais elevadas.

O hábito de prestar mais e melhor serviço do que é pago para fazer pode trazer muitos tipos de recompensa. Vai atrair a atenção favorável das pessoas certas – que vão proporcionar oportunidades para você avançar. Muitas vezes o retorno virá de uma fonte totalmente inesperada – e não da pessoa a quem você ajudou inicialmente. A lei dos retornos crescentes trabalhará a seu favor: as sementes de serviço extra que você plantou voltarão para você imensamente multiplicadas de uma maneira ou de outra.

Você não precisa pedir permissão para fazer mais do que o esperado – seja na maneira ou na ação. Se o seu trabalho é assalariado, o hábito de fazer mais do que o exigido lhe dá todo o direito de esperar aumentos e promoções; nada mais lhe dá esse direito. Se você presta um serviço suficiente apenas para ganhar o que recebe, está em má situação para pedir ou esperar um aumento. Se você presta menos serviço do que o exigido, pela lei dos retornos decrescentes o mercado para seus serviços ficará cada vez menor. Lembre-se: a qualidade do serviço que você presta mais a quantidade e a atitude mental com que presta determinam o quanto você vai receber.

Lembre-se também do seguinte: se a sua atitude mental é negativa, se você reclama ou procura defeito nos outros, isso vai neutralizar tudo o que você fizer, mesmo que faça mais do que é pago para fazer. Ninguém quer se associar a uma pessoa cuja mente é habitualmente negativa. Ninguém gosta de comprar nada de um vendedor azedo. Ninguém quer viver com um parceiro de mente negativa e cujas palavras e ações são mordazes e venenosas.

O poder está nas mãos de pessoas que fazem um bom trabalho consistentemente, com atitude agradável em relação aos outros e que sempre se lembram de fazer um pouco mais do que o esperado.

ENTUSIASMO!

O tijolo número quatro é concentrar-se no hábito de colocar entusiasmo em suas palavras e ações.

Emerson disse: "Nada de grandioso foi criado sem entusiasmo".

O entusiasmo é uma força magnética que atrai aqueles que ficam sob sua influência. É a pedra fundamental do arco das técnicas de vendas do supervendedor.

Ficamos entusiasmados quando injetamos forte emoção em nossas palavras e ações e ao pensar e agir continuamente de maneira entusiástica.

Luther Burbank era tão cônscio do poder do entusiasmo que afirmava tê-lo usado efetivamente ao falar com as flores e arbustos que cultivava quando horticultor. Dizia que podia pegar qualquer planta, conversar com ela e fazer um elogio entusiástico sobre a sua beleza e que ela acabava crescendo mais rápido, superando as companheiras que cresciam no mesmo solo. Seria uma afirmativa inacreditável se proferida por qualquer outro que não Burbank.

Um vendedor raramente venderá alguma coisa sem aplicar entusiasmo em pelo menos um momento da transação.

ACREDITE EM SI

Uma capacidade permanente de ter fé é o quinto tijolo. A frase "o que quer que a mente humana possa conceber e acreditar, ela é capaz de realizar" não é uma mera justaposição de palavras. As revelações da ciência, especialmente nos últimos anos, levam à conclusão inevitável de que o único limite do homem é o que ele estabelece na própria mente ou o que aceita nas circunstâncias que encontra no dia a dia. Portanto, fé num Deus pessoal é fundamental para as conquistas.

O homem inventou telescópios tão potentes que agora somos capazes de olhar para o espaço e enxergar objetos a milhões de anos-luz de distância da Terra, podemos examinar o tamanho e os componentes do Sol e desenvolvemos meios de conquistar o espaço sideral. A humanidade demonstrou que não há limites para o poder da mente – apenas obstáculos temporários que podem ser removidos com a nossa vontade.

O primeiro passo – e talvez o mais importante – a se tomar é utilizar os vastos poderes da mente para descobrir o poder da autossugestão que pode domar a mente e fazer uma pessoa acreditar no que quer que deseje.

Esse poder às vezes é chamado de autossugestão; mas, independentemente do nome que se dê, trata-se de uma força irresistível que permite ao indivíduo atravessar as barreiras da resistência e fazer coisas que de início pareceriam impossíveis.

Como se pode transformar o medo, a dúvida e o desamparo na força da crença?

A receita é simples. Trabalhe repetindo continuamente uma ideia, plano ou objetivo positivo até ele ser aceito pela mente subconsciente. Lá, por algum meio imponderável, ele entra em contato com o poder que transforma uma crença numa realidade física.

O poder da autossugestão pode deixar a palavra "impossível" tão sem força que ela acabará se tornando obsoleta no seu vocabulário.

Um dos livros mais antigos, a Bíblia, é cheio de promessas de que todo ser humano tem o poder de sair de onde está para onde quer que deseje. Mas, geração após geração, as pessoas leram essas promessas e disseram a si mesmas: "Isso não é para mim". Contudo, em todas essas gerações, houve umas poucas que disseram: "Isso com certeza é para mim". Elas alcançaram a verdadeira natureza de suas mentes e avançaram até erguer a humanidade ao presente estágio de civilização.

A ciência já isolou, analisou e explorou quase todos os poderes disponíveis aos seres humanos, exceto o poder da fé. Não obstante, aprendeu-se o suficiente sobre esse enorme poder, de modo que todos que quiserem podem aproveitá-lo e direcioná-lo para a finalidade escolhida.

Esses cinco princípios podem proporcionar poderes de realização que funcionam como se fossem mágica. Numa série de palestras ministradas na Faculdade de Administração de Harvard, um dos alunos perguntou a Hill se esse poder não seria perigoso nas mãos de uma pessoa inescrupulosa.

Ele respondeu o seguinte: "Qualquer forma de aptidão que não seja contrabalançada pelo bom caráter e pela honestidade de propósito pode se tornar um instrumento do mal, em vez de do bem. Mas isso não serve de argumento contra o uso do poder da mente, já que todo bem pode se converter em mal. Por exemplo, a energia nuclear é benéfica quando compreendida e aplicada de modo construtivo, mas também pode destruir a vida numa escala pavorosa".

Seguem-se fatores adicionais que podem ser utilizados para se desenvolver e manter uma atitude mental positiva.

CONTROLE E DIRECIONE AS EMOÇÕES

Suas emoções devem estar sob controle para que você possa assegurar-se de manter uma atitude mental positiva. Sem esse controle, você é como uma pessoa em cima de um cavalo em disparada e que não consegue segurar as rédeas.

O controle das emoções deve incluir tanto as positivas quanto as negativas, listadas abaixo:

AS SETE EMOÇÕES POSITIVAS	AS SETE EMOÇÕES NEGATIVAS
1. Amor	1. Medo (existem seis tipos básicos)
2. Sexo	2. Ciúme
3. Esperança	3. Ódio
4. Fé	4. Vingança
5. Entusiasmo	5. Ganância
6. Lealdade	6. Raiva
7. Desejo	7. Superstição

As emoções são as forças que produzem as ações. Podem erguê-lo ao plano mais alto de realização na sua profissão ou podem afundá-lo nas profundezas do fracasso, dependendo do seu grau de controle sobre elas.

Se você acredita que apenas as emoções negativas precisam ser controladas, livre-se dessa ideia agora mesmo. Suas emoções positivas também podem levá-lo a excessos que destroem o poder de uma atitude mental positiva. As emoções do amor e do sexo requerem cuidadosa orientação, pois são as mais poderosas de todas e as que fogem ao controle com maior frequência.

CONTROLE OS HÁBITOS DE PENSAMENTO DOMINANTES

Crie o hábito de manter a mente ocupada com aquilo que você deseja – e longe daquilo que não deseja. Seus pensamentos tendem a fabricar as circunstâncias que ocupam sua mente com maior frequência. Pense em prosperidade, planeje alcançá-la, e seus pensamentos o levarão na direção da opulência.

APRENDA A TRANSMUTAR ADVERSIDADE EM BENEFÍCIO

Toda adversidade, toda experiência desagradável, todo fracasso, traz em si as sementes de um benefício equivalente ou maior. Procure essa semente quando se deparar com qualquer derrota. Examine sua adversidade muito cuidadosamente. Você vai descobrir que ela tem um benefício potencial muito maior do que aquilo que você perdeu com a experiência. Explore esse benefício, aproveite-o ao máximo e você vai descobrir um dos mais profundos princípios do sucesso. Vai aprender a converter obstáculos em trampolins.

APRENDA A ARTE DE TRANSMUTAR
A EMOÇÃO DO SEXO

A palavra *transmutar* significa muito simplesmente transformar um elemento ou um tipo de energia em outro. Nesta filosofia, a arte de transmutar o sexo significa usar o seu *sex appeal* para propósitos mais nobres do que os puramente físicos.

O impulso sexual é uma das mais poderosas emoções humanas. Levadas por ele, as pessoas desenvolvem coragem, imaginação, força de vontade, persistência e criatividade antes desconhecidas. O desejo por contato sexual é tão forte que as pessoas às vezes arriscam a vida e a reputação para satisfazê-lo. Quando subordinada e redirecionada para outras linhas, essa força motriz pode empregar a criatividade e a energia que gera para alcançar qualquer objetivo que você estabeleça para si. Pode encher a mente de planos e ideais elevados e proporcionar os meios para levá-los a cabo com êxito.

Com toda a certeza, a transmutação da energia do sexo exige força de vontade, mas a recompensa sem dúvida vale o esforço. Não se trata de sugerir que o desejo sexual inato deva ser reprimido ou eliminado. Mas deve ter vazão por formas de expressão que enriqueçam o corpo, a mente e o espírito. Caso não tenha vazão pela transmutação, buscará escoamento puramente físico.

A expressão adequada do impulso sexual pode criar uma paixão que permeia todo o ser. Proporciona mais energia, mais entusiasmo e uma vontade de viver sem paralelo. Sem ela, a vida pode se tornar rotineira, insossa e chata.

OBSERVE O HÁBITO DE REZAR

A oração, quando bem compreendida, pode se tornar o maior fator para ajudar a desenvolver e manter uma atitude mental positiva. Pode dar tranquilidade quando tudo o mais der errado. Pode revelar a maneira de aproveitar as forças do universo e utilizá-las para se atingir objetivos.

Não espere um momento de necessidade para fazer uma oração, mas condicione sua mente com preces de gratidão pelas bênçãos que já tem, de modo que, quando precisar de orientação, terá conquistado o direito de pedi-la.

Encerre sua prece com as seguintes palavras: "Não peço mais bênçãos e sim mais sabedoria para fazer melhor uso das bênçãos que tenho, mediante o direito inalienável de dirigir minha mente para qualquer finalidade que eu deseje".

Aqueles que só rezam na hora do aperto ou de extrema necessidade geralmente são assombrados pela sensação de que suas preces não serão atendidas.

Quando fizer a lista de bênçãos pelas quais pretende expressar gratidão, não esqueça do seguinte:

1. O privilégio da liberdade de expressão e ação num país que recebeu todo tipo de bênção que se possa imaginar.

2. O direito inalienável ao controle pleno e absoluto de sua mente para dirigi-la rumo a qualquer fim que deseje.

3. A lealdade dos amigos e entes queridos, cuja influência inspira você a buscar o respeito de si mesmo e de toda a humanidade.

4. O poder de transmutar adversidade, oposição e derrota numa força criativa que pode ajudar na busca de paz mental ou qualquer coisa que você queira da vida.

5. O privilégio de perdoar os que possam ter ofendido ou prejudicado você.

6. O poder de controlar todas as suas emoções e transmu-tá-las numa força motivacional capaz de ajudar na con-secução de suas metas e objetivos.

7. Uma menção muito especial àqueles que vieram em seu socorro nas emergências, quando você havia esgotado todos os recursos para resolver seus problemas.

8. A saúde de seu corpo físico e a desenvoltura de sua imaginação.

Essas são algumas das bênçãos pelas quais você deve expressar gratidão. Acrescente à lista outras de sua escolha.

A palavra "gratidão" é poderosa e profunda. Representa um sentimento muito intimamente associado a uma atitude mental positiva. Portanto, cultive-a como pedra fundamental permanente do hábito de rezar.

A seguir, a descrição dos fatores mais importantes para desen-volver e manter uma atitude mental positiva, sem a qual não há como dominar o poder da persuasão:

1. Estabeleça suas metas e avance na direção delas.

2. Forme uma aliança de cooperação com outras pessoas.

3. Aprenda a "fazer um esforço extra".

4. Coloque entusiasmo em suas palavras e ações.

5. Desenvolva sua capacidade de ter fé.

6. Controle e direcione suas emoções.

7. Controle seus hábitos de pensamento dominantes.

8. Aprenda a transmutar a adversidade em um benefício.

9. Transmute a emoção do sexo.

10. Observe o hábito de rezar.

Antes de passar ao Capítulo 2, faça um teste, escrevendo "OK" ao lado dos fatores em que você se avalia satisfatoriamente e "X" junto àqueles em que está em dúvida ou que sabe que tem uma deficiência.

A avaliação pode ser ainda mais eficaz se você copiar esses fatores numa folha de papel e traçar 12 colunas à direita de cada rubrica, nomeando-as "Semana 1", "Semana 2" etc., até a 12ª coluna. Depois faça uma análise criteriosa e se avalie uma vez por semana durante três meses. Antes de começar, estabeleça a meta de que na 12ª coluna não haverá nenhum "X", só "OK".

Caso tenha fraquezas que interfiram em sua atitude mental positiva, esse processo ajudará a descobrir quais são. Você vai descobrir coisas sobre si mesmo que podem mudar sua vida e levá-lo a quaisquer metas que estabeleça para si.

COMO OS OUTROS CHEGARAM LÁ

Nos próximos capítulos, você terá acesso às fórmulas de sucesso que outras pessoas utilizaram para alcançar o ápice da realização pessoal.

Você será apresentado a métodos que homens e mulheres bem-sucedidos aprenderam para contatar e utilizar fontes invisíveis de poder, executando feitos aparentemente milagrosos.

Um homem que Hill observou em várias ocasiões e que considerava um amigo fez muito para perpetuar o sistema norte-americano da livre iniciativa. Sua mensagem era sempre positiva e entusiástica. Ele compreendia e utilizou o poder de persuasão para reativar o amor pelo país e a irmandade entre os homens.

O falecido Kenneth McFarland, considerado o mais persuasivo e eficaz expoente do que costumamos chamar de sistema norte-americano, construiu uma carreira memorável como orador baseada no ávido interesse pelos Estados Unidos e pelo estilo de vida norte-americano.

Ao seu conceito básico de americanismo, ele apôs o rótulo de "conservadorismo progressista". Sua ambição, dizia, era conservar o governo constitucional, o sistema de livre iniciativa e as liberdades individuais sob os dois primeiros.

McFarland afirmou que os Estados Unidos são a terra que "literalmente despeja opulência sobre o homem comum". Mas o sistema não é infalível. Não funciona sozinho. Precisa ser aplicado com inteligência pelas pessoas que o compreendem e confiam nele. McFarland descreveu o tipo de pessoa qualificada para conduzir o veículo da livre iniciativa e mostrou como essas qualidades faziam uma pessoa ser bem-sucedida nesse sistema.

McFarland foi convidado a palestrar nas maiores corporações e câmaras de comércio do país e certa vez fez o mesmo trabalho para a *Reader's Digest* (revista *Seleções*). Seu sucesso espetacular em "vender os Estados Unidos para os norte-americanos" levou os executivos de Marketing e Vendas do país a homenageá-lo em 1957 com o prêmio de Vendedor Excepcional do Ano.

McFarland graduou-se pela Faculdade Estadual de Magistério de Pittsburg, no Kansas, fez mestrado na Universidade de Colúmbia, em Nova York, e doutorado na Universidade de Stanford, em Palo Alto, na Califórnia. Foi educador por 24 anos e, além das turnês de palestras pelo país, foi convidado a falar na General Motors e era diretor de educação na American Trucking Associations, Inc.

No início de 1968, foi eleito para receber a Medalha de Líder da Liberdade da Fundação das Liberdades de Valley Forge, que condecorou McFarland por seus "múltiplos e inspirados discursos patrióticos, incitando o público a preservar o estilo de vida norte--americano, e por sua fé exemplar e inquebrantável nos valores e virtudes incorporados no precioso credo norte-americano de liberdade de escolha e de liberdade dentro da lei [...] por suas inúmeras e exaustivas viagens cruzando os Estados Unidos com a mensagem de que as responsabilidades e oportunidades da cidadania construtiva devem ser ensinadas aos jovens".

McFarland era considerado uma autoridade em aplicação da lei, um assunto vital. Seus escritos, discursos, estudos e conquistas nesse campo importantíssimo foram aclamados tanto por juristas como por leigos. Era membro honorário da Ordem Fraternal da polícia. Em 1968, recebeu a Placa de Ouro do Brinde à Excelência da Academia Americana de Realizações.

McFarland foi um exemplo e personificação do tipo de poder que pode ser gerado na vida de quem vive segundo os princípios do pensamento positivo, do entusiasmo, do patriotismo e da autodisciplina.

Este capítulo foi apenas uma introdução aos métodos pelos quais você também pode sintonizar e aproveitar poderes que talvez nunca tenha utilizado e pelos quais pode se tornar o que desejar. Continuando o estudo, você descobrirá outros princípios que vão ajudar a dominar o poder da persuasão.

Capítulo 2

O PODER DO DIVINO NO SER HUMANO

Todo mundo possui um elemento de genialidade. Quando percebido e disciplinado, este elemento pode possibilitar a realização de feitos valorosos e a prestação de grandes serviços à humanidade. Quando as grandes reservas de energia e ambição inexploradas são liberadas em expressão e ação, podem proporcionar um enorme impulso para o sucesso. Quando guiadas pelo amor à humanidade e incorporadas ao caráter, as sementes da bondade e do divino no ser humano dão o poder de se viver uma vida de valor e significado.

Ao longo dos anos, descobrimos vários dos segredos que revelam o divino no ser humano, desbloqueiam suas energias, despertam o gênio e acionam os poderes de persuasão capazes de transformar o negativo em positivo. Neste livro, muitos dos segredos que iluminam o caminho da ambição e da realização vão ser revelados a todos que desejem uma vida proveitosa e significativa e estejam prontos para aceitar orientação. Você verá o poder da persuasão positiva demonstrado na vida de um homem que obteve grande riqueza, mas uma compreensão espiritual ainda maior. O reconhecimento e a aplicação de todos os grandes poderes discutidos neste livro são fundamentais para o sucesso financeiro. São igualmente importantes para quem alcançou grande riqueza e quer compartilhá-la de forma sábia. A filantropia é uma grande responsabilidade, especialmente quando se pode disponibilizar fundos e subsídios. Sempre existe a possibilidade de que a doação a um indivíduo ou instituição seja prejudicial, deixando as pessoas dependentes de algo a troco de nada, privando-as da oportunidade de desenvolver seus melhores potenciais.

Os poderes descritos neste livro devem auxiliá-lo a encontrar o caminho para a felicidade, desenvolvendo um amor maior por seu país, compaixão por seus semelhantes e reaquecendo o desejo de perpetuar o sistema norte-americano da livre iniciativa. Com isso em mente, vamos apresentá-lo a um homem que conhecemos pessoalmente e cujo talento para os negócios testemunhamos muitas vezes. Ele é um excelente exemplo de alguém que compreende sua responsabilidade de ajudar a humanidade e compartilhou sua experiência de vida, seus recursos financeiros e seus talentos com um vasto número de pessoas.

Muito do que é narrado neste capítulo foi compilado por Napoleon Hill nos dez anos de parceria com este homem. Outros fatos foram observados pelo autor e editor em diversas ocasiões, tanto públicas como particulares. Vários integrantes da equipe desse homem forneceram informações adicionais. Independentemente da fonte, acreditamos que a história de W. Clement Stone seja o melhor exemplo do poder do divino no ser humano – e de como ele pode trabalhar em prol do indivíduo e beneficiar a humanidade.

AS CONQUISTAS DE UM HOMEM

Bem no início da vida, W. Clement Stone teve uma visão de quem ele era e do que queria da vida. Ele se autointitula vendedor, e é isso que ele é. Por muitos anos, Stone foi presidente da Combined Insurance Company of America e de suas três subsidiárias integrais: Combined American Insurance Company, de Dallas; Hearthstone Insurance Company of Massachusetts, em Boston; e First National Casualty Company, de Fond du Lac, Wisconsin. Também é diretor da Alberto-Culver Company. Alguns anos atrás, Stone promoveu a fusão da Combined com a Ryan Insurance, formando a gigante dos seguros Aon Corporation, da qual é presidente. Stone é um supervendedor, mas, mais do que isso, é um homem que se dedica ao ideal de compartilhar. Ele adora dividir tanto a riqueza material quanto a espiritual. Não só é um executivo de negócios, mas também um líder da sociedade civil, autor, editor e palestrante.

Nascido em Chicago, Stone mora com a mulher no subúrbio de Winettka, em Illinois. Seus principais interesses filantrópicos concentram-se nas áreas da saúde mental e do bem-estar dos jovens. Boa parte de seu dinheiro e energia foram investidos na reabilitação de delinquentes juvenis e presidiários. Stone ajuda a treinar assistentes sociais para trabalhar com os jovens. Profundamente religioso, por duas vezes foi curador da Primeira Igreja Presbiteriana de Evanston (que é o máximo período consecutivo que o regimento da igreja permite). Stone é detentor dos títulos de doutor *honoris causa* em jurisprudência do Monmouth College e doutor em humanidades da Academia de Artes de Interlochen.

Você há de convir que é um grau impressionante de conquistas. E há de observar que não discutimos projetos concluídos e planos para o futuro, pois as atividades atuais de Stone são mais que suficientes para esclarecer nosso ponto de vista. Sabemos que toda sua obra filantrópica é pesquisada em detalhes pela Fundação W. Clement e Jessie V. Stone.

Percebemos que Stone é um homem muito cordial, afável e compassivo, que desfruta a vida ao máximo. Sua gargalhada é singular, contagiante e sincera. É verdade que esse homem ganhou muito dinheiro, mas sua capacidade de ganhar dinheiro lhe deu sabedoria e poder para usá-lo de forma adequada em benefício do maior número de pessoas.

OS PRIMEIROS DEGRAUS ESCADA ACIMA

Vamos dar uma olhada no início da vida de Stone para ver se ele herdou uma grande quantia que ajudou a construir seu vasto império. Queremos averiguar seus pensamentos para ver se ele contou com um "grande golpe de sorte" ou com a deusa da fortuna. Será que achava que o mundo devia sustentá-lo e que um dia ele ganharia "algo a troco de nada"? Você vai ver em primeira mão como Stone galgou a escada do sucesso. O exemplo dele pode acender em você a faísca do gênio com poder suficiente para atingir seu objetivo e garantir uma superabundância. A história dele pode ajudar a entender a necessidade de auxiliar os outros na proporção do sucesso que se alcança. Essa compreensão com certeza trará a alegria de viver uma vida com significado, objetivo e importância.

O pai morreu quando Clement Stone ainda era jovem.

A vida não foi fácil para o menino e a mãe viúva. Ela virou costureira; ele, jornaleiro, batalhando nas esquinas de Chicago.

Intimidado pelos vendedores mais velhos, o menino de seis anos tentou vender seus jornais no Hoelle's, um restaurante da Zona Sul de Chicago. Expulso diversas vezes, continuou voltando. O dono do restaurante admirou tanto a persistência que acabou deixando o menino fazer do Hoelle's um ponto fixo.

O jovem Stone descobriu que podia vender jornais em hospitais com menos esforço do que nas esquinas. Percebeu que era mais eficiente e produtivo vender para um grande grupo de clientes potenciais concentrados num só lugar.

Muitos anos mais tarde, adotaria esse mesmo princípio para vender seguros – entrando com a cara e a coragem em lojas, bancos, escritórios e outras instituições de grande porte. Veja como ele usou o que aprendeu.

Stone também descobriu algo ainda mais importante – a técnica de absorver os princípios de uma determinada situação ou problema, "relacionando e assimilando-os" em três etapas – "estudo, pensamento e planejamento" –, de modo que servissem para enfrentar outros problemas e outras situações.

Olhando para trás, ele diz: "Acredito que os princípios do sucesso estavam contidos em minha experiência de vender jornais quando menino".

Esses princípios são, a seu ver: (1) inspiração para agir – automotivação, (2) *know-how*, (3) conhecimento do ramo de atividade.

Qualquer um que o conheça minimamente sabe que Stone aplica esses princípios em todos os seus empreendimentos.

Como bem analisa em seus livros, o menino que vendia jornais não podia se arriscar a perder os centavos investidos ao adquiri-los; a necessidade inspirou a ação. É o que Stone chama de "insatisfação inspiradora".

Finalmente, ele conhecia a atividade e dominava o *know-how* – vender jornais repetindo as técnicas bem-sucedidas que aprendera.

"Ainda tenho em mim a memória daqueles dias sombrios", escreveu em *The Success System that Never Fails*, "porque foi a primeira vez que lembro de ter transformado uma desvantagem em vantagem. É uma história simples, hoje insignificante [...] mas foi um começo."

Ele acredita, assim como os autores, que toda adversidade traz em si as sementes de um benefício equivalente ou maior – e que tudo é possível para as pessoas que cultivam uma atitude mental positiva ou, como ele chama, AMP.

AÇÃO EM PRIMEIRO LUGAR!

Das três partes que compõem sua fórmula do sucesso, Stone considera a inspiração para a ação a mais importante. Também acredita que a inspiração pode ser autoinduzida.

Stone distribuiu milhões de livros, revistas e discos inspiradores para jovens, para seus funcionários, acionistas, escolas, hospitais, associações de veteranos e presidiários.

Num único ano, por exemplo, doou mais de um milhão de livros, discos, revistas e panfletos inspiradores.

Seus associados receberam, durante suas longas turnês de palestras, seminários de vendas ou trabalhos humanitários prestados à Fundação Napoleon Hill, muitos depoimentos valiosos e

excepcionais de suas atividades. Observaram o planejamento cuidadoso e o esforço organizado que incentivaram outros filantropos
a se interessar mais pela sociedade em geral. O mais importante
é que nenhum desses projetos é voltado para o ganho pessoal ou
tem um viés comercial.

Você deve ter ouvido a expressão "dar um tiro no pé" para se
referir a erros cometidos. Quando solicitado a citar alguns de seus
erros, ele respondeu: "Quase perdi os pés de tanto tiro. A cada erro
ou revés, eu organizava o pensamento e começava a fazer algo
a respeito antes que aquilo virasse parte de mim. Tenho certeza
de que as derrotas temporárias são o motivo pelo qual dou tanta
importância a colocar os planos em ação. Quando alguma coisa
dá errado, às vezes é necessário revisar os planos. Depois disso,
o plano tem que se converter em ação imediata. Humildemente,
tenho que dizer que o hábito do 'faça isso agora!' é um dos meus
maiores ativos. Esse hábito é parte tão integral da minha vida que
acredito que o utilizo hoje com o mesmo afinco de quando estava
fazendo meu negócio crescer. Não me refiro a decisões estabana-
das. Você precisa ter tempo para juntar todos os fatos; depois disso,
não há motivo para adiar. Ainda me arrepio com o poder da ação.
Porque a ação é uma parte vital do poder de persuasão em todas
as relações humanas".

Seu histórico escolar mostra que o sucesso inicial provocou
uma situação que poderia ter restringido enormemente o pleno
desenvolvimento de seus talentos. Você verá que ele reconheceu o
erro, mudou a maneira de pensar e colocou a descoberta em ação.

Stone frequentou a Escola Secundária Senn, em Chicago, onde
presidia o Grupo de Debates. Com a mudança para Detroit, onde

sua mãe comprara uma pequena agência de seguros, cursou o segundo ano na Escola Secundária do Noroeste.

Nas férias de verão, aos 16 anos, Stone vendeu sua primeira apólice de seguro. No ano seguinte, abandonou o ensino médio, quando viu que poderia ganhar mais dinheiro vendendo seguros do que seu professor lecionando.

Muitos personagens da história fizeram uma pausa temporária nos estudos e depois reconheceram a importância de uma educação formal.

"Foi apenas uma interrupção temporária. Logo percebi o valor inestimável da educação."

Como jovem corretor de seguros, Stone continuou os estudos nas escolas da Associação Cristã de Moços e também frequentou a Faculdade de Direito de Detroit por um ano e a Universidade de Noroeste por dois anos e meio.

Vendedor adolescente, tinha que trabalhar por muitas horas, às vezes até tarde da noite, com pouco tempo livre para si. Ainda assim, seu jovem coração foi fisgado.

Aos 21 anos, Stone casou-se com Jessie Tarson, a namoradinha dos tempos do ensino médio. Para viabilizar os planos de casamento, montou sua própria companhia de seguros em Chicago, aos 20 anos de idade. A empresa, Combined Registry Company, até hoje é comandada por Stone e diversificou suas atividades.

Diz ele: "O amor é a maior motivação de todas".

Stone abriu sua empresa com capital de US$ 100, sem dívidas, e alugava uma saleta por US$ 25 ao mês.

Em sua carreira, Stone amealhou uma fortuna de milhões de dólares, boa parte doada para causas nobres.

Com os negócios prosperando na década de 1920, ele montou uma força de vendas em âmbito nacional.

Em 1931, os Estados Unidos sentiam os efeitos da Grande Depressão – e ele também. As vendas de seguros despencaram, e ele se endividou.

Stone logo superou esse obstáculo – deu um jeito de representar outras três companhias de seguros, incitou os vendedores a vender uma nova apólice com prêmio mais alto e desenvolveu um eficiente programa de treinamento de vendas.

Sua equipe de 135 vendedores bem treinados foi ampliada para mil, devidamente doutrinada com técnicas bem-sucedidas. O faturamento cresceu, e ele logo se livrou das dívidas.

Em 1939, já havia aperfeiçoado seu "sistema de sucesso que nunca falha" e também adquirido o que chama de "filosofia de vida".

Em 1956, Stone comandava a maior empresa de seguros de saúde e acidentes dos Estados Unidos.

Desde então, a Combined Insurance vem mostrando um crescimento consistente e sua entrada no ramo de seguros de vida ilustra mais um dos princípios de Stone: todo organismo cresce até chegar à maturidade, estaciona e morre – a não ser que ocorra um renascimento em uma nova vida, com sangue novo, ideias novas ou uma atividade nova.

Todo mundo tem uma filosofia. Quando pediram que definisse a sua, Stone respondeu:

"Primeiro, Deus é sempre bom.

"Em segundo lugar, a verdade sempre será verdade, independentemente da falta de entendimento, da descrença ou ignorância.

"Terceiro, o homem é produto de sua hereditariedade, ambiente, corpo físico, mente consciente e subconsciente, experiência e situação e direção específicas no tempo e no espaço – e algo mais, inclusive poderes conhecidos e desconhecidos. Ele tem o poder de afetar, usar, controlar ou se harmonizar com tudo isso.

"Em quarto lugar, o homem foi criado à imagem de Deus e assim dispõe do poder, conferido por Deus, de dirigir seus pensamentos, controlar suas emoções e comandar seu destino.

"Em quinto, a fé religiosa é uma experiência dinâmica, viva e crescente. Seus princípios universais são simples e duradouros. Por exemplo, a Regra de Ouro – trate os outros como gostaria de ser tratado por eles – tem um conceito simples e duradouro e sua aplicação é universal. Mas, para se tornar viva, tem de ser posta em prática.

"Em sexto lugar, acredito na oração e no poder milagroso da prece".

COMPARTILHANDO O SUCESSO

Durante dez anos, Stone foi o administrador dos negócios de Napoleon Hill, uma parceria valiosa para ambos e cujo valor ficou óbvio para todos que os conheceram. O que Stone sentia pela parceria revela muito sobre si mesmo. Ele contou:

"Ganhei *Pense e enriqueça*, de Napoleon Hill, em 1937. Sua filosofia coincidia com a minha em tantos aspectos que mandei um exemplar do livro para todos os meus representantes. Aí, coisas maravilhosas começaram a acontecer. Meus vendedores começaram a se tornar supervendedores, a ficar ricos, a levar felicidade para seus lares e a tentar fazer do mundo um lugar melhor de se viver.

É compreensível, porque *Pense e enriqueça* motivou mais pessoas para o sucesso do que qualquer outro livro do gênero.

"Em 1952, conheci Napoleon Hill pessoalmente. Eu o incentivei a sair da aposentadoria por um período de cinco anos. Ele concordou com uma condição: que eu administrasse seus negócios. Aceitei. Mesmo muito ocupado ampliando minha companhia de seguros, percebi que é muito raro que ao longo de sua vida uma pessoa consiga afetar a vida de milhares de pessoas da sua geração e das gerações futuras para melhor.

"Hoje não é mais verdade que, se você fabricar uma ratoeira melhor, as pessoas vão fazer fila para comprar. Independentemente do quanto seu produto ou serviço seja bom [...] ele vai ter que ser vendido. Sou vendedor por vocação; por isso, senti que podia ajudar a espalhar a filosofia da realização norte-americana conforme ensinada por Napoleon Hill em seus livros e assim prestar um serviço relevante para a humanidade. Agora, sempre *compartilhe com os outros uma parte do que você tem, aquilo que fica cresce e se multiplica.*

"No meu esforço de ajudar os outros em minha parceria com Napoleon Hill, fui abençoado dez mil vezes [...] mais do qualquer um poderia imaginar ou merecer.

"Demorou dez anos para realizarmos a tarefa que nos impusemos. Nesse período, toda a minha vida mudou. Minhas empresas prosperaram além da imaginação de qualquer um que não tenha aprendido sobre a arte da motivação e o poder de uma atitude mental positiva. Entrei para o negócio de palestras, livros e ensinamento das lições de um grande filósofo e professor – Napoleon Hill. Mas o mais importante é que coloquei esses princípios em prática".

Stone aplicou os princípios do sucesso com um fervor igualado por poucos, se é que por alguém. Também ensinou os princípios a milhões de pessoas nos *best-sellers Atitude Mental Positiva* (editora Citadel), *The Success System that Never Fails* e *The Other Side of the Mind* (ambos com lançamento previsto para 2018 pela editora Citadel), em palestras para milhares de pessoas e mediante o apoio incansável a organizações profissionais, cívicas, educacionais, filantrópicas e juvenis.

Ganhou 19 títulos de doutor *honoris causa* de importantes universidades e faculdades e literalmente centenas de organizações lhe conferiram prêmios especiais. Stone recebeu prêmios humanitários de organizações religiosas protestantes, católicas e judaicas, bem como da Cruz Vermelha norte-americana. Foi indicado para o Prêmio Nobel da Paz, ganhou a Medalha de Honra da Nação Navajo, recebeu o Prêmio Horatio Alger e é membro do conselho de curadores da Fundação Presidencial James S. Brady.

Apesar dos prêmios que Stone e as organizações que apoiou numa vida dedicada a ajudar os outros estejam na casa das centenas, as realizações de que ele mais se orgulha resultaram da aliança com as organizações de apoio aos jovens e do trabalho no sistema penitenciário norte-americano. Com essas associações, ele tocou pessoas que precisavam desesperadamente de incentivo positivo, pessoas cujas vidas mudaram para sempre e para melhor graças à sua influência. Ele recorda:

"Vi estudantes pobres se motivarem a ser bons acadêmicos ao colocar em prática os princípios do sucesso, vi jovens enrolados com a lei se tornarem bons cidadãos e vi usuários de drogas darem uma virada de 180 graus em suas vidas.

"Dando palestras em prisões, vi homens e mulheres decididos a mudar o curso de suas vidas para melhor. A reincidência entre aqueles que se motivaram a ler livros de desenvolvimento pessoal proativos caiu para 16%, enquanto os registros da população carcerária em geral mostram que, de cada cem pessoas presas e libertadas, 49% voltam a ser presas.

"Em meu trabalho junto a associações de saúde mental, como a Fundação Menninger e a Associação Nacional para a Saúde Mental, vi várias vidas humanas serem salvas ao se evitar o suicídio de pessoas com inclinação para isso; essas maravilhosas associações oferecem esperança aos desamparados de zonas carentes de nossas cidades; os desfavorecidos são motivados a alcançar o sucesso e a estimular o respeito à lei e à ordem em suas comunidades. Mas, acima de tudo, houve gente que aprendeu a evitar doenças mentais e manter a boa saúde da mente, *buscar orientação divina e fazer a coisa certa porque é o certo.*

"Agora, o maior serviço que posso prestar a você, leitor, ou a qualquer outra pessoa, é motivá-lo a aprender e aplicar os princípios encontrados neste livro. Decore esses princípios – e *aplique-os.* Porque o autor, Napoleon Hill, tem o poder de motivá-lo a alcançar quaisquer objetivos definidos que você tenha, desde que não violem as leis de Deus e os direitos de seus semelhantes."

Capítulo 3

FÉ ONIPRESENTE

CONHEÇA A SI MESMO

A PESSOA MAIS IMPORTANTE que você conhece é a sua pessoa. O segredo do sucesso de sua relação com todo mundo encontra-se no seu mais profundo eu.

Seu autoconhecimento – o grau de compreensão de seus poderes físicos, intelectuais e espirituais e sua disciplina em aplicá-los – é a chave para uma vida satisfatória, útil e lucrativa.

Considerando que a maioria de nós frequentemente pensa que existem duas pessoas (senão mais) na própria mente, não é nada incomum que muitos de nós, muitas vezes, nos confundamos sobre quem e o que – e até que ponto – NÓS SOMOS. Encontrar o próprio eu é um feito que não tem preço. Não encontrar a própria individualidade é um lapso trágico. Conhecer a pessoa mais refinada, mais forte e mais poderosa dentro de nós é um desafio – emocionante e compensador. Se conseguir encontrar e seguir os instintos do seu melhor eu, todas as coisas podem ser suas. Seu melhor eu pode ajudar a conquistar o medo, a indecisão e a angústia. Pode levar a um melhor entendimento do profundo poder da vida e proporcionar a maestria que você precisa para ter êxito em qualquer atividade que deseje. Seu melhor eu é seu aliado mais poderoso.

Conhecer a pessoa que você realmente é e capturar o conhecimento do aspecto mais elementar da sua personalidade requer reflexão e concentração.

Encontre um lugar tranquilo e comece com o pensamento de que você vai ser o mais honesto que puder sobre si mesmo. Separe as diversas áreas de sua vida e avalie sua atual posição e circunstâncias. Lembre-se de que deve tentar ser o mais honesto possível consigo mesmo. Não invente desculpas nem culpe os outros se sentir que nem tudo está bem. Seja objetivo, procure decidir o que mais deseja da vida, do trabalho, do dia de hoje. Decida-se por coisas específicas e definidas. Fixe-as como metas de curto e longo prazos. Fique sozinho pelo tempo necessário para organizar seus pensamentos, repassar a avaliação de suas necessidades, desejos e ambições. Decida que, com a ajuda do seu melhor eu, você terá sucesso e atingirá a meta que tanto deseja. A solidão é uma boa fonte de força e um bom terreno para conhecermos nosso melhor eu.

Mas como é que, em meio à agitação e o ruído do mundo, podemos manter boas resoluções e fortes inclinações? Isso requer outro ingrediente – um elemento básico chamado fé.

A FÉ QUE FUNCIONA

Fé é um estado mental, uma atitude mental positiva. Sua atitude mental é a única coisa sobre a qual você tem o privilégio do controle total e incontestável. O exercício desse privilégio traz benefícios incríveis. Pense nisso até ficar decidido a botar a fé e a atitude mental positiva a funcionar. Esse pode ser o começo de um estilo de vida novo e melhor.

Fé aplicada é a base de toda autoconfiança, toda autossuficiência. É o espírito motriz da iniciativa pessoal e do entusiasmo. Até a pessoa aprender os fundamentos básicos da fé aplicada, suas realizações são pequenas.

Usamos aqui a expressão *fé aplicada* em vez de apenas "fé" porque, antes que seu espírito de fé possa afetar qualquer coisa, ele precisa ser dirigido ativa e positivamente. Fé tem que ser vontade de agir.

A fé é um estado mental que já foi chamado de mola mestra da alma, pelo qual metas, desejos, planos e propósitos podem se traduzir nos equivalentes físicos ou financeiros. Isso é fé aplicada. Fé é o recurso com que você pode se colocar num estado mental para sintonizar e aproveitar diretamente o poder que move todo o universo.

Sam Z. Moore, cujo impressionante histórico de sucesso no "negócio da Bíblia" o surpreendeu quase tanto quanto a seus sócios, é o exemplo de alguém que escolheu um campo que de início parecia mais uma aposta do que um empreendimento sólido. Com uma habilidade natural para o mercado financeiro, Moore saiu da faculdade e se deparou com várias portas abertas. Recebeu ofertas de emprego de um grande banco, da General Electric e da Westinghouse.

Sam havia pago a faculdade vendendo livros e bíblias. Conheceu e conversou com muita gente de todas as camadas sociais. Nascido no Líbano, amava os Estados Unidos. Quanto mais conhecia o país e o povo, mais amava. Ele viu as oportunidades que o país oferece e os ideais e a filosofia que fizeram dele uma grande nação. Acreditava saber o que os norte-americanos, especialmente os da zona rural, gostariam de comprar. Pegou então sua experiência de vendedor, mais US$ 1 mil que havia poupado e outros US$ 1 mil emprestados e abriu sua empresa em dezembro de 1958. Hoje Moore é dono da maior editora de Bíblias da família do mundo. A empresa também vende livros inspiradores, dicionários, os testamentos bíblicos e outros itens de devoção. Em dez anos, Moore montou uma companhia multimilionária. Cinco anos depois, colocou ações da empresa no mercado e agregou centenas de acionistas.

Este é um homem que fez um inventário completo de suas habilidades, de seus semelhantes e da situação. Demonstrando fé em seu Deus, seu país, seu povo e seu melhor eu, partiu para a ação com um plano definido em mente. Seu entusiasmo, sua hábil avaliação de oferta e demanda e sua atitude franca e justa proporcionaram um sucesso além da imaginação.

OS FUNDAMENTOS DA FÉ

Vamos ver em detalhes os ingredientes necessários para se ter fé:

1. OBJETIVO DEFINIDO amparado pela iniciativa pessoal ou ação. Você vai ver que o princípio do objetivo definido se interliga com quase todos os outros nove princípios. Todo sucesso começa com algo definido que você tem plena intenção de fazer.

2. ATITUDE MENTAL POSITIVA, da qual é removido tudo que seja negativo, como medo, inveja, ciúme, ganância e ódio. Você não pode ter fé se a atitude predominante em sua mente é negativa, não importa o que tenha causado a negatividade.

3. ALIANÇA DE MASTERMIND com uma ou mais pessoas que vão irradiar coragem baseada na fé e que sejam mental e espiritualmente adequadas às suas necessidades. Em outras palavras, escolha seus associados mais próximos com o máximo cuidado.

4. RECONHECER O FATO DE QUE TODA ADVERSIDADE TRAZ EM SI A SEMENTE DE UM BENEFÍCIO EQUIVALENTE OU MAIOR e que derrota temporária não é fracasso. Essa coisa de fracasso não existe até você aceitá-lo como tal. E derrotas temporárias muitas vezes revelam-se bênçãos disfarçadas – um trampolim para uma sabedoria maior que levará a realizações maiores.

5. O HÁBITO DE AFIRMAR SEU OBJETIVO PRINCIPAL DEFINIDO EM FORMA DE PRECE no mínimo uma vez por dia, sempre agradecendo ao Criador por ter lhe concedido a visão de sua meta, seu objetivo principal, antes mesmo de você partir para a conquista.

    Se você começar com a mente aberta e afirmar seu objetivo numa prece desde o início, haverá uma modificação tão grande na sua relação com as pessoas – e na sua relação consigo mesmo, na sua atitude em relação a si mesmo – que você vai se perguntar por que não fez isso antes.

    Todas as orações sinceras funcionam. Se achar que não está conseguindo resultados, pense no seguinte: muitas vezes, só rezamos em último caso. Não esperamos que nossas preces sejam atendidas. Por isso as preces parecem falhar – rezamos com uma atitude mental negativa. Se rezamos pedindo chuva, devemos sair de guarda-chuva. Com isso a fé será ativada.

Fé máxima é saber de coração que aquilo que você está buscando é inteiramente possível e que você vai conseguir. Você vai se surpreender com o que pode acontecer quando tem uma atitude mental positiva e a mantém.

6. RECONHECER A EXISTÊNCIA DE UM CRIADOR DE TODAS AS COISAS, que ordena todo o universo. Toda a filosofia deste livro baseia-se nessa premissa. É o ponto de partida para o desenvolvimento e a realização de todos os nossos princípios.

Temos que ter fé em nosso Criador! Qualquer pessoa de pensamento inteligente sabe que tem que haver um plano e um poder que controlam o universo. Sabemos que as estrelas e os planetas não ficam no lugar todo dia, ano após ano, sem um plano. Sabemos que há algo por trás disso e reconhecemos que se trata de um poder que afeta todo ser vivo na face da Terra.

7. CONHECER A SI MESMO é outra premissa que serve de base para essa filosofia. Devemos reconhecer que uma pessoa é a expressão perfeita do Criador de todas as coisas e, como tal, não temos limites, a não ser os que nossa mente aceita.

As únicas limitações que temos são autoimpostas – aquelas que permitimos que as circunstâncias da vida instalem em nossas mentes. Essas limitações podem ser removidas!

O Criador dotou todas as pessoas de um controle completo, incontestável e indiscutível sobre a própria mente. O indivíduo pode tornar o controle positivo ou negativo. Podemos estender a nossa mente em qualquer direção e ir tão longe quanto quisermos. Ninguém pode estipular isso para nós. Tão certo quanto o Sol nascer no leste e se pôr no oeste, sua atitude mental determina seu destino na Terra!

Temos de reconhecer que, como seres humanos, somos as únicas criaturas na Terra capazes de se apoderar do poder da mente e dirigi-lo a finalidades escolhidas. Nenhum animal tem essa capacidade. Animais têm o que se chama de instinto, mas não podem ir um milímetro além disso.

Reconhecendo que, como seres humanos, podemos direcionar o poder de nossa mente para os fins escolhidos, não podemos então concluir que o sucesso está plenamente assegurado? Só temos que aplicar essa fé no Criador de nossa mente no que se refere à realização de nosso objetivo definido.

Jesus de Nazaré, segundo os versículos 7 e 9 do capítulo 7 de Mateus, disse: "Pedi e dar-se-vos-á, buscai e encontrareis, batei e abrir-se-vos-á. Porque aquele que pede, recebe; e o que busca, encontra; e, ao que bate, abrir-se-lhe-á".

Na epístola de Paulo aos hebreus, somos informados de que: "Ora, sem fé é impossível agradar-lhe, porque é necessário que aquele que se aproxima de Deus creia que ele existe e que é galardoador dos que o buscam".

8. INVENTÁRIO CRITERIOSO DAS DERROTAS E ADVERSIDADES PASSADAS, com o que ficará óbvio que toda experiência difícil carrega em si a semente de um benefício equivalente ou maior. Volte no tempo e analise as vezes em que foi derrotado. O mais provável é que você, caso tenha se livrado

da derrota por tempo suficiente para a ferida sarar, esteja apto a encontrar a semente de um benefício equivalente ou maior. Procure essa semente e com certeza irá encontrá-la mais cedo ou mais tarde.

9. AUTORRESPEITO EXPRESSO EM HARMONIA COM A PRÓPRIA CONSCIÊNCIA. A consciência é uma coisa maravilhosa. É sua consultora. Paira sobre todos os seus pensamentos e todos os seus atos. É uma juíza justa e imparcial. Você não deve ignorar suas orientações.

10. RECONHECER A IMPORTÂNCIA DE SUA ATIVIDADE para a humanidade é importante para que a sua ocupação seja um trabalho feito com amor.

ALGUMAS COISAS QUE A FÉ PODE FAZER

Fé é um pré-requisito para o poder positivo; dá uma compreensão de si mesmo pela ótica de um coração que já está honestamente "pronto"; confere perspectiva, análise acurada e capacidade para ir em frente.

Para o indivíduo que busca desenvolver uma personalidade persuasiva e poderosa, não existem substitutos para autoavaliação honesta e fé.

Todo ser humano precisa ter fé para vencer. Uma pessoa sem fé é uma pessoa sem esperança. A fé começa quando nasce no coração a forte convicção de que existe Alguém ou Alguma Coisa infalível e confiável. Esse algo tem que ser pessoal, em todos os sentidos.

Há um enorme poder na fé. A fé pode levá-lo aonde Deus pretende que você esteja. O seu lugar é tão individual quanto você como pessoa. Há um lugar especial e um trabalho especial para cada um de nós. Seu lugar e seu trabalho não são do seu vizinho, nem os dele são seus.

Por isso, ao acreditar em Deus, você começa a acreditar em si. A fé é basicamente um pensamento; portanto, cada chamado para ter fé é um chamado para acreditar no poder do seu próprio pensamento a respeito do Criador. As Escrituras dizem: "Seja-vos feito segundo a vossa fé". A lei da individualidade do homem, por-tanto, é a lei da liberdade e igualmente é o evangelho da paz; pois, quando realmente compreendemos a lei do nosso valor individual, vemos que a mesma lei encontra expressão em todos os demais. Por conseguinte, devemos reverenciar a lei nos outros, exatamente na proporção em que a valorizamos em nós mesmos.

Assim, acreditando em Deus, acreditando em nós mesmos, passamos a acreditar nos nossos semelhantes. Com isso pode sur-gir a harmonia.

A PERSONALIDADE PERSUASIVA

TENDO ENCONTRADO OS PADRÕES que definem a imagem do nosso eu e tendo acreditado, graças à fé, que quem somos e o que somos é um ativo valioso a ser cultivado, estimulado e desfrutado, começamos a pensar em como afetamos as pessoas à nossa volta.

Todos nós temos o que se chama de personalidade individual. Somos agraciados com certas características físicas no nascimento, e ao longo da vida somos expostos a uma série de influências. Nossa personalidade evolui em função de nosso comportamento particular, educação e projeção. Nossa personalidade é como o mundo nos "vê" a partir de nosso comportamento. O mundo observa nossas expressões faciais, nossa vivacidade, nossas roupas, nossos modos e nossas reações a quem está à nossa volta. O mundo julga nossa personalidade pelo que vê e ouve a nosso respeito. Nós sorrimos ao falar, usamos de tato nas conversações e expressamos sinceridade, justiça, ponderação, tolerância e paciência? Tudo isso são expressões da nossa personalidade.

A personalidade é a soma total das características físicas, mentais e espirituais de uma pessoa, que a distinguem de todas as outras. É o fator que, acima de qualquer outro, determina se alguém vai ser apreciado ou não pelas demais pessoas.

COMECE COM UMA ATITUDE MENTAL POSITIVA

A autoanálise deve começar com uma autodisciplina severa, baseada na coragem de reconhecer as próprias falhas e no desejo sincero de eliminá-las. Considerando que uma atitude mental positiva encabeça a lista de características de uma personalidade agradável e também está no topo da lista das 12 Grandes Riquezas da Vida, vamos examinar agora as qualidades que levam ao desenvolvimento desse traço tão desejável. O que você procura nos outros vai acabar encontrando refletido em seu próprio caráter; por isso, o hábito de procurar o que é bom nos outros leva ao desenvolvimento do que é bom em nós. Todos devemos reconhecer que nada daquilo com que nos preocupamos vale o preço da preocupação, que pode ser de dois tipos: (1) a que se pode corrigir e (2) a que não há como controlar. Ao preencher a cabeça deliberadamente com bons pensamentos e negar espaço aos pensamentos negativos, a pessoa cria uma consciência positiva que a inspira a pensar em termos positivos sobre todos os assuntos.

Pense na necessidade de manter a mente flexível. Flexibilidade significa adaptar-se rapidamente a mudanças de situação sem perder a compostura. A pessoa que mantém uma atitude mental positiva não vai ter dificuldade em manter uma personalidade flexível porque uma mente positiva está sempre sob controle e pode ser dirigida a qualquer objetivo desejado pela vontade.

Sinceridade de propósito é um traço da personalidade para o qual nunca se descobriu um substituto à altura, pois é algo mais profundo no ser humano do que a maioria das características da personalidade. A sinceridade começa com a própria pessoa e é um traço de solidez de caráter que se reflete tão visivelmente que ninguém pode deixar de perceber. Seja sincero antes de tudo consigo mesmo, seja sincero com aqueles com quem você tem relações de parentesco, seja sincero com seus amigos e conhecidos e, é claro, seja sincero com seu país e, acima de tudo, com aquele que tudo concede à humanidade.

Pessoas bem-sucedidas chegam a decisões rapidamente. Muitas se aborrecem com aquelas que não agem depressa. Tomar decisões sem demora é um hábito que devemos cultivar por meio da autodisciplina. A pessoa capaz de reconhecer oportunidades e agir com a rapidez necessária para aproveitá-las é aquela que irá avançar.

Cortesia é respeitar os sentimentos dos outros sob quaisquer circunstâncias; é o hábito de fazer de tudo para ajudar, se necessário, qualquer pessoa desfavorecida sempre e onde quer que possível; e, por último, mas não menos importante, o hábito de controlar o egoísmo, a ganância, o ódio e a inveja.

FALAR – E FICAR QUIETO

A palavra falada é o meio pelo qual você expressa sua personalidade com maior frequência. Por isso, o tom de voz deve estar tão totalmente sob controle que possa ser alterado ou modulado para transmitir qualquer significado desejado, somando-se às palavras utilizadas. Como a voz é a expressão mais direta do seu mais profundo eu, você deve ter muito cuidado para usá-la de modo plenamente favorável.

O hábito de sorrir, como tantos outros, está diretamente ligado à atitude mental da pessoa e é a maneira perfeita de identificar a natureza de sua atitude.

Os músculos do rosto produzem um delineamento quando sorriem, enquanto uma testa franzida produz uma composição totalmente diferente, mas ambos demonstram com precisão absoluta o que se passa na mente. O sorriso, o tom da voz e a expressão do rosto são janelas abertas pelas quais qualquer um pode ver e sentir o que se passa na cabeça de alguém.

Tato é saber dizer a coisa certa na hora certa. As pessoas demonstram falta de tato de várias maneiras, mas entre as mais comuns estão as seguintes:

1. Um tom de voz resmungão e irritado, revelando o desprazer ou a atitude mental negativa de quem fala.

2. O hábito de falar quando o silêncio seria preferível.

3. Interromper a fala do outro.

4. Uso excessivo do pronome *eu*.

5. Dar opinião não solicitada e sem motivo, especialmente sobre assuntos com os quais não se está familiarizado.

6. Atrever-se, por amizade ou conhecimento, a pedir favores que não se tem o direito de pedir.

7. Falar livremente sobre as coisas de que não se gosta.

A tolerância exibe uma abertura mental sobre qualquer assunto e com todo mundo, o tempo todo. Além de ser uma das características mais importantes de uma personalidade agradável, uma mente aberta sobre todos os assuntos é uma das 12 Grandes Riquezas da Vida.

Leve em conta a franqueza nos modos e nas palavras. As pessoas de bom caráter sempre têm a coragem de lidar aberta e diretamente com as outras e observam esse hábito mesmo que às vezes isso possa prejudicá-las. Talvez a maior recompensa seja a possibilidade de manter a consciência tranquila.

Um senso de humor bem desenvolvido ajuda as pessoas a se tornarem mais flexíveis e ajustáveis às diversas circunstâncias da vida. Também permite que se relaxe. Além do mais, um bom senso de humor evita que você leve a si e a vida a sério demais, uma tendência de muita gente.

A fé no Criador enseja a fé em outras questões. Enquanto a dúvida gera mais dúvidas, a fé é o portão principal pelo qual se dá ao cérebro o livre acesso ao grande poder universal do pensamento. É inevitável que a fé esteja entremeada em todos os princípios da filosofia da realização individual, porque o poder intangível da fé é a essência de todas as grandes realizações, não importando qual seja sua fonte ou natureza.

Justiça, conforme o termo é usado aqui, diz respeito à honestidade intencional. É a honestidade deliberada a que alguém se atém tão rigidamente que lhe serve de motivação em todas as circunstâncias.

Os idiomas são extremamente ricos, capazes de expressar qualquer tipo de significado. Assim, não há desculpa para o hábito tão comum de se utilizar palavras que ofendam a sensibilidade alheia. O uso de linguagem obscena, em qualquer ocasião e sob todas as circunstâncias, é indesculpável.

A NECESSIDADE DE CONTROLE

O controle das emoções pode ser alcançado pela autodisciplina, e ele é necessário para se desfrutar dos benefícios de uma personalidade agradável. Algumas das emoções que devem ser controladas para se adquirir uma personalidade agradável são: medo, ódio, raiva, inveja, ganância, ciúme, vingança, irritabilidade e superstição. Do lado positivo estão o amor, o sexo, a fé, a esperança, o desejo, a lealdade, a simpatia e o otimismo.

Não se pode fazer deferência maior a uma pessoa do que concentrar a atenção nos interesses pessoais dela, e é fato notório que ser um ouvinte atento quando alguém está falando é uma deferência maior do que ser um mestre da oratória.

Basta observar com cuidado para se encontrar homens e mulheres que atingiram o ápice da realização pessoal graças à habilidade de vender a si mesmos e suas ideias com um discurso dramático. O fator mais importante de um discurso eficiente é um amplo conhecimento do assunto. E a principal regra do discurso eficiente pode ser declarada em uma frase: saiba o que deseja falar, fale com toda a emoção possível, depois sente-se.

As pessoas mais populares geralmente são muito versáteis. Elas têm pelo menos um conhecimento superficial sobre vários assuntos. Têm interesse pelas outras pessoas e suas ideias e fazem de tudo para demonstrar isso quando tal interesse vai inspirar uma reação apropriada.

É inevitável que as pessoas que não gostam das outras também não sejam por elas apreciadas. Pelo princípio da telepatia, toda mente se comunica com todas as outras mentes em seu raio de ação, e a pessoa que deseja desenvolver uma personalidade atraente deve controlar constantemente não só seus atos e palavras, como também seus pensamentos. Um afeto genuíno pelas pessoas é um grande trunfo.

Se o indivíduo dá vazão ao mau gênio, é certo que vai estourar nas ocasiões em que o rebote lhe causará os maiores estragos. Um temperamento descontrolado costuma resultar em uma língua descontrolada. O controle das emoções, no entanto, é um dos maiores poderes à disposição das pessoas.

Gente sem ambição e sem esperança de realização pode ser inofensiva, mas nunca será popular. Ninguém dá muita bola para uma pessoa que demonstra claramente por suas ações ou pela inação que abandonou a esperança de avançar neste mundo.

A pessoa desprovida da autodisciplina necessária para controlar seus hábitos em vez de ser controlada por eles nunca é muito atraente para os outros. Isso é especialmente válido em relação aos hábitos de comer, beber e relacionamento sexual. Excessos em qualquer um destes destrói o magnetismo pessoal.

CARACTERÍSTICAS ADICIONAIS DE PERSONALIDADE

Vivemos num mundo de alta velocidade, e o ritmo dos pensamentos e das ações humanas é tão rápido que muitas vezes atrapalhamos uns aos outros. Por isso, é necessário paciência para se evitar os efeitos destrutivos dos atritos nas relações humanas.

Ter humildade no coração é um desdobramento da compreensão do relacionamento do homem com seu Criador e do reconhecimento de que as bênçãos materiais da vida são dádivas do Criador para o bem comum de toda a humanidade. Aquele que está em bons termos com a própria consciência e em harmonia com o Criador sempre tem o coração humilde, não importando quanta riqueza material tenha acumulado ou quais sejam seus feitos pessoais.

Vestimenta adequada é importante. A pessoa mais bem vestida geralmente é aquela cujas roupas e acessórios são tão bem escolhidos e cujo conjunto é tão harmônico que o indivíduo não atrai atenção indevida.

A boa apresentação pessoal, que compõe uma personalidade agradável, consiste de uma combinação de várias características, como expressão facial, controle do tom de voz, oratória eficaz, escolha de palavras adequadas, domínio das emoções, cortesia, roupas apropriadas, versatilidade, atitude mental positiva, senso de humor aguçado, atenção aos interesses dos outros e tato.

Jogar limpo é uma característica importante de uma personalidade agradável porque inspira os outros a cooperarem de maneira amistosa e demonstra bom caráter. Não é preciso dizer mais nada a respeito disso.

Muita gente talvez nem imagine que um simples aperto de mão possa ter alguma relação com uma personalidade agradável, mas de fato tem – e muito. Aquele que coordena adequadamente seu aperto de mão com as palavras de saudação, em geral, enfatiza cada palavra com um aperto firme – mas não do tipo torno – e não solta a mão da outra pessoa até concluir a fala.

A expressão "magnetismo pessoal" é uma maneira polida de se referir ao *sex appeal*, pois é exatamente isso que significa. A emoção do sexo é o poder por trás de toda visão criativa. É o meio pelo qual todas as espécies se perpetuam. Inspira o uso da imaginação e do entusiasmo e a iniciativa pessoal. Nunca houve um grande líder em qualquer área que não tenha sido motivado em parte pelos poderes criativos da emoção do sexo.

A personalidade é o maior ativo de uma pessoa ou seu maior passivo, pois abarca tudo o que ela controla: a mente, o corpo e a alma. A personalidade de uma pessoa é ela mesma. Molda seus pensamentos e ações, suas relações com os outros e estabelece os limites do espaço que ela ocupa no mundo.

Visualize-se como um amigo fraterno de todo mundo, irradiando calor, afeição e amizade; genuinamente interessado nas pessoas e no bem-estar delas. Esse é o caminho para se adquirir uma personalidade persuasiva.

UM EXEMPLO VIVO

Para ser bem-sucedida, uma personalidade persuasiva deve ter um efeito duradouro. A impressionante carreira de Paul Harvey é o testemunho de que uma personalidade persuasiva não só consegue abrir muitas portas, mas também atingir um alto grau de eficiência na comunicação.

Certo dia, a caminho do aeroporto, Napoleon Hill decidiu incluir Paul Harvey neste livro. Ele procurava alguém que servisse de exemplo do poder de uma personalidade persuasiva quando ouviu Paul Harvey no rádio do carro.

A voz forte e confiante, com inconfundíveis meios-tons de sensibilidade e vivacidade, capturou a atenção de Hill e o levou a decidir na mesma hora. Paul Harvey usou seu talento para desenvolver uma personalidade agradável com mais eficiência do que a maioria das pessoas.

Contatos anteriores, ao longo de muitos anos trabalhando no rádio e no circuito de palestras, haviam comprovado as muitas qualidades de Harvey para Hill e seus sócios, faltando apenas obter sua permissão para utilizá-lo neste livro como um exemplo vivo.

Harvey tem o cuidado de planejar sua agenda diária deixando bastante tempo para checar a exatidão de todos os detalhes. Ele não se vale de rumores nem fofocas. Embora muitas vezes projete uma atitude leve e bem-humorada, Harvey é muito sério em relação a seu trabalho. Sabe que o tempo que compartilha com seu público é a parte mais importante do dia. Sua voz transmite sua honestidade, e o público percebe imediatamente que ele é um homem que "tem algo a dizer". Nessas horas, toda sua personalidade está focada.

Nascido em Oklahoma, Paul Harvey é um comentarista dinâmico e incansável e, entre várias distinções, recebeu oito títulos de doutor *honoris causa*. Os Sumter Guards de Charleston, na Carolina do Sul, o elegeram como "o homem que mais contribuiu para a preservação do estilo de vida norte-americano" e o agraciaram com a Medalha de Honra.

Fazendo uso de sua imaginação, entusiasmo, personalidade agradável e com um vívido apreço pelos benefícios do planejamento inteligente, da cooperação e da fé, Harvey conquistou uma posição invejável no campo da informação pública.

Sua carreira no rádio remonta a cinco décadas, e o nome Paul Harvey virou sinônimo de radiodifusão. Mais de cem programas dele entraram para os Anais do Congresso. É autor de inúmeros livros, de uma coluna de jornal e já gravou muitos discos e fitas.

O vasto histórico e a experiência de Harvey no rádio devem-se ao fato de ter entrado cedo no setor e à profunda concentração no

trabalho a que se dedica. Ele cursava o ensino médio quando começou a atuar como locutor na rádio KVOO em Tulsa, Oklahoma. E
continuou fazendo locução enquanto frequentava a Universidade
de Tulsa.

No início da carreira, gerenciou uma estação de rádio em Salina,
no Kansas, por um tempo. Naquela época, isso significava fazer
a locução, as vendas e a programação. Foi locutor de notícias em
Oklahoma City e, na sequência, atuou como diretor de eventos
especiais na KXOK de St. Louis.

Paul Harvey foi para o Havaí fazer transmissões especiais
quando a Marinha concentrou sua frota no Pacífico em 1940.
Posteriormente, foi diretor de notícias e informações de Michigan
e Indiana antes de se alistar na força aérea.

Foi eleito Comentarista do Ano em 1962, e, em 1975, Americano
do Ano pelo Lions Clubs International. No mesmo ano, ganhou o
Prêmio Destaque de Transmissão Jornalística. Em 1980, Harvey recebeu o troféu General Omar N. Bradley do Espírito de Independência
e também foi eleito Homem do Ano pelo Clube de Publicidade em
Veículos de Radiodifusão de Chicago.

Em 1982, foi escolhido pela Associação Horatio Alger de
Americanos Distintos para receber o Prêmio Horatio Alger, ho-
menagem concedida àqueles que incorporam os mais altos ideais
norte-americanos: honra, coragem, ética, perseverança, patriotismo e
compaixão. No mesmo ano, a Associação Nacional de Radiodifusão
escolheu Harvey para receber o prêmio Rádio de Ouro.

O nome de Paul Harvey está imortalizado no Hall da Fama de
Oklahoma, no Hall da Fama da Associação Nacional dos Veículos
de Radiodifusão, e ele recebeu dezenas de outros prêmios ao longo

da carreira de jornalista e comentarista. Também conquistou inúmeras honrarias pelo trabalho em favor da Humane Society e outras causas às quais empresta seu nome e seu apoio.

Muito antes de Harvey tornar-se um luminar da radiodifusão norte-americana, Napoleon Hill identificou-o como um realizador excepcional, alguém que irradia uma personalidade positiva e demonstra uma energia ilimitada no esforço para prestar um serviço de valor. Paul Harvey, disse Hill, é uma personalidade que desenvolveu o poder da persuasão em benefício de seus compatriotas.

Capítulo 5

DIVIDENDOS POSITIVOS

DA PRESTAÇÃO DE SERVIÇO

Um fenômeno impressionante que ocorre quase sem exceção – e desde os primórdios da humanidade – é a lei da compensação.

Quanto mais damos, mais recebemos. O pão lançado sobre as águas volta para sustentar e fortalecer a pessoa que está prestando mais e melhor serviço do que foi paga para fazer ou que é esperado que faça.

O retorno nem sempre vem da pessoa a quem se concedeu uma dádiva ou serviço. De fato, o mais comum é que não venha. Mas o retorno vem, e na mesma moeda. Pode vir cedo, pode vir tarde, mas sempre vem. A dádiva, a palavra, a atitude, o presente sonegado, a palavra sonegada – o que você faz, volta.

O que você busca? Satisfação pessoal? Vingança? Ajude alguém a vivenciar determinadas coisas, e elas passam a ser suas. Será riqueza, um conhecimento superior dos segredos do sucesso? Um esforço mais eficiente para a ampliação dos negócios?

Toda a história da humanidade, da Idade da Pedra até hoje, oferece provas indiscutíveis de que as únicas limitações reais do indivíduo são as que ele fixa na própria mente ou aceita nas circunstâncias que o envolvem.

O medo faz do homem um sovina com seu dinheiro, seu tempo, seus talentos e seus recursos internos. Examine esse raciocínio. Um homem pode dedicar mais tempo do que o exigido por medo – mas esse tempo será concedido com relutância e sem uma produtividade real. O corpo pode ficar cansado, mas é um cansaço ressentido, e o sono não vai chegar rápido como acontece depois de um esforço físico voluntário.

Por outro lado, pense na pessoa que faz um esforço extra porque está ansiosa em ajudar para que o trabalho seja bem feito. A disposição para trabalhar horas extras, dar aquela "arredondada" a mais que confere polimento ao produto, resulta em um fluxo recompensador de "bem-estar" no fundo da consciência. Mesmo que ninguém reconheça de imediato ou diga "obrigado", basta saber que se fez um bom trabalho, um bom trabalho extra, e que o pagamento é merecido. A pura alegria de ter produzido um trabalho maior e melhor do que o esperado faz a diferença entre um trabalhador e um preguiçoso. É a diferença entre um ponto comum e um ponto de exclamação.

Fazer um esforço extra compensa com prosperidade – tanto no coração como no bolso. Mas não se esqueça de que esse é um fenômeno frágil. Precisa ser temperado com autodisciplina, como um lembrete de que a dádiva não tem como prioridade receber-se um presente de volta, mas é um esforço extra, uma hora a mais gasta de boa vontade, com a ideia principal de "ajudar o barco do seu irmão a fazer a travessia". Se conseguir aprimorar a atitude prestativa pela simples alegria de fazer um trabalho melhor para alguém, então esse equilíbrio delicado se tornará parte de sua natureza, rendendo dividendos inesperados em sua vida.

Uma das histórias de vida favoritas de Napoleon Hill que ilustra o princípio de fazer um esforço extra é a experiência de Charles Allen Ward.

UM MAU COMEÇO

A história começa em Seattle, onde Charles Allen Ward nasceu. O pai era professor de escola e parecia incapaz de ganhar o suficiente para arcar com as despesas. Os pais de Ward divorciaram-se, e, quando ele tinha 14 anos, a mãe casou de novo.

Desde que entrou na escola, Charles trabalhava para ajudar no sustento da família. Vendia jornais, engraxava sapatos e andava por bares, onde ganhava trocados fazendo serviços para os frequentadores e os tipos barra-pesada. O trabalho nos bares gerava brigas com o padrasto, e a mãe ficava do lado do marido nas altercações. A pobreza constante tornava o lar cada vez mais desagradável. As roupas de Charlie estavam sempre puídas, e ele se sentia constrangido na presença de rapazes da mesma idade.

Aos 17 anos, Charlie fugiu de casa. Nunca mais viu os pais ou ouviu falar deles. Estava totalmente sozinho no mundo, sem histórico ou lembranças agradáveis para ajudar a fazer da vida um sucesso. Vagou pelo Oeste dos Estados Unidos, dormindo em montes de feno, viajando em trens de carga, fazendo biscates e pedindo esmola. Ele caminhava até gastar a sola dos sapatos literalmente e, na maior parte do tempo, passava frio e muita fome.

Por andar com vagabundos e irresponsáveis, veio a compartilhar de uma atitude cínica diante da vida.

Ward cruzou o Pacífico várias vezes, em navios de carga para a China e o Japão. Foi para o Alasca e virou atendente de bar em Nome. Conduziu trenós puxados por cães, entregou correspondência e procurou ouro nas minas. Finalmente ganhou um pouco de dinheiro com a mineração e dobrou o montante na roleta.

Tendo ouvido falar da derrubada do presidente Porfirio Díaz no México, Charlie partiu para aquele país e se alistou no exército de Pancho Villa. E lá ficou rico. Os soldados de Villa capturavam os rebanhos dos rancheiros e os abatiam para comer, deixando o couro para apodrecer. O sagaz senso de observação de Charlie levou-o a pedir – e receber – permissão de Villa para recolher e vender o couro. Ele salgava e mandava o couro para El Paso, onde acumulou um belo pé de meia de US$ 70 mil.

Sentindo que essa reviravolta financeira o levaria a oportunidades melhores, Ward deixou o exército de Villa e se mudou para El Paso. Lá jogava e pagava drinques para frequentadores dos bares. Seus companheiros eram a ralé da fronteira, mercenários, fugitivos da justiça, jogadores, contrabandistas e outros do tipo.

A farta gastança atraiu a atenção dos agentes federais da divisão de narcóticos, que começaram a vigiar Charlie, acreditando que o esbanjamento fosse possível graças à venda de drogas.

Depois de um ano, a conta bancária de Charlie estava reduzida a uns poucos milhares de dólares. Ele tentou melhorar as finanças indo para Reno e frequentando os salões de jogos, mas os recursos minguaram mais, até chegar a zero. Partiu de Reno e foi parar em Denver, onde aceitava bebidas e doações de todos os frequentadores de bar que conseguisse. Muitos eram pequenos traficantes de drogas. Os agentes da narcóticos receberam uma dica da presença de Charlie em Denver e, depois de dois anos de investigações intermitentes, ele foi processado por venda de drogas. Encontraram morfina e cocaína escondidas em seus pertences. Charlie alegou que as drogas foram plantadas para justificar o tempo que os agentes gastaram em esforços infrutíferos para encurralá-lo.

Ward foi julgado, condenado e, aos 34 anos, deu entrada na prisão de Leavenworth para cumprir a longa sentença aplicada pelo juiz.

ATRÁS DAS GRADES

Charlie nunca estivera na cadeia, apesar de ter convivido com criminosos e personagens do submundo na maior parte de sua vida. A condenação por um crime que ele afirmava não ter cometido deixou-o amargurado. Assim que chegou a Leavenworth, jurou para si mesmo que o lugar não era forte o suficiente para mantê-lo preso e imediatamente começou a procurar um jeito de fugir. Mas, nessa hora, algo importante aconteceu a Charlie Ward. Algum poder silencioso em sua cabeça fez com que ele decidisse se adaptar às regras da prisão e se tornasse o detento mais agradável do lugar. Com essa decisão, a maré de sua vida começou a virar. Charlie Ward finalmente conseguira dominar seu maior inimigo: *ele mesmo*. Parou de odiar os agentes federais que, segundo ele, haviam armado para cima dele. Deixou de odiar o juiz que o condenara em termos rigorosos. Pela primeira vez na vida, ele deu uma boa olhada no Charlie Ward que conhecera no passado, e a imagem que viu não era bonita.

A mudança que sobreveio a Charlie graças à notável virada na atitude mental fez com que ele sentisse que seu velho eu havia morrido e que um novo homem havia entrado em cena e assumido as rédeas. E foi exatamente isso que aconteceu. Tão logo concluiu que a fuga não passava de um sonho em vão, começou a procurar maneiras de tornar a estada na prisão a mais agradável possível. A primeira grande recompensa pela mudança de atitude chegou quando um detento camarada deu a dica de que um dos presos "de confiança" que trabalhava na usina de força seria solto em três meses, abrindo uma vaga para alguém que entendesse de energia elétrica.

Essa feliz virada na roda do destino deu a Charlie uma oportunidade para tomar, por iniciativa própria, uma direção destinada a trazer sorte. Também lhe deu a oportunidade de aprender o que um homem pode conseguir ao fazer um esforço extra, dando mais do que é pago para realizar.

Charlie não entendia nada de eletricidade, mas conseguiu livros técnicos na biblioteca da prisão e começou a dedicar todo tempo livre ao aprendizado. Passados os três meses, encaminhou-se ao escritório do subdiretor da prisão e candidatou-se ao serviço. Alguma coisa em seu comportamento e tom de voz impressionou o subdiretor, e ele conseguiu o trabalho. Essa "alguma coisa" foi a atitude mental, que mudou de negativa para positiva.

O serviço deu a Charlie um gosto de liberdade, já que uma parte do trabalho era executada além dos muros da prisão, como consertar aparelhos elétricos para a esposa do diretor e outros ser-vicinhos. A fim de realizar esses trabalhos, ele recebeu um passe de saída válido das oito da manhã às quatro da tarde.

Em seu segundo ano na prisão, Charlie, que continuava estudando à noite, tornou-se superintendente da usina elétrica, supervisionando 150 homens. Desde o início, mostrou uma atitude gentil com os subordinados e se empenhou em ajudá-los a tirar o melhor da situação. Àquela altura, havia conquistado a confiança dos funcionários da prisão e dos detentos e desfrutava de privilégios não concedidos a muitos dos outros presos de confiança.

A SORTE GRANDE

Foi quando aconteceu o maior golpe de sorte na vida de Charlie: Herbert Huse Bigelow, condenado por evasão fiscal, deu entrada na prisão. Bigelow era presidente e acionista majoritário da Brown-Bigelow Calendar Company, de St. Paul, na época uma das maiores empresas de calendários do mundo.

"Quando vi Bigelow", contou Charlie, "algo dentro de mim disse: está aí o homem que pode me tirar da lama".

Bigelow tinha 53 anos quando chegou à prisão. Entrou de cabeça erguida e com uma atitude arrogante. Os detentos, que já haviam ouvido falar dele, usaram todas as suas forças para lhe infernizar a vida.

Charlie observou o calvário do homem mais velho com interesse solidário e logo percebeu que o espírito de Bigelow estava sendo rapidamente destruído. Um dia ofereceu um cigarro ao milionário e, enquanto fumavam juntos, ofereceu-se para servir como um amortecedor entre o industrial de boas maneiras e a dureza da vida na prisão. Para começar, conseguiu que Bigelow fosse transferido da pequena cela que ocupava para o seu próprio alojamento no porão, um quarto espaçoso e sem grades ao lado dos chuveiros. Depois, obteve um emprego externo para Bigelow e o respectivo passe diurno. Quando Bigelow disse temer que alguns de seus executivos administrassem mal a empresa enquanto estivesse preso, Charlie conseguiu que ele a supervisionasse de dentro da penitenciária. Arranjou uma máquina de escrever e os serviços de um detento estenógrafo para anotar os ditados de Bigelow depois do horário de trabalho na prisão. Também conseguiu modificar as regras da penitenciária para que Bigelow pudesse mandar de 75 a 100 cartas por dia, e não as poucas permitidas pelo regulamento.

Quando a pena de Bigelow aproximou-se do fim, ele disse a Charlie: "Você foi muito bom para mim, e quero lhe mostrar meu apreço. Quando sair daqui, vou parar em Kansas City e depositar US$ 15 mil em seu nome, para que você tenha algo para se sustentar quando sair".

Charlie agradeceu, mas recusou a oferta.

Pouco depois, o empresário saiu em condicional e, ao se despedir de Charlie, falou: "Você vai sair daqui em um mês, Charlie. Quero que vá para St. Paul trabalhar para mim. Nunca esquecerei o que você fez por mim".

UM NOVO COMEÇO

Cinco semanas depois, Charlie chegou a St. Paul, e Bigelow foi recebê-lo na estação, de onde o levou para almoçar em sua casa. Depois, levou Ward até uma pensão perto da fábrica, onde havia alugado um quarto para o amigo.

Na segunda-feira de manhã, Charlie apresentou-se para trabalhar na fábrica de Bigelow e foi designado para um emprego de US$ 25 por semana, colocando borracha crua numa processadora.

Depois de tudo que Charlie havia feito por Bigelow, a nome-
ação para um emprego vil com salário de fome parecia o auge da
ingratidão, mas, em vez de ir embora desgostoso ou mesmo de reclamar para o empresário, Charlie fez o que a maioria dos homens
não faria naquela circunstância. Trabalhou duro e tão bem que
Bigelow começou a pensar em deixar Charlie trabalhar no cargo
em que sua atitude mental positiva fosse mais útil para a empresa.

Dois meses depois, Charlie era um capataz.

A iniciativa pessoal e o hábito de fazer um esforço extra recom-
pensaram Charlie. Toda tarefa subsequente de que o encarregavam
era cumprida com tanta eficiência que a empresa se via obrigada a
promovê-lo para um cargo mais alto.

Finalmente, os diretores mostraram reconhecer o valor de
Charlie criando o cargo de vice-presidente e diretor-geral, com um
salário inferior apenas ao do presidente.

Oito meses depois, Bigelow morreu, e a diretoria nomeou
Charlie para seu lugar. Dali em diante, o balanço financeiro da
Brown-Bigelow Calendar Company nunca mais ficou no vermelho.

Aí veio a maior surpresa da vida de Charlie. Ele descobriu que
Bigelow havia lhe deixado um terço de seu patrimônio. Charlie
continuou a prosperar e sabe-se que seu patrimônio líquido pessoal
chegou a milhões de dólares. Foi recebido pelas lideranças políti-
cas e empresariais de St. Paul. Entrou para os melhores clubes e
atingiu o 32º grau da maçonaria. O presidente Franklin Roosevelt
restituiu oficialmente seus direitos civis como reconhecimento sim-
bólico por sua "vida exemplar". Como disse um de seus amigos
mais próximos: "Quando Charlie se ergue, invariavelmente puxa
muitos outros consigo".

Essa história prova mais uma vez que um homem pode mudar seu mundo e toda a sua vida ao mudar a atitude mental de negativa para positiva. Prova que o hábito de fazer um esforço extra não tem igual como ferramenta para se chegar a níveis de vida mais altos. Prova também que "toda adversidade traz em si as sementes de um benefício equivalente ou maior".

É muito significativo que, a partir do instante em que Charlie deixou de pensar em si e começou a pensar em ajudar os outros, sua vida começou a melhorar.

Não há mistério na vida de Charlie Ward e em sua conquista de fama e fortuna. Ele fez isso seguindo os princípios do sucesso que podem tornar qualquer outra pessoa tão bem-sucedida quanto ele. Você tem o direito de usar os mesmos princípios. O que você vai fazer com isso?

UM ENCONTRO

É interessante observar as estranhas circunstâncias que reuniram Charlie Ward e Napoleon Hill.

Charlie Ward chamou a atenção de Hill pela primeira vez quando uma cópia autografada de *Pense e enriqueça* foi dada de presente ao presidente Roosevelt pelo autor. O presidente folheou o livro por alguns minutos, viu alguns dos nomes dos homens de sucesso listados e exclamou: "Não estou vendo o nome de Charlie Ward. Se você quer uma história de sucesso que vai da miséria à riqueza, conheça Charlie Ward e a terá. Ele é o mais inteligente de todos os figurões de hoje em dia, um homem rico que não virou escravo do dinheiro. O *hobby* dele é compartilhar de si e suas bênçãos com as outras pessoas. Você vai gostar de Charlie, e ele, de você.

Napoleon Hill conheceu Charlie Ward em 1959. Quando entrou no escritório de Charlie, Hill foi recebido com as seguintes palavras: "Eu sabia que chegaria o dia em que você entraria por essa porta, e eu teria o privilégio de cumprimentar o homem que escreveu o melhor livro que já li: *Pense e enriqueça*".

Nessa visita, eles combinaram que Napoleon Hill escreveria sobre a vida de Charlie Ward. Isso não foi possível devido à morte de Ward. Um dos presentes mais queridos de Hill era um relógio que Ward lhe deu naquele encontro, com a inscrição: "Ao meu amigo Napoleon Hill", assinado por Charlie. Hill usava-o constantemente.

Charlie Ward está no alto da lista dos homens de sucesso e contribuiu imensamente para a Ciência da Realização Pessoal. No próximo capítulo, você vai conhecer outras pessoas que conquistaram grande sucesso e dominaram o poder da persuasão positiva.

Capítulo 6

PRÉ-REQUISITOS PARA O PODER

É OPINIÃO DESTE AUTOR que as realizações, ou a falta delas, e os motivos por trás do grau de sucesso que cada um tem na vida são tão diferentes quanto os indivíduos que empreendem esta jornada que é a vida, do nascimento à morte.

Circunstâncias do nascimento, origem, influências iniciais ou posteriores, as pessoas que se encontra pelo caminho, a situação física e geográfica – tudo contribui para as diferenças no padrão subjacente que leva às conquistas ou ao fracasso.

Feliz da pessoa cuja vivência inclui a oportunidade de encontrar indivíduos ou livros que ajudam a focar a mente em certas verdades básicas a respeito de si mesma.

Quando uma pessoa compreende o fato simples, mas profundamente vital, de que mirar numa meta específica é a melhor garantia para acertar na mosca, ela está pronta para chegar a conclusões mais complexas. Qualquer um pode subir!

O fundamento de toda a filosofia de Napoleon Hill é o que ele chama de 17 Princípios da Realização Pessoal. A aplicação prática destes princípios, isolados ou em combinações variadas, proporcionou a inúmeros homens e mulheres do mundo inteiro um esquema para o sucesso.

1. OBJETIVO DEFINIDO

Essa é a flecha apontada para o alvo. O que você quer da vida? Qual é o seu maior objetivo? No momento em que dá toda a sua atenção a essa pergunta, você começa a se encarar e se analisar. Quem é você, o que é você, onde você está agora? Ser totalmente honesto consigo mesmo pode ser o primeiro passo para o sucesso. Que estrada você está trilhando? Quais sinais de trânsito você vê quando avalia sua atual situação?

É bom fazer uma lista do que você quer da vida – saúde, relacionamentos pessoais que deseja manter, a quantidade de dinheiro que quer, quanto deseja investir ou poupar para a aposentadoria, o tipo de casa e de carro, os benefícios que deseja para cada membro da família... Esses são os principais objetivos a definir.

Faça um plano de um ano e outro de cinco anos, estabelecendo metas de desenvolvimento pessoal, autodisciplina, vendas por dia, por semana e por mês.

Memorize as listas, examinando-as diariamente, de manhã cedo e à noite, na hora de dormir. Procure lembrar sempre que a realização dessas metas vai depender em larga medida de sua atitude e atenção constantes. Torne seu objetivo definido um tema diário de suas preces, conversas e pensamentos. Assim você cria uma "consciência do sucesso" na mente subconsciente, e ela gradativamente ajudará nas ações e reações que levarão ao triunfo.

2. O PODER DO MASTERMIND

Depois de definir com clareza suas metas e seus objetivos, em pensamento e por escrito, recomenda-se selecionar uma pessoa ou pessoas com quem você possa compartilhar o plano de conquista. O MasterMind é definido como uma aliança entre duas ou mais pessoas, trabalhando juntas em espírito de perfeita harmonia para alcançar um objetivo definido. O valor dessa "união de mentes semelhantes" é evidente. A harmonia dentro de casa acontece quando o homem e a mulher trabalham para manter um relacionamento mutuamente satisfatório e que produza conforto e felicidade para ambos.

O acordo mútuo com seu empregador para trabalhar visando vendas maiores também é uma forma de harmonização de mentes. Se o seu maior objetivo na vida é ambicioso, daqueles que vão além de acumular o suficiente para a subsistência, você provavelmente precisará da ajuda dos outros para atingi-lo.

O MasterMind é o meio pelo qual você pode utilizar a experiência, o talento, a influência e talvez recursos financeiros de outras pessoas para alcançar seu principal objetivo. Essa aliança pode começar pela associação com apenas um indivíduo. O número de alianças exigidas vai depender inteiramente da natureza e do alcance dos objetivos. Uma "reunião de mentes" deve ser regular, mutuamente benéfica e sempre harmoniosa nas questões básicas de confiança e sinceridade.

3. FÉ APLICADA

Uma coisa profundamente enraizada em todos os processos e princípios que levam ao triunfo e às realizações é o elemento da fé. Fé é um pré-requisito para qualquer tipo de progresso. Uma pessoa não atravessa uma sala para pegar um copo d'água se não tiver fé. Fé de que suas pernas a sustentarão naquela distância. Fé de que, quando abrir a torneira, vai sair água. Fé de que, quando engolir a água, vai matar a sede. Será que partir em direção a uma meta não seria um ato de fé, tanto quanto esse? O mesmo Criador que nos deu a fé para acreditar em nossa capacidade de ir até o bebedouro pode proporcionar a fé em nossa capacidade de alcançar metas na vida pessoal e profissional.

Quando a palavra "fé" é seguida da palavra "aplicada", refere-se à fé que pauta nossa vida e nossas ações – não a alguma coisa em que se acredita, mas não se pratica, nem à fé nos instintos para reagir de modo apropriado aos estímulos físicos.

O que dá à fé sua poderosa dimensão? Isso acontece quando o indivíduo toma como verdade que a fé provém do Deus infinito, a mesma fonte de poder que mantém o mundo em movimento ordenado e contínuo dia e noite, estação após estação, maré após maré.

Não existe nada de complicado no método pelo qual você pode recorrer ao poder da fé para guiá-lo em meio às circunstâncias até os objetivos que deseja na vida.

Em primeiro lugar, temos que ficar cara a cara com nosso eu mais íntimo, encarar honestamente nossa escolha de objetivos e avaliar a distância, o trabalho e as circunstâncias que se colocam entre nós e a realização das metas. A pessoa esclarecida vai perceber que muitas coisas terão que acontecer, um preço terá que ser pago e será necessária a ajuda de muitas fontes para conseguir o que quer. Por isso, é preciso colocar o futuro, os intangíveis e outros elementos ainda a ser determinados nas mãos do Criador – ou então entregar tudo à sorte ou ao acaso. A pessoa esclarecida, ambiciosa, colocará a fé a agir em todos os elementos que por enquanto não pode controlar. Essa "entrega" de certas coisas, todavia com a crença de que tudo dará certo quando chegar a hora de se envolver pessoalmente – isso é fé. Ela enseja um estado mental relaxado, um sono tranquilo e a confiança que atrai reações positivas de todas as fontes. A fé é o "combustível de foguete" dos empreendimentos humanos.

4. PERSONALIDADE AGRADÁVEL

Sua personalidade revela o tipo de pensamento que você tem, a ética que observa, seus padrões e pontos fortes mentais e espirituais, o tipo de vida que leva. O que constitui uma personalidade agradável? Como podemos desenvolver uma personalidade que atraia as pessoas?

Existem muitos tipos de personalidades, muitos tipos de atratividade. Talvez a característica mais desejada seja uma atitude mental positiva. "Sorria e as pessoas vão sorrir com você; chore e chorará sozinho." Todas as pessoas têm dias tristonhos, mas o mundo não vai fazer fila na porta de um indivíduo cronicamente deprimido, que só enxerga o lado sombrio das coisas. Olhe para o lado claro. Enfatize o positivo.

Já foi dito que, se você consegue fazer uma pessoa rir, consegue fazê-la gostar de você. Se ela gostar de você, também vai ouvi-lo quando você falar sério.

Ser flexível, resiliente diante das constantes mudanças e tensões da vida sem perder o autocontrole é uma arte – e uma arte valiosa. A sinceridade é indispensável. Sua ausência é tão óbvia quanto verrugas no nariz para um observador inteligente, sensível e perspicaz. Presteza e determinação nas decisões geralmente denotam clareza e objetividade no pensamento, autoconfiança e uma mente organizada. Cortesia, tato, tolerância, franqueza, senso de humor, semblante agradável e sorridente – tudo ajuda a criar e manter a confiança e os bons relacionamentos.

5. FAZER UM ESFORÇO EXTRA

Isso baseia-se no conceito de oferecer um serviço melhor e maior do que o esperado ou exigido, com a atitude mental correta e sem expectativas de recompensa imediata. A compensação é grande, muito maior que o investimento. Fazer um esforço extra assegura um aumento da coragem, da autossuficiência, da iniciativa pessoal e do entusiasmo. Leva a uma atitude mais positiva e a uma posição mais feliz e segura junto aos empregadores e colegas de trabalho.

6. INICIATIVA PESSOAL

Iniciativa pessoal é uma característica muito admirada e, se exercida com lógica e discrição, pode impeli-lo rapidamente à frente da multidão. Iniciativa baseada no entendimento exato do que deve ser conquistado deixa a pessoa em harmonia com todos à sua volta e com o universo em geral. Se alguém tem um objetivo definido em mente, é fácil encontrar as oportunidades para a iniciativa pessoal. Iniciativa é o primeiro passo – a indicação de uma boa atitude exibida na ação. É uma demonstração de autossuficiência que raras vezes passa despercebida pelos superiores. Iniciativa pessoal é a autoconfiança em ação e, se você está se dirigindo a um objetivo definido, ela acelera a viagem e amacia o caminho para o bom trabalho ficar mais fácil e ser melhor recompensado.

7. AUTODISCIPLINA

A autodisciplina é o treinamento que corrige, molda, fortalece e aperfeiçoa. Seu comportamento e suas atitudes são expressões dos seus pensamentos. Boa parte de nosso pensamento parece sem controle, aleatório ou semiconsciente. De vez em quando, nos damos conta de nossos "sentimentos". Isso pode indicar que andamos pensando intensamente em determinados assuntos. Quando sentimos, ficamos mais atentos, pois ficamos cientes do poder e da energia estimulados pelos pensamentos. Podemos ser estimulados para o amor, a fé, a lealdade ou para o medo, o ciúme, a ganância ou a raiva. A autodisciplina nos ensina a direcionar a energia gerada pelos pensamentos para os sentimentos – e ações – que vão trazer vantagens e nos fortalecer. A autodisciplina ajuda a dirigir nossa energia para os canais mais úteis e bem-sucedidos.

8. ATENÇÃO CONTROLADA

Atenção controlada é o ato de focar a mente num desejo específico até que os meios para sua realização tenham sido pensados e colocados em prática com êxito. O sucesso vem depois de muita concentração. Atenção controlada dirigida ao poder de nossos pensamentos e à energia mental que somos capazes de gerar é um instrumento vital. Orações não são apenas devoção. A prece gera poder, energia, unidade e força. Pensar com outra pessoa sobre um determinado assunto traz novos *insights* e novas verdades. A atenção concentrada de uma ou mais pessoas gera poder.

9. ENTUSIASMO

O entusiasmo é uma emoção, a contrapartida física das nossas ideias. Começa e termina na nossa mente. É harmonia e confiança. Quando se sente dono de uma determinada ideia ou plano, você fica entusiasmado. Entusiasmo é um sentimento de confiança, uma consciência da relação entre você e a fonte do poder de realização. Fale com entusiasmo e de maneira positiva, mova-se com confiança e veja como o entusiasmo aumenta e se espalha para as outras pessoas.

10. IMAGINAÇÃO

"A imaginação é a oficina da alma, onde são forjados todos os planos para a realização pessoal." A maior dádiva do homem é a mente pensante. Ela analisa, compara, escolhe. Ela cria, visualiza, antevê e cria ideias. A imaginação é o exercício da mente, seu desafio e sua aventura.

11. APRENDER COM AS ADVERSIDADES

As adversidades fazem parte da vida. Toda ação, situação ou escolha de nossa vida tem causa e efeito. Nas adversidades, deparamo-nos com situações em que temos plena consciência do efeito. A causa pode ser conhecida, inconclusiva ou incompreensível. Vivenciamos uma reação muito pessoal e significativa, uma forte emoção irrompe dentro de nós e perguntamos: "Por quê?". Toda adversidade carrega em si a semente de um benefício equivalente ou maior. Independentemente do quanto seja difícil enxergar o motivo, se conseguimos aceitar essa verdade e o fato de que o universo é regido por leis imutáveis que fazem parte de uma força criativa, podemos vencer qualquer tempestade que se abata sobre nossa vida. Sua atitude nos tempos de adversidade determina boa parte do efeito eterno que ela terá na sua vida – para o bem ou para o mal.

12. ORÇAMENTO DO TEMPO E DO DINHEIRO

Uma vez que o seu dia tem as mesmas 24 horas que o de qualquer outra pessoa no mundo, você tem as mesmas oportunidades de qualquer um para usar esse tempo de modo hábil. O ser humano sempre teve que se harmonizar com o mundo à sua volta. Em todas as gerações, as pessoas tiveram que lidar com a mudança das marés e dos ritmos do mundo em torno de si. Mas, à medida que surgem as demandas, o equilíbrio aparece, se procurarmos por ele. Temos "menos" tempo agora porque a automação e os meios de transporte e comunicação mais rápidos parecem nos apressar. A arte de orçar o tempo é uma das mais difíceis de se dominar, mas das mais compensadoras. O orçamento do dinheiro é uma questão crítica. Nosso olho costuma ser maior do que o bolso. Quanto tempo temos para aprender a orçar nosso dinheiro? Todo o tempo do mundo.

13. ATITUDE MENTAL POSITIVA

Nossa mente é a única coisa que somos capazes de controlar. Ou a controlamos, ou cedemos o controle e ficamos à deriva. Podemos fazer alguma coisa em qualquer situação. Não podemos NÃO fazer nada. Ser negativo é fazer alguma coisa. Para governar sua vida, você deve aprender a governar suas atitudes. A maneira como reagimos é determinada por nossos hábitos de controle mental e nossas atitudes. Você está procurando avenidas positivas para o sucesso?

14. PENSAMENTO PRECISO

Escolha o que deseja alcançar. Decida o que fará para chegar lá. Parta em direção à meta com uma consciência definida e positiva e com fé. Isso é pensamento preciso. A precisão do pensamento é afetada por esperanças, medos, desejos e atitudes que você permite que o estimulem. Organize sua mente. Esteja ciente do poder de sua mente. Mantenha-a precisa e controlada.

15. BOA SAÚDE FÍSICA

Seus pensamentos afetam sua saúde. Os pensamentos podem deixá-lo doente ou encaminhá-lo para uma boa saúde, boas atitudes, um sono tranquilo e bons hábitos alimentares. Desenvolva uma consciência de boa saúde e bem-estar. Bons pensamentos geram harmonia dentro do corpo e manifestações físicas de equilíbrio.

16. COOPERAÇÃO

Sucesso interno e externo é uma evidência da cooperação. Toda realização é uma forma de cooperação significativa e bem-sucedida entre pessoas. A cooperação é o começo de todo esforço organizado. Nosso corpo é saudável quando existe organização e trabalho em equipe de todos os órgãos. Nossa vida é feliz quando existe cooperação entre nós e o mundo à nossa volta.

17. A FORÇA CÓSMICA DO HÁBITO

Esse talvez seja o mais difícil de definir, mas é o princípio-chave para se compreender e utilizar todos os nossos recursos internos. Há quem chame de elemento "místico". Se você percebe e acredita que existe ordem no universo, no nascer do Sol, na regularidade das marés, então pode ver um exemplo de um plano em execução. Existem leis que mantêm o equilíbrio de todo o universo. Existem leis físicas que fazem com que nossos padrões de comportamento natural funcionem dentro de uma ordem regular e previsível. Imbuir nossa atividade das leis naturais do universo ajuda a criar o poder, a força e a energia que trazem harmonia, paz mental e sucesso. Você tem o poder de optar por se apoderar dos princípios do sucesso.

A CIÊNCIA DA REALIZAÇÃO PESSOAL

Você acabou de estudar um resumo que pode ajudá-lo a caminhar à luz de um novo raio de sucesso, capaz de guiar você para qualquer condição de vida que sua esperança almeje. Se você precisa de um cargo melhor remunerado para ser feliz, pode achar o caminho para ele com o domínio dos 17 princípios do sucesso.

Se você precisa de mais harmonia e compreensão no cargo atual, os 17 princípios podem mostrar o caminho para obtê-las.

Se a sua situação doméstica precisa de uma melhora, esse estudo pode dar a você e a todos os membros de sua família a harmonia, paz mental e compreensão fundamentais para o sucesso na sua profissão. Os 17 princípios do sucesso vão lhe proporcionar um melhor entendimento de si mesmo e dos outros, e você poderá relacionar-se com eles em espírito amigável, inspirando-os a sempre cooperar com você.

Se no passado você não alcançou o sucesso que gostaria, essa filosofia vai ajudá-lo a descobrir por que e como remover a causa.

Se você é autônomo, pode aprender como transformar seus clientes em profissionais satisfeitos, que lhe trarão novos clientes.

Se você é professor, os 17 princípios do sucesso podem dar aquele "algo mais" que aumentará o seu poder de ganho e o ajudará a se promover para campos mais amplos em sua profissão.

UMA ALIANÇA DE MASTERMIND

W. Clement Stone utilizou todos os princípios descritos neste capítulo por tanto tempo que ficou permanentemente associado a eles. O melhor exemplo dos efeitos duradouros desses princípios é representado pela sociedade entre Napoleon Hill e Clement Stone.

Quando Napoleon Hill tornou-se sócio de Stone em 1952, a fortuna pessoal de Stone era estimada (por ele mesmo) em US$ 3 milhões. Quando a sociedade se encerrou, dez anos mais tarde, essa fortuna era estimada em US$ 160 milhões – um aumento de aproximadamente US$ 15 milhões anuais ao longo dos dez anos de sociedade.

Nesses dez anos, toda a equipe de vendas e gerenciamento de Stone foi doutrinada com a Ciência da Realização Pessoal. Muitos vendedores aumentaram seu faturamento em até 300% ou 400% ao aplicar a filosofia do sucesso.

É interessante notar que o uso pessoal da filosofia de sucesso de Andrew Carnegie e Napoleon Hill por Stone chega perto do resultado obtido por Andrew Carnegie e Thomas Edison. Stone foi escolhido pela Fundação Napoleon Hill como o terceiro indivíduo que melhor aplicou a Ciência da Realização Pessoal, atrás apenas de Carnegie e Edison.

Durante a parceria Hill-Stone, eles foram coautores de *Atitude Mental Positiva*, que desde o início foi um *best-seller* e assim se manteve por muitos anos. O livro já foi traduzido em várias línguas.

Apesar de a obra de Napoleon Hill ter gerado riqueza para milhões de pessoas e de ele ter sido chamado de "rei da criação de milionários", Hill acreditava que W. Clement Stone era um dos praticantes mais destacados da filosofia de sucesso que ele criou com Andrew Carnegie. Como veremos mais tarde, outro eleito pela Fundação Napoleon Hill como um exemplo extraordinário foi Delford Smith.

Vale mencionar que, apesar de Stone ter ficado incrivelmente rico com a filosofia de sucesso de Hill e Carnegie, ele doutrinou membros de sua organização e tantas outras pessoas com tamanha eficácia e generosidade que permitiu que todos esses fossem mais bem-sucedidos.

Stone provavelmente desenvolveu mais milionários em todos os campos de atividade do que qualquer outra pessoa.

Ele sabe perfeitamente que o que quer que uma pessoa tenha deve ser usado de maneira justa e eficiente ou desaparecerá, de acordo com a lei dos retornos decrescentes.

Também é digno de nota que Stone deu o mais amplo e irrestrito crédito à filosofia de sucesso de Hill e Carnegie como base de suas realizações de sucesso.

Os dez anos de parceria profissional entre Napoleon Hill e W. Clement Stone foram fabulosamente benéficos não só para os milhares de pessoas que ajudaram com seus escritos e palestras, mas também para ambos. O seguinte exemplo do impressionante benefício que Napoleon Hill recebeu é apenas uma entre várias outras transações semelhantes. Durante a aliança, Napoleon Hill investiu US$ 37,5 mil na Combined Insurance Company of America, companhia de seguros da qual Stone era o CEO. Cerca de dez anos mais tarde, quando contabilizaram o resultado, o investimento de Hill tinha aumentado (pelo valor de mercado das ações da Combined) para US$ 640 mil. É seguro dizer que em pouquíssimas ocasiões preciosas pode-se obter retorno tão extraordinário de um investimento em tão pouco tempo.

Você tem dentro de si tudo o que precisa para se tornar tão bem-sucedido quanto realmente quiser. Decida agora o que quer da vida e vá atrás.

Capítulo 7

O MANUAL DO SUPERVENDEDOR

SEÇÃO 1

O vendedor em cima do palco

A CIÊNCIA DA ARTE de vender envolve princípios semelhantes àqueles que servem de base para uma peça de teatro de sucesso. A psicologia para cativar uma pessoa é muito parecida com a estratégia dos atores para cativar uma plateia. A peça de sucesso deve ter um ato inicial poderoso e um clímax, ou ato final, de cair o queixo. Se a peça não tem isso, será um fracasso.

A abordagem do vendedor deve ser forte o suficiente para estabelecer confiança e despertar interesse. Se ele falhar no primeiro ato, vai ver que é muito difícil, senão impossível, efetuar a venda. A apresentação da venda pode ser fraca em vários trechos "do meio" sem ser fatal para a transação desde que a abertura e o final sejam fortes e instigantes. A encenação da arte científica de vender é igual a uma peça dramática em três atos:

ATO I – Interesse. Deve capturar a atenção e despertar o interesse da plateia. (Isso é obtido neutralizando a mente do comprador potencial e estabelecendo a confiança.)

ATO II – Desejo. Nesse estágio deve-se desenvolver o enredo da apresentação. Mesmo que seja fraco, ainda pode vingar, desde que o primeiro ato tenha tido força. A plateia será indulgente se o primeiro ato tiver gerado confiança suficiente para despertar a expectativa de um final forte. (O desejo deve ser desenvolvido durante a apresentação do tema.)

ATO III – Ação. Aqui o objetivo tem de ser realizado. O fechamento deve ser impactante, independentemente do que aconteceu nos primeiros dois atos, ou a peça será um fracasso. No terceiro ou último ato, a venda é concluída ou perdida. (O fechamento só pode ser induzido mediante uma apresentação adequada nos dois primeiros atos.)

Não é nem preciso sugerir que a pessoa que desempenha com sucesso os três atos da peça de vendas deve ter e usar a imaginação. Imaginação é a oficina da mente, onde o vendedor testa suas ideias, planos e imagens mentais para criar o desejo na mente do comprador potencial. Vendedores desprovidos de imaginação parecem barcos sem remos: dão voltas em círculos e terminam onde começaram, sem deixar qualquer impressão favorável.

Só palavras não bastam para vender!

Palavras entremeadas com pensamentos que criam desejo é que *vão* vender. Muitos nunca aprendem a diferença entre palavreado sem fim disparado como tiros de metralhadora e imagens cuidadosamente pintadas que atiçam a imaginação do cliente potencial.

A única razão para se neutralizar a mente do cliente potencial é, claro, estabelecer a confiança. Quando a confiança não é implantada na mente, não há como se vender nada.

UMA LIÇÃO OBJETIVA SOBRE A RELAÇÃO VENDEDOR-CLIENTE

Isso nos traz a uma das lições mais eficientes de técnicas de vendas já escritas, uma obra-prima de Shakespeare: o discurso de Marco Antônio no funeral de Júlio César. O trecho é incluído aqui como uma lição objetiva sobre a relação vendedor-cliente, pois abrange todos os pontos importantes citados nos capítulos anteriores.

Talvez você tenha lido o discurso, mas instamos para que leia de novo, cuidadosa e atentamente. Aqui são apresentadas interpretações entre parênteses, que devem ajudá-lo a extrair um novo significado do texto.

O cenário do discurso de Marco Antônio é o seguinte: César está morto, e Brutus, o assassino, é convocado para explicar à plebe romana reunida no Fórum por que eliminou César. Imagine uma turba ululante que acredita que Brutus fez um ato nobre ao assassinar César.

Brutus sobe ao púlpito e explica seus motivos para assassinar César. Confiante de que havia se saído bem, volta a seu lugar. Todo o seu comportamento é de extrema arrogância, de um homem que acredita que sua palavra será aceita sem questionamento.

Marco Antônio sobe então ao púlpito, sabendo que a multidão é antagonista porque ele era amigo de César. Em tom baixo e humilde, começa a falar:

MARCO ANTÔNIO: Em nome de Brutus, venho a vocês.

QUARTO CIDADÃO: O que ele diz de Brutus?

TERCEIRO CIDADÃO: Ele diz que, em nome de Brutus, vem a nós.

QUARTO CIDADÃO: Melhor não falar mal de Brutus aqui.

PRIMEIRO CIDADÃO: Esse César era um tirano.

TERCEIRO CIDADÃO: É, isso é certo; somos abençoados por Roma ter se livrado dele.

SEGUNDO CIDADÃO: Silêncio! Vamos ouvir o que Marco Antônio tem a dizer.

(Na frase de abertura de Marco Antônio, você pode observar seu método inteligente de "neutralizar" a mente dos ouvintes.)

MARCO ANTÔNIO: Vocês, gentis romanos...

(Tão "gentis" quanto uma gangue de rebeldes em uma assembleia sindicalista revolucionária.)

TODOS: Silêncio! Vamos ouvi-lo.

(Se Marco Antônio começasse seu discurso "detonando" Brutus, a história de Roma teria sido muito diferente.)

MARCO ANTÔNIO: Amigos, romanos, compatriotas, ouçam-me com atenção: venho para enterrar César, não para o elogiar.

(Aliando-se com o que ele sabia ser o estado de espírito dos ouvintes.)

O mal que os homens fazem sobrevive a eles, o bem com frequência é enterrado com seus ossos. Que assim seja com César.

O nobre Brutus disse-lhes que César era ambicioso. Se assim era, era uma falha grave, e penosamente César pagou por ela.

Aqui, com a permissão de Brutus e dos demais – pois Brutus é um homem honrado, assim como todos eles são homens honrados –, venho falar no funeral de César.

Ele foi meu amigo – fiel e justo comigo, mas Brutus diz que ele era ambicioso, e Brutus é um homem honrado –, ele trouxe muitos prisioneiros para Roma, cujos resgates encheram os cofres públicos. Isso parecia ambição em César?

Quando os pobres choravam, César chorava. A ambição deve ser feita de material mais rijo. Ainda assim Brutus diz que ele era ambicioso, e Brutus é um homem honrado.

Todos vocês viram que nas lupercais por três vezes presenteei-o com uma coroa real, que ele recusou três vezes. Isso era ambição? Ainda assim Brutus diz que ele era ambicioso, e Brutus certamente é um homem honrado.

Não falo para desaprovar o que Brutus falou, mas estou aqui para falar o que sei. Vocês todos o amaram certa vez, não sem motivos.

O que os impede de prantear por ele? Ó razão! Fugiste para feras brutais, e os homens perderam o juízo. Perdoem-me, meu coração está no caixão com César, e devo parar até ele voltar para mim.

PARE E OBSERVE

(Nesse ponto, Marco Antônio faz uma pausa para dar à plateia oportunidade de discutir entre si, às pressas, suas declarações de abertura. O objetivo é observar o efeito que suas palavras estavam produzindo, assim como um mestre em vendas sempre encoraja o comprador potencial a falar para saber o que ele tem em mente.)

PRIMEIRO CIDADÃO: Parece-me que há muito em suas palavras.

SEGUNDO CIDADÃO: Caso se considere a questão acertadamente, César sofreu grande mal.

TERCEIRO CIDADÃO: Será, senhores? Temo que virão piores no lugar dele.

QUARTO CIDADÃO: Notaram as palavras? Não aceitou a coroa. Portanto, com certeza não era ambicioso.

PRIMEIRO CIDADÃO: Se assim for, alguém há de pagar caro.

SEGUNDO CIDADÃO: Pobre alma! Seus olhos estão vermelhos como brasas por chorar.

TERCEIRO CIDADÃO: Não existe em Roma homem mais nobre do que Marco Antônio.

QUARTO CIDADÃO: Atenção, ele começou a falar de novo.

MARCO ANTÔNIO: Mas ontem a palavra de César podia contrariar o mundo; agora ele ali jaz, e nem o mais pobre lhe presta reverência.

Ó senhores (apelando à vaidade deles), se eu estivesse disposto a incitar motim e fúria em seus corações e mentes, deveria ofender Brutus e ofender Cássio, que, todos vocês sabem, são homens honrados.

(Observe a frequência com que Marco Antônio repete o termo "honrado", a sagacidade com que faz a primeira sugestão de que talvez Brutus e Cássio possam não ser tão honrados quanto a turba romana acredita que sejam. Essa sugestão é manifestada nas palavras "motim" e "fúria", que ele usa aqui pela primeira vez. Após a pausa ele observa que a multidão está inclinando-se ao seu argumento. Observe com que cuidado ele "sente" o terreno e faz as palavras ajustarem-se ao que ele sabe ser a disposição mental dos ouvintes).

MARCO ANTÔNIO: Não vou ofendê-los, prefiro ofender os mortos, ofender a mim e vocês, do que ofender homens tão honrados.

(Cristalizando a sugestão de ódio a Brutus e Cassius, ele então apela para a curiosidade da turba e começa a assentar a base para o clímax – um clímax que, ele sabe, conquistará a plebe, porque está chegando lá com tanta sagacidade que a turba acredita que a conclusão é dela.)

MARCO ANTÔNIO: Mas aqui está um pergaminho com o selo de César. Encontrei-o em seus aposentos, é seu testamento. Deixe que o povo apenas ouça o testamento, que, perdoem--me, não pretendo ler,

(Aguçando o apelo à curiosidade, fazendo a multidão acreditar que não pretende ler o testamento.)

e iriam beijar as feridas de César morto, e molhariam seus lenços em seu sangue sagrado. Sim, implorariam por um fio de cabelo dele como lembrança e, ao morrer, citariam--no em testamento, deixando-o como um rico legado a seus descendentes.

(A natureza humana sempre deseja o que é difícil de conseguir ou aquilo de que está prestes a ser privada. Observe com quanta astúcia Marco Antônio desperta o interesse da turba e faz com que queira ouvir a leitura do testamento, preparando-a assim para ouvir com a mente aberta. Isso marca seu segundo passo no processo de "neutralizar" as mentes.)

Todos: O testamento! O testamento! Ouçamos o testamento de César!

Marco Antônio: Tenham paciência, gentis amigos, não devo lê-lo, não é bom que saibam o quanto César os amou. Vocês não são madeira, não são pedras, mas homens; e, sendo homens, ao ouvir o testamento de César, isso irá inflamá-los (exatamente o que ele deseja fazer), fará com que fiquem loucos. É bom que não saibam que são herdeiros dele, pois, se souberem, o que pode vir disso!

Quarto cidadão: Leia o testamento, iremos ouvir, Marco Antônio. Você deve ler o testamento, o testamento de César.

Marco Antônio: Vocês serão pacientes? Ficarão calmos? Já me excedi ao falar a respeito disso, temo ofender os homens honrados cujos punhais esfaquearam César, temo isso.

("Punhais" e "esfaquearam" sugerem um assassinato cruel. Observe a sagacidade com que Marco Antônio injeta essa sugestão no discurso e observe também a rapidez com que a turba capta o significado, porque, sem que a multidão saiba, Marco Antônio cuidadosamente prepara suas mentes para receber a sugestão.)

Quarto cidadão: Eram traidores os homens honrados!

Todos: O testamento! O testamento!

Segundo cidadão: Eram vilões, assassinos, o testamento!

(Justamente o que Marco Antônio teria dito no início, mas ele sabia que teria um efeito mais desejável se plantasse o pensamento na mente da multidão e permitisse que ela mesma dissesse isso.)

Marco Antônio: Vocês irão me obrigar a ler o testamento? Então, façam um círculo em torno do corpo de César e deixem-me mostrar-lhes aquele que fez o testamento. Descerei, e vocês me darão permissão?

(Nesse momento, Brutus deveria ter começado a procurar por uma porta dos fundos para escapar).

Todos: Desça!

Segundo cidadão: Desça!

Terceiro cidadão: Deem espaço para Marco Antônio, o nobilíssimo Marco Antônio.

Marco Antônio: Não cheguem tão perto de mim, afastem-se.

(Ele sabia que tal ordem faria com que quisessem se aproximar, que era o que ele queria que fizessem.)

Todos: Para trás. Deem espaço.

Marco Antônio: Se têm lágrimas, preparem-se para derramá-las agora. Vocês todos conhecem este manto. Lembro da primeira vez em que César o colocou, foi em uma tarde de verão, em sua tenda, no dia em que derrotou os nérvios. Vejam, neste ponto deslizou o punhal de Cássio, vejam que rasgão fez o invejoso Casca, por aqui o bem-amado Brutus o apunhalou, e, quando retirou a lâmina amaldiçoada, observem como o sangue de César seguiu-a, como se correndo porta afora para certificar-se se era Brutus ou não que tão rudemente havia batido, pois Brutus, como vocês sabem, era o anjo de César. Julguem, ó deuses, o quão carinhosamente César o amava!

Esse foi o corte mais rude de todos, pois, quando o nobre César viu Brutus o apunhalar, a ingratidão, mais forte que os braços do traidor, deveras venceu-o, e então explodiu seu poderoso coração. E, cobrindo o rosto com seu manto, bem aos pés da estátua de Pompeu, enquanto o sangue escorria, o grande César caiu.

Ó, que queda foi, meus compatriotas!

Então, eu, vocês, e todos nós caímos, enquanto a traição sangrenta florescia sobre nós.

Ó, agora vocês choram, e percebo que sentem a força da piedade; essas são gotas preciosas. Almas bondosas, por que choram ao olhar apenas a veste ferida de nosso César? Olhem aqui, aqui está ele, desfigurado, como veem, por traidores.

(Observe como Marco Antônio agora usa a palavra "traidores" livremente, porque sabe que está em harmonia com as mentes da turba romana.)

PRIMEIRO CIDADÃO: Ó espetáculo lamentável!

SEGUNDO CIDADÃO: Ó dia desgraçado!

TERCEIRO CIDADÃO: Ó dia desgraçado!

PRIMEIRO CIDADÃO: Ó visão mais sangrenta!

SEGUNDO CIDADÃO: Vamos nos vingar.

(Fosse Brutus um homem sábio em vez de presunçoso, a essa altura estaria a muitos quilômetros desse cenário.)

TODOS: Vingança! Já! Buscar! Queimar! Fogo! Matar! Assassinar! Não deixemos um traidor vivo!

(Aqui Marco Antônio dá o próximo passo para a cristalização do frenesi da turba em ação; mas, mestre em vendas sagaz que é, não tenta forçar essa ação.)

MARCO ANTÔNIO: Fiquem, compatriotas.

PRIMEIRO CIDADÃO: Silêncio aqui! Ouçam o nobre Marco Antônio.

SEGUNDO CIDADÃO: Nós o ouviremos, nós o seguiremos, nós morreremos com ele.

A CONCLUSÃO

(Com essas palavras Marco Antônio sabe que tem a turba do seu lado. Observe como ele tira vantagem desse momento psicológico – o momento que todos os mestres em venda esperam.)

MARCO ANTÔNIO: Bons amigos, caros amigos, não me deixem incitá-los a um acesso tão súbito de motim. Os que cometeram esse ato são honrados. Que aflições particulares eles têm, ai de mim, não sei, que os levou a fazer isso. Eles são sábios e honrados e irão sem dúvida apresentar-lhes seus motivos.

Não venho, amigos, roubar seus corações. Não sou orador como Brutus, mas, como todos vocês sabem, sou um homem simples, franco, que ama seu amigo, e isso sabem muito bem os que me deram permissão pública para falar dele. Porque não tenho nem sagacidade, nem palavras, nem valor, nem ação, nem expressão, nem o poder da palavra para agitar o sangue dos homens.

Eu apenas falo sem rodeios, digo-lhes o que vocês já sabem. Mostro-lhes as feridas do doce César, pobres, pobres bocas mudas. E ordeno-as a falar por mim. Mas, se eu fosse Brutus, e Brutus fosse Marco Antônio, aí Marco Antônio insuflaria o espírito de vocês e colocaria uma língua em cada ferida de César, línguas essas que deveriam mover as pedras de Roma para sublevar um motim.

Todos: Vamos nos amotinar.

Primeiro cidadão: Vamos queimar a casa de Brutus.

Terceiro cidadão: Vamos então! Vamos atrás dos conspiradores.

Marco Antônio: Ouçam-me, compatriotas, ouçam-me falar!

Todos: Silêncio! Ouçam Marco Antônio. O nobilíssimo Marco Antônio!

Marco Antônio: Por que, amigos, vocês vão fazer sabe-se lá o quê; por que César merece assim o amor de vocês? Oras, vocês não sabem; devo lhes dizer, então. Vocês esqueceram do testamento de que falei.

(Marco Antônio agora está pronto para jogar seu trunfo, pronto para atingir o clímax de sua venda. Observe quão bem ele agrupou suas sugestões, passo a passo, guardando até o fim a declaração mais importante, aquela com que contava para a ação. No grande campo das vendas e da oratória, muitos tentam chegar a esse ponto cedo demais; tentam "apressar" a plateia ou o cliente potencial e por isso perdem o apelo.)

Todos: Grande verdade, o testamento! Vamos ficar e ouvir o testamento.

Marco Antônio: Aqui está o testamento, com o selo de César. Para cada cidadão romano, para cada homem, ele dá 75 dracmas.

Segundo cidadão: Nobilíssimo César! Vingaremos sua morte.

Terceiro cidadão: Oh, régio César!

Marco Antônio: Ouçam-me com paciência.

Todos: Silêncio, já!

Marco Antônio: Além disso, ele deixou todos seus passeios, seus bosques privados e pomares recém-plantados deste lado do Tibre, deixou para vocês e para seus herdeiros, para sempre; prazeres comuns, para passearem e se divertir. Aqui estava um César! Quando virá outro?

Primeiro cidadão: Nunca, nunca. Venham, vamos, vamos! Queimaremos seu corpo no lugar sagrado e com a lenha incendiaremos as casas dos traidores. Peguem o corpo.

Segundo cidadão: Busquem fogo.

Terceiro cidadão: Arranquem os bancos!

Quarto cidadão: Arranquem bancos, janelas, qualquer coisa.

E esse foi o final de Brutus! Ele perdeu a causa porque lhe faltou personalidade e bom discernimento para apresentar seu argumento do ponto de vista da turba romana, como Marco Antônio fez. Essa atitude indica claramente que ele estava cheio de si, orgulhoso de seu ato. Todos nós conhecemos pessoas que se assemelham a Brutus nesse aspecto e, se observamos de perto, notamos que elas não realizam muita coisa.

Suponha que Marco Antônio tivesse subido no púlpito com uma atitude "pernóstica" e começado seu discurso neste tom: "Agora, deixem-me dizer a vocês, romanos, algo sobre este homem, Brutus – ele é um assassino frio e...", ele não teria ido adiante, pois a turba o teria vaiado.

Vendedor esperto e psicólogo prático que era, Marco Antônio apresentou seu caso como se não parecesse ser ideia dele, mas da turba romana. Observe como Marco Antônio enfatizou a atitude "vocês" e não "eu". E observe, por favor, como o mesmo ponto é enfatizado ao longo de todo este livro.

Shakespeare foi um gênio no mapeamento da psicologia humana. Todas suas obras baseiam-se no conhecimento infalível da mente humana. Ao longo do discurso de Marco Antônio, você observa o cuidado com que ele assumiu a atitude "vocês", tamanho cuidado que a turba romana teve certeza de que a decisão era dela.

Devemos chamar sua atenção, entretanto, para o fato de que o apelo de Marco Antônio ao autointeresse da multidão romana foi do tipo astuto e baseado na dissimulação – algo de que homens desonestos muitas vezes fazem uso ao apelar para a estupidez e a avareza de suas vítimas. Embora Marco Antônio evidencie grande autocontrole, assumindo em relação a Brutus uma atitude que não era real, é óbvio que seu apelo inteiro se baseia no conhecimento de como influenciar a mente da turba romana com bajulação.

Bajulação que não é sincera pode ser muito perigosa e é facilmente detectável. Bajulação é uma coisa negativa, mata a verdade que se deseja transmitir. Foi o entusiasmo positivo utilizado por Marco Antônio que lhe conferiu poder de persuasão.

NUNCA SE ESQUEÇA DO ENTUSIASMO

Veja como um amigo meu, graduado na Ciência da Realização Pessoal, compreende e aplica um dos princípios mais importantes do poder de persuasão.

"A importância do entusiasmo" é o título de um ensaio de Robert Swaybill, advogado de Nova York e exemplo bem-sucedido do entusiasmo e da definição de objetivo.

Diz ele: "O auge da advocacia é a arte do advogado de tribunal. Em busca dessa arte, milhares e milhares de livros foram escritos por especialistas em direito. E sempre que os advogados se reúnem levanta-se a questão: 'De que um advogado de tribunal precisa para atingir o ápice do sucesso?'. A resposta é sempre a mesma: preparo.

"Bem, isso é fato. Você tem que estar preparado. Hoje em dia, até para cozinhar um ovo você tem que estar preparado. Mas não será necessário um outro ingrediente, além do preparo, para o sucesso nessa arte? A resposta é o entusiasmo.

"O que é exatamente o entusiasmo? O dicionário diz que entusiasmo é 'uma forte ativação dos sentimentos em nome de uma causa ou assunto'. Um homem entusiasmado é ardoroso e cheio de imaginação, livre de dúvidas ou medo; tem poder interior, controle sobre os sentidos; eletriza os ouvintes com seu entusiasmo.

"O entusiasmo por uma causa é contagiante, infeccioso. O entusiasmo vem de dentro. É magnético.

"Do nosso ponto de vista, os princípios e as leis são sempre os mesmos em todas as situações. Se você é capaz de convencer um júri da justeza da sua causa, mantendo o entusiasmo mesmo nessa situação tão difícil, com que facilidade isso pode ser aplicado em outras áreas da vida.

"Entusiasmo – e desinteresse – são igualmente contagiantes. A escolha é sua.

"O que falamos (aqui) refere-se a leis universais. Não descobrimos essas leis – elas sempre existiram. Descobrimos NÓS MESMOS. Não revelamos essas leis. Revelamos a nós mesmos. Essas leis universais estão disponíveis para todo mundo. Desenvolva o entusiasmo e ponha as leis a funcionar".

Não se poderia fazer comentário melhor sobre o caráter de alguém do que o contido nessas palavras. Elas foram escritas por um homem que, em toda a carreira, pôs essas "leis universais" para funcionar.

SEÇÃO 2
Um guia para o supervendedor

Em todo dia bem-sucedido de sua vida, independentemente de sua ocupação ou profissão, você tem que ser um supervendedor. O domínio da arte de vender é a chave para você conseguir o que deseja da vida. Isso não se aplica apenas a vendedores de seguros e de carros e as pessoas cuja profissão seja vender, mas a donas de casa, estudantes e qualquer um que deseje colher sua parte das maiores bênçãos da vida.

Os grandes progressos em todas as áreas – ciência, educação, indústria, tecnologia, religião – foram feitos na maioria das vezes por homens e mulheres que possuíam e utilizaram o poder da persuasão. Napoleon Hill sublinhava esse ponto específico e enfatizava que essa parte do livro era útil a todos os leitores, uma vez que aborda os fundamentos da arte do supervendedor.

Se você duvida de que *todo mundo* precisa adquirir algum conhecimento prático da arte de vender, Hill recomenda o seguinte: sublinhe em vermelho as palavras "supervendedor" e "arte de vender" toda vez que aparecerem neste capítulo. Em azul, escreva ao lado delas a sua própria situação, seja estudante, dona de casa, empresário, artista ou vendedor. Para um melhor resultado, faça isso antes de ler o capítulo minuciosamente.

Depois de ler o capítulo inteiro, observando cada palavra sublinhada e cada anotação, você vai começar a se ver como uma superdona de casa, um superestudante, um superdigitador – um supervendedor em qualquer atividade à qual se dedique.

Vários fatores fazem parte do programa de desenvolvimento do vendedor bem-sucedido. A maioria é de natureza pessoal, tendo mais a ver com a pessoa do que com o produto ou serviço que ela oferece, ou com a organização que ela representa.

Ao ler os capítulos anteriores com atenção e colocar em prática os conteúdos, o leitor dá o primeiro passo para se tornar um supervendedor – ele realiza uma autoanálise honesta. Além das valiosas informações dos capítulos anteriores, existem algumas qualidades fundamentais que você *tem* de possuir se pretende realmente se transformar numa pessoa de sucesso.

Aqui está uma lista dessas qualidades importantíssimas, qualidades que qualquer um pode desenvolver com um pouco de pensamento e empenho sérios. É uma lista longa, e a perfeição só pode ser obtida com esforço constante. Porém, quando essa perfeição ou quase perfeição é enfim alcançada, nasce um supervendedor!

Antes de entrar em considerações detalhadas sobre a lista completa de qualidades, gostaríamos de definir as oito que são *absolutamente necessárias*.

PRÉ-REQUISITOS: OITO QUALIDADES QUE UM VENDEDOR BEM-SUCEDIDO DEVE POSSUIR

1. A APTIDÃO FÍSICA tem uma importância enorme pela simples razão de que, sem ela, nem o corpo nem a mente funcionam

bem. Aptidão física é um pré-requisito para uma atitude mental positiva. Por isso, dê atenção aos hábitos de vida saudáveis, entre eles a boa alimentação, sono adequado, recreação e exercícios.

2. A CORAGEM deve estar viva em todas as pessoas bem-sucedidas, especialmente na área de vendas, porque essa é uma atividade de alta pressão, intensa e inerentemente competitiva.

3. A IMAGINAÇÃO também é um requisito crucial para o vendedor bem-sucedido. Ele deve prever diversas situações referentes ao cliente potencial. Deve ter uma imaginação que permita um entendimento solidário da posição, das necessidades e objetivos do cliente. Ele deve literalmente "calçar os sapatos do outro". Isso exige imaginação.

4. ORATÓRIA. A voz de um vendedor deve ser agradável. Um tom agudo ou anasalado é irritante. Palavras mal pronunciadas são difíceis de entender. Fale com clareza e pronuncie cada palavra nitidamente. Uma voz tímida indica uma pessoa fraca. Uma voz firme, sonora, cheia de certeza e confiança indica uma pessoa entusiasmada e assertiva.

5. PERSONALIDADE AGRADÁVEL. O supervendedor domina a arte da convivência agradável. Ele sabe que o comprador potencial deve comprar o vendedor, tanto quanto o produto que este oferece.

6. AUTOCONFIANÇA é uma simples questão de auto-hipnose. Se você não gosta da palavra "hipnose", chame de autossugestão.

Autoconfiança é o condicionamento da mente para gerar os resultados e metas desejadas.

Hill tem dez guias ou entidades invisíveis, com o único objetivo de manter sua mente positiva e condicionada para fazer o que quer que ele queira.

A filosofia de Hill foi bem além da condição de clássico em sua área. Ela foi reconhecida como alicerce em que se baseia a maioria das teorias motivacionais. Elementos de suas ideias são encontrados em praticamente todos os programas de autoaperfeiçoamento escritos nas quase seis décadas que se passaram desde a publicação de seu primeiro livro sobre o tema.

Hill percebeu que todos os homens de negócios, como W. Clement Stone, que ergueu a gigantesca Combined Insurance Company (mais tarde Aon Corporation), e Del Smith, presidente e CEO da Evergreen International Aviation – de fato, todas as pessoas bem-sucedidas –, possuem um sistema para manter a mente positiva por intermédio da autossugestão.

Um homem notavelmente bem-sucedido dá todo o crédito por seu sucesso à esposa. Assim que se casaram, ela escreveu um credo que ele assinou e colocou sobre a escrivaninha. Leia o credo na página 136 e decida se quer copiar, assinar e colocar em cima de sua mesa. A mulher que escreveu o credo era uma psicóloga profissional de primeira linha. Sob a influência e a orientação de uma mulher como essa, qualquer homem poderia alcançar sucesso digno de nota. Repare como o pronome *eu* é usado generosamente. É uma afirmação de autoconfiança, exatamente como deve ser.

Este seria um credo esplêndido a ser adotado por todo vendedor. Se você o adotar, isso não significa garantia de sucesso. A mera adoção não é suficiente. Você deve praticar. Leia de novo e de novo até saber de cor. Então, repita pelo menos uma vez por dia até transformá-lo literalmente num elemento de sua constituição mental. Mantenha uma cópia na sua frente como lembrete diário da promessa de praticá-lo. Desse modo, você fará uso eficiente da autossugestão para desenvolver a autoconfiança. Não se importe com o que digam de seu procedimento. Lembre-se apenas de que seu interesse é ser bem-sucedido, e esse credo, se dominado e aplicado, ajudará em muito.

Qualquer ideia que você fixe firmemente no seu subconsciente por meio de afirmações repetidas automaticamente se transforma num plano ou fórmula que um poder invisível utiliza para ajudá-lo a atingir seu objetivo.

7. A ALIANÇA DE MASTERMIND. Ninguém consegue alcançar resultados duradouros e de natureza abrangente sem a ajuda dos outros. Quando duas ou mais pessoas aliam-se em qualquer iniciativa, em espírito de harmonia e entendimento, cada pessoa da aliança multiplica sua capacidade de realização. Em nenhum lugar esse princípio é aplicado com mais sucesso do que numa indústria ou empresa onde há um perfeito trabalho de equipe entre patrão e empregados. Onde você encontra

um trabalho de equipe, encontra prosperidade e boa vontade de ambos os lados.

Dizem que "cooperação" é a palavra mais importante do dicionário. Ela desempenha um papel importante nos assuntos domésticos, na relação entre homem e mulher, pais e filhos. Esse princípio da cooperação é tão importante que nenhum líder consegue tornar-se poderoso ou durar muito se não o entender ou aplicar. A falta de cooperação destruiu mais empreendimentos do que todas as outras causas juntas.

8. TRABALHO, trabalho duro é a única coisa que transformará o treinamento e a aptidão em vendas em dinheiro. Boa saúde, coragem ou imaginação não valem nada se não são usadas. O faturamento de um vendedor geralmente é fixado pela quantidade de trabalho duro e inteligente que ele efetua.

Um vendedor bem-sucedido decifrou a relação entre trabalho e sorte. Ele explicou da seguinte maneira para sua equipe de vendas:

"Quanto mais eu trabalho duro e menos armo esquemas, mais sorte tenho. Não recorram à deusa da sorte em busca de sucesso. A sorte é um jogo, e o trabalho fornece a margem de segurança para o sucesso verdadeiro".

Avalie atentamente essas oito qualidades. Questione-se repetidamente sobre quais você possui mesmo e em quais é deficiente. Trabalhe para melhorar a autodisciplina, pois autodisciplina é a chave para o domínio dos oito pré-requisitos e com isso o caminho para o domínio da arte de vender.

O CREDO DA AUTOCONFIANÇA

Eu acredito em mim. Eu acredito naqueles que trabalham comigo. Eu acredito em meu empregador. Eu acredito em meus amigos. Eu acredito em minha família. Eu acredito que Deus irá conceder tudo de que preciso para ser bem-sucedido se eu fizer o meu melhor para merecê-lo, prestando serviço honesto e impecável. Eu acredito na prece e jamais fecharei meus olhos para dormir sem rezar por orientação divina a fim de ser paciente com as outras pessoas e tolerante com aqueles que não acreditam no mesmo que eu.

Eu acredito que o sucesso é resultado de esforço inteligente e não depende de sorte, de práticas abusivas ou de trair amigos, companheiros ou meu empregador. Eu acredito que receberei da vida exatamente o que der; portanto, eu terei o cuidado de me portar com os outros como eu gostaria que agissem em relação a mim. Eu não vou difamar aqueles de quem eu não gosto. Eu não vou fazer meu trabalho de modo desleixado, não importa o que eu veja outros fazendo. Eu vou prestar o melhor serviço de que eu sou capaz porque me comprometi a ser bem-sucedido na vida e eu sei que o sucesso é sempre resultado de esforço eficiente e consciente. Finalmente, eu irei perdoar aqueles que me ofenderem, porque eu entendo que algumas vezes eu ofenderei outros e eu necessitarei do perdão deles.

Assinado _____

Os próximos pontos também são muito importantes para o aluno da arte de vender. São qualidades que dão o polimento e a *finesse* profissional que todo vendedor deve ter para se tornar um supervendedor.

QUALIDADES PROFISSIONAIS

1. CONHECER O PRODUTO QUE ESTÁ VENDENDO. O supervendedor analisa cuidadosamente e está plenamente familiarizado com todos os aspectos do produto ou serviço que oferece. Conhecimento do produto pode significar a diferença entre sucesso e fracasso.

2. ACREDITAR NO PRODUTO OU SERVIÇO. Nenhum vendedor pode ser bem-sucedido vendendo algo que não entende ou em que não acredita. O supervendedor nunca tenta vender uma coisa em que não tenha confiança implícita, porque sabe que sua mente transmitirá sua falta de confiança para a mente do comprador potencial, independentemente do quanto a apresentação seja agradável.

3. PRODUTO ADEQUADO. O supervendedor analisa o comprador potencial e suas necessidades e oferece apenas o que é pertinente. Ele nunca tenta vender um Rolls Royce para alguém que deveria comprar um Dodge, mesmo que o comprador potencial tenha condições financeiras para comprar um carro mais caro. Ele sabe que um mau negócio para o comprador é um negócio ainda pior para o vendedor.

4. VALOR OFERECIDO. O supervendedor nunca tenta obter mais pelo produto do que ele realmente vale, pois compreende que manter a confiança e a boa vontade do comprador potencial vale mais do que um "lucro alto" numa venda isolada.

5. CONHECER O COMPRADOR POTENCIAL. O supervendedor é um analista de caráter. Ele tem a capacidade de determinar a qual dos motivos básicos o comprador vai reagir mais francamente e baseia sua apresentação de venda nesse motivo. Se o comprador potencial não tem um motivo marcante para comprar, o supervendedor, sabendo que um motivo é fundamental para fechar a venda, cria um para ele.

6. CATEGORIZAR O COMPRADOR POTENCIAL. O supervendedor nunca tenta efetuar uma venda até ter categorizado devidamente o comprador potencial, informando-se de antemão sobre os seguintes pontos:

   • a capacidade financeira do comprador potencial;
   • sua necessidade de adquirir o item oferecido;
   • seus motivos para comprar.

Tentar realizar uma venda sem antes categorizar o comprador potencial é um erro que figura no topo da lista das causas para não vender.

7. CAPACIDADE DE "NEUTRALIZAR" A MENTE DO COMPRADOR. O supervendedor sabe que nenhuma venda pode ocorrer até a mente do comprador potencial ser neutralizada ou estar receptiva. Munido desse conhecimento, ele nunca tenta fechar

uma venda até ter aberto a mente do comprador e a prepara-do para receber a semente de desejo pelo produto oferecido. A neutralização da mente do comprador será discutida em profundidade na Seção 5 deste capítulo.

8. CAPACIDADE DE FECHAR UMA VENDA. O supervendedor é um ar-tista em termos de chegar ao momento de fechar da venda e passar por ele com sucesso. Ele treina para sentir o melhor momento psicológico para terminar a apresentação e fechar a venda. Raramente, se é que alguma vez, ele pergunta ao com-prador potencial se ele está pronto para fazer negócio. Em vez disso, parte da premissa de que o comprador está pronto e conduz sua conversa e seu comportamento de acordo com isso. Isso é apenas uma maneira eficiente de usar o poder da sugestão. O supervendedor evita fechar uma venda até ter certeza de que terá sucesso. Ele conduz a apresentação de vendas (nunca uma "lenga-lenga") de maneira que o compra-dor potencial acredite que *ele* fez a compra. (Ver "Fechando a venda", na Seção 6 deste capítulo.)

QUALIDADES PESSOAIS

9. TALENTO DRAMÁTICO. O supervendedor é também um supe-rartista. Tem a capacidade de atingir a mente do comprador potencial dramatizando a apresentação de forma honesta, dando um colorido suficiente para despertar forte interesse, ao apelar à imaginação do comprador potencial.

10. AUTOCONTROLE. O supervendedor exerce controle total sobre sua cabeça e coração o tempo todo. Ele sabe que, se não se controlar, não pode controlar o comprador potencial.

11. INICIATIVA. Independentemente do que você esteja fazendo agora, todo dia lhe traz a oportunidade de prestar algum serviço, fora de suas funções habituais, que terá valor para os outros. Você presta esse serviço adicional por conta própria e é claro que sem a intenção de obter uma recompensa financeira. Você presta esse serviço porque lhe proporciona meios de desenvolver, exercitar e fortalecer o espírito agressivo de iniciativa que você deve possuir para se tornar uma figura de destaque no meio que escolheu.

Aqueles que só trabalham pelo dinheiro, aqueles que não recebem nada além de dinheiro pelo trabalho, sempre são mal pagos, independentemente de quanto ganhem. Dinheiro é necessário, mas os grandes prêmios da vida não podem ser medidos em dólares e centavos. Nenhuma quantidade de dinheiro poderia tomar o lugar da alegria e da paz mental.

O supervendedor compreende o valor e a utilidade da iniciativa. Nunca precisam lhe dizer o que fazer ou como fazer. Ele usa a imaginação para criar planos que traduz em ação por iniciativa própria. Ele precisa de pouca supervisão, se é que de alguma.

12. TOLERÂNCIA. O supervendedor tem a mente aberta e é tolerante em todas as questões, sabendo que a abertura mental é fundamental para o crescimento.

13. PENSAMENTO PRECISO. O supervendedor pensa! Reserva tempo e se dá ao trabalho de colher fatos para embasar seu pensamento. Ele não tenta adivinhar quando os fatos estão disponíveis. Ele nunca dá opiniões que não se baseiem em fatos.

14. PERSISTÊNCIA. O supervendedor nunca é influenciado pela palavra "não" e não reconhece a palavra "impossível". Para ele, tudo pode ser alcançado. Para o supervendedor, a palavra "não" é apenas a deixa para começar a apresentação de vendas com determinação. Ele sabe que todos os compradores seguem a linha da menor resistência e apelam para o álibi do "não". Como sabe disso, o supervendedor raramente é suscetível à influência negativa da resistência à venda.

A história a seguir é um exemplo lúcido de como um vendedor aprendeu a ouvir só o que queria ouvir: um "sim"!

A HISTÓRIA DA TROMBETA AUDITIVA

Enquanto gerenciava uma escola de vendas em Nova York, Napoleon Hill recebeu uma ligação da New York Life Insurance Company pedindo que fosse lá falar sobre um vendedor que estava indo mal. Ele havia sido um dos principais vendedores até sua produtividade cessar repentinamente. Queriam descobrir o problema.

Hill encontrou-se com James C. Spring e conversou com ele rapidamente.

Spring selecionou dez compradores potenciais, e os dois saíram. Antes de chegarem ao escritório do primeiro da lista, Napoleon Hill estava ouvindo a palavra "não" sem que Spring sequer tivesse

O VOTO DA INICIATIVA

Tendo escolhido _____ como profissão, compreendo que agora é meu dever transformar esse propósito em realidade.

Assim sendo, vou criar o hábito de todos os dias adotar alguma ação específica que me deixará um passo mais perto de ser um supervendedor.

Sei que a procrastinação é inimiga mortal de todos aqueles que serão líderes em qualquer empreendimento e eliminarei esse hábito:

1. Fazendo algo útil e definido todos os dias, sem que ninguém me diga para fazer.

2. Procurando até encontrar pelo menos uma coisa que eu possa fazer todos os dias, que eu não costumava fazer e que tenha valor para outras pessoas.

3. Falando a pelo menos uma pessoa todos os dias sobre o valor de praticar o hábito de fazer alguma coisa que precisa ser feita, sem que ninguém mande fazer.

Sei que os músculos do corpo ficam fortes na mesma proporção em que são utilizados; por isso compreendo que o hábito da iniciativa é fixado na mesma proporção em que é praticado. Reconheço que o lugar para dar início ao hábito de tomar a iniciativa são as pequenas coisas corriqueiras ligadas ao meu trabalho diário; por isso, irei trabalhar todos os dias como se trabalhasse apenas com o objetivo de desenvolver esse hábito.

Compreendo que, ao exercitar o hábito de tomar a iniciativa no que se refere ao meu trabalho diário, não só desenvolverei tal hábito, como também atrairei a atenção daqueles que darão mais valor aos meus serviços em consequência dessa prática.

Assinado _____

falado com o cliente! Na hora de entrar, Spring disse: "Bem, vamos entrar, mas já estive aqui várias vezes e sei que é inútil".

Ao contar a história, Hill comentou: "Bem, é claro que eu sabia que com esse tipo de atitude era inútil. Fomos para a segunda visita. Mais uma vez ele falou: 'Esse aqui estou em dúvida. Estive aqui só uma vez, mas ele me deu a impressão de que não vai comprar'.

"Esse tipo de atitude continuou até o meio-dia, quando finalmente falei: 'Vamos voltar para o escritório, e vou dizer qual é o problema e como achar a resposta para ele'.

"Spring tinha 65 anos de idade, mas muito antes disso já fora chamado de 'velho'. E ele ficara com a impressão de que era velho demais para vender seguros. Só que ele tinha um ouvido muito bom – de fato, tão bom que conseguia ouvir a palavra 'não' mesmo antes de ver o cliente".

Napoleon Hill explicou a situação, e o superintendente dos vendedores perguntou o que fazer. Hill respondeu: "Bem, quero que Spring vá achar uma daquelas trombetas auditivas antigas. Quero uma realmente velha, que tenha sido usada por muito tempo. Aí, quando alguém falar 'não' para Spring, quero que ele ponha a trombeta no ouvido, finja que não escutou e continue falando".

Spring, que ouvia tudo, perguntou, incrédulo: "E para que você quer que eu faça isso?".

"Spring, quero que faça isso para que recupere sua confiança."

Spring saiu naquele dia e achou uma trombeta auditiva antiga. Estava bem gasta e era perfeita para o serviço. Ela tinha um cordão em volta, e Spring a pendurou no pescoço. Então, ele e Hill recomeçaram.

O primeiro cliente que visitaram deu uma olhada na trombeta e disse: "Spring, eu não sabia que você tinha dificuldades auditivas".

Spring pegou a trombeta, levou até o ouvido e gritou: "Hein?".

O homem repetiu o comentário.

Spring sorriu e respondeu: "É, acho que sim", e passou à apresentação. A venda foi um sucesso.

Até o fim da semana, ele realizou mais cinco vendas, seu maior recorde até então.

Spring aprendeu a não se considerar velho demais para vender seguros. Aprendeu a não ouvir a palavra "não" mesmo depois de ela ter sido dita e certamente nunca *antes* de ser dita.

Quando o vendedor vai falar com um cliente potencial, o comprador capta sua atitude mental, independentemente de se dar conta disso. Se o vendedor tiver dúvidas, é improvável que tenha sucesso.

É assim que a mente humana funciona. Um supervendedor nunca deixa o comprador potencial tomar a iniciativa. Ele assume o comando desde o começo e o mantém até o fim. Se o comprador potencial levanta alguma objeção, o supervendedor tem um estoque de réplicas para rebater qualquer objeção e tem tudo organizado na cabeça antes de começar a falar.

Observação: Napoleon Hill enfatiza que fez isso para dramatizar para Spring por que estava perdendo vendas. Spring percebeu rapidamente o que Hill pretendia, deixou a trombeta de lado e voltou a vender com sucesso. A trombeta lhe ensinou a não procurar, ouvir ou esperar o "não vai dar" na apresentação de venda.

15. FÉ. O supervendedor tem a capacidade da "superfé":

- em si mesmo;
- no que está vendendo;

- no comprador potencial;
- em fechar a venda.

Ele nunca tenta fazer negócio sem a ajuda da fé. Ele sabe que a fé é contagiosa e transmitida para a "estação receptora" da mente do comprador potencial, influenciando positivamente na decisão de compra. Sem fé, não existe supervendedor. A fé é um estado mental que pode ser descrito como uma forma intensificada de autoconfiança. Já disseram que "a fé move montanhas". Ela também gera vendas.

16. O HÁBITO DE OBSERVAR. O supervendedor é um observador astuto dos pequenos detalhes. Cada palavra pronunciada pelo comprador potencial, cada mudança na expressão facial, cada movimento é devidamente observado, e o significado, avaliado.

17. O HÁBITO DE PRESTAR MAIS SERVIÇO DO QUE O ESPERADO. O supervendedor segue o hábito de prestar um serviço maior em quantidade e melhor na qualidade do que o esperado, lucrando assim com a lei dos retornos crescentes e também com a lei dos contrastes.

18. LUCRANDO COM FRACASSOS E ERROS. Para o supervendedor não existe "esforço perdido". Ele lucra com todos os seus erros e também observando os erros dos outros. Ele sabe que todo fracasso e erro, se analisado, traz a semente de um sucesso equivalente.

19. MASTERMIND. O supervendedor entende e aplica o princípio do MasterMind, com o qual multiplica muitas vezes seu poder de realização. Esse princípio é simplesmente a coordenação de duas ou mais mentes individuais, trabalhando em perfeita harmonia em prol de um objetivo definido.

20. UM OBJETIVO PRINCIPAL DEFINIDO. O supervendedor sempre trabalha com uma quota ou meta de vendas definida em mente. Ele nunca vai trabalhar apenas com o objetivo de vender tudo que puder. Ele não só trabalha com uma meta definida em mente, como estabelece um prazo definido para alcançar a meta.

21. A REGRA DE OURO. O supervendedor usa a Regra de Ouro como base de todas as suas transações, colocando-se no lugar do outro e vendo a situação do ponto de vista do outro.

A REGRA DE OURO APLICADA

A melhor ilustração da Regra de Ouro na prática é uma história que se passou na virada do século 19 para o 20. Numa tarde de chuva, há muitos anos, uma senhora de idade entrou em uma loja de departamentos de Pittsburgh. Vagou por lá sem muito objetivo, como uma pessoa que está "só olhando". A maioria dos vendedores deu uma olhada rápida nela e se ocupou em arrumar o estoque nas prateleiras para evitar ser incomodada.

Entretanto, um rapaz viu a senhora e foi perguntar educadamente se poderia ajudar. Ela informou que estava apenas esperando a chuva parar, que não desejava comprar nada. O jovem garantiu que ela era bem-vinda e, envolvendo-a numa conversa, fez a senhora sentir que ele realmente era sincero no que dizia. Quando ela estava pronta para sair, ele a acompanhou até a rua e abriu sua sombrinha. Ela pediu o cartão dele e foi embora.

O fato havia sido esquecido pelo jovem, quando um dia foi chamado ao escritório do chefe da empresa, que lhe mostrou a carta de uma senhora que queria que um vendedor fosse à mansão dela na Escócia anotar pedidos de mobília.

A senhora era a mãe de Andrew Carnegie. Também era a mesma senhora que o jovem havia tratado com grande cortesia meses antes. Na carta, a Sra. Carnegie especificou que desejava que o jovem fosse enviado para buscar o pedido. A encomenda representava uma quantia enorme, e o incidente propiciou ao jovem uma oportunidade de progresso que ele poderia jamais ter tido, não fosse a cortesia com uma senhora que não parecia uma "venda garantida".

Assim como as grandes leis fundamentais da vida estão contidas nos tipos mais comuns de experiências cotidianas, também as oportunidades reais com frequência se escondem em acontecimentos aparentemente insignificantes. Sem desconfiar de que uma oportunidade tão fabulosa pudesse resultar de sua cortesia, o rapaz estava apenas aplicando o que ele entendia sobre o princípio da Regra de Ouro.

22. ENTUSIASMO. O supervendedor tem entusiasmo de sobra, ao qual pode recorrer quando quer. Ele sabe que as vibrações de pensamentos de entusiasmo que emana serão captadas pelo comprador potencial da mesma maneira que a fé e, como a fé, vão influenciar positivamente a decisão do comprador. O

entusiasmo é uma qualidade intangível, mas facilmente reconhecida. Todo mundo gosta de uma pessoa entusiasmada. Ela tem alto astral e irradia atitude positiva, companheirismo e fé. Talvez o entusiasmo nasça da fé profunda que uma pessoa tem em si e no propósito do trabalho em que está envolvida. O entusiasmo pode ser comparado à luz de um diamante brilhando na bandeja de um joalheiro. Seu brilho espontâneo e multifacetado enseja admiração e demonstra o seu valor. Todo vendedor deveria seguir esse conselho: "Emprega tudo o que possuis na aquisição de entusiasmo".

23. BOA MEMÓRIA. Os princípios pelos quais se pode treinar uma memória precisa e sem falhas são poucos e relativamente simples:

• *Retenção*. Receber uma impressão por um ou mais dos cinco sentidos e registrá-la de maneira lógica. Esse processo pode ser comparado ao registro de uma imagem na placa sensível de uma câmera fotográfica.

• *Lembrança*. Reviver ou recordar na mente consciente aquelas impressões sensoriais que foram gravadas na mente subconsciente. Esse processo pode ser comparado ao ato de percorrer um fichário e pegar a ficha em que a informação foi previamente registrada.

• *Reconhecimento*. Capacidade de reconhecer uma impressão sensorial quando ela é chamada à mente consciente, identificá-la como uma cópia da impressão original e associá-la à fonte original. Esse processo permite que façamos a distinção entre "memória" e "imaginação".

MELHORE A SUA MEMÓRIA

Esses são os três princípios que influem no ato de lembrar. Vamos agora aplicá-los e determinar como devem ser usados de maneira eficiente.

- Quando quiser ter certeza da sua capacidade de se lembrar de alguma impressão sensorial, como um nome, data ou lugar, torne a impressão vívida concentrando toda a atenção nos mínimos detalhes. Uma maneira eficaz de se fazer isso é repetir várias vezes o ponto que você deseja se lembrar. Assim como um fotógrafo tem que permitir o devido tempo de exposição à placa sensível da câmera, também temos que dar à mente subconsciente tempo bastante para registrar clara e adequadamente qualquer impressão sensorial que desejamos relembrar prontamente.

- Associe o que você deseja lembrar a algum outro objeto, nome, lugar ou data com que esteja bem familiarizado e de que possa recordar facilmente quando quiser. Por exemplo, você pode usar o nome de sua cidade natal, de um amigo próximo, sua data de nascimento etc. Sua mente então tomará a impressão sensorial que você deseja recordar e a arquivará junto daquela que você consegue lembrar facilmente, de modo que, ao trazer uma delas à mente consciente, a outra venha junto.

- Repita algumas vezes o que deseja lembrar, concentrando-se. A causa comum para não lembrar nomes de pessoas resulta principalmente de, antes de tudo, não os ter registrado direito. Quando for apresentado a alguém cujo nome deseje lembrar, repita tal nome quatro ou cinco vezes, depois de ter certeza de que entendeu direito. Se o nome for parecido com o de uma pessoa que você conhece bem, associe um ao outro, pensando nos dois ao registrar o novo nome.

Se alguém lhe der uma carta para colocar no correio, olhe para a carta, aumente seu tamanho na imaginação e a veja pendurada em cima de uma caixa de correio. Fixe em sua mente uma carta do tamanho aproximado de uma porta e a associe a uma caixa de correio de tamanho proporcional. Você observará que a primeira caixa de correio que avistar na rua o fará lembrar daquela enorme carta de aspecto esquisito que você tem no bolso.

Suponha que você foi apresentado a uma mulher cujo nome é Elizabeth Shearer e deseje conseguir lembrar o nome dela depois. Enquanto repete o nome, associe-o a uma grande tesoura ("scissors" em inglês), digamos de três metros de comprimento, e à rainha Elizabeth. Observe que pensar na tesoura ou no nome da rainha vai ajudá-lo a lembrar o nome Elizabeth Shearer.

A lei da associação é a característica mais importante de uma memória bem treinada. No entanto, é uma lei bastante simples. Tudo o que você tem que fazer é estabelecer uma ligação entre alguma coisa semelhante ou familiar com aquilo que você quer lembrar no futuro.

Muitos anos atrás, um amigo deu a Napoleon Hill o telefone de sua casa em Milwaukee, Wisconsin. Mesmo não tendo anotado, Hill se lembra do número até hoje, tão bem quanto no dia em que o recebeu. Ele registrou assim:

O número era Lakeview (vista do lago) 2651. Na hora em que o amigo lhe deu o número, eles estavam diante do Lago Michigan. Hill usou o lago como objeto de associação para registrar o nome ligado ao número. Além disso, o número de telefone era composto das idades de seu irmão, 26, e do pai, 51. Ele associou o nome dos dois ao número e, para lembrar do nome do número telefônico, só tinha que pensar no Lago Michigan, no irmão e no pai!

24. HUMILDADE. Muita gente pensa que humildade é uma virtude negativa. Não é. É poderosamente positiva. A humildade é uma força que a pessoa pode acionar e operar para o seu próprio bem. Todos os grandes avanços – espirituais, técnicos e culturais – basearam-se nela. É o primeiro requisito do verdadeiro cristianismo. Com a ajuda da humildade Gandhi libertou a Índia, e Albert Schweitzer criou um mundo melhor para milhares de africanos nas selvas e para todos nós.

A humildade é absolutamente fundamental no tipo de personalidade necessária para você chegar ao sucesso pessoal, seja qual for o seu objetivo. Você vai ver que ela é ainda mais essencial depois que chegar ao topo.

O CREDO DE BARNES

(sócio de Thomas Edison)

1. Vou canalizar minha mente na direção da prosperidade e do sucesso, mantendo meus pensamentos o máximo possível na meta maior que estabeleci para mim.

2. Vou libertar minha mente das limitações que me impus, absorvendo o poder do Criador por intermédio da fé ilimitada.

3. Vou manter minha mente livre da ganância e da cobiça, compartilhando minhas bênçãos com os que forem dignos de recebê-las.

4. Vou substituir a autossatisfação indolente por uma espécie de insatisfação positiva, de modo que eu possa continuar a aprender e crescer física e espiritualmente.

5. Vou manter a mente aberta em todos os assuntos e em relação a todas as pessoas para poder me erguer acima da intolerância.

6. Vou procurar o bem nos outros e me treinar para lidar gentilmente com seus defeitos.

7. Vou evitar a autopiedade. Vou buscar estímulo para me esforçar mais sob todas as circunstâncias.

8. Vou reconhecer e respeitar a diferença entre as coisas materiais de que necessito e as que desejo e o meu direito de recebê-las.

9. Vou cultivar o hábito de "fazer um esforço extra" e sempre prestar um serviço maior e melhor do que esperam de mim.

10. Vou transformar adversidades e derrotas em trunfos, lembrando que elas sempre carregam em si as sementes de benefícios equivalentes.

11. Sempre vou me comportar em relação aos outros de maneira a nunca sentir vergonha do homem que cumprimento no espelho todo dia de manhã.

12. Finalmente, minha oração diária será por sabedoria para reconhecer e viver a vida em harmonia dentro do propósito geral do Criador.

Sem humildade você nunca obterá sabedoria, pois uma das características mais importantes do sábio é a capacidade de dizer "posso estar errado".

Sem humildade você jamais será capaz de encontrar "a semente de um benefício equivalente ou maior" na derrota ou na adversidade.

A humildade é uma força positiva que não conhece limites. É uma coisa pequenina, mas não a ignore. A humildade é um ingrediente vital da grandeza.

25. ACREDITAR NO SUCESSO. O sucesso é obtido por aqueles totalmente imbuídos da crença de que podem alcançá-lo. Tais pessoas estão convencidas de um fato: *o que quer que minha mente possa conceber e acreditar, minha mente pode realizar.* Elas trabalham conscientemente para desenvolver a crença em si mesmas e em sua capacidade de alcançar qualquer meta que estabeleçam.

Se você tem desejos não realizados, repetir o credo de Barnes pelo menos uma vez por dia também vai ajudar a concretizá-los.

26. DECISÃO. Qualquer vendedor com bom conhecimento do ramo vai lhe dizer que a indecisão é a principal fraqueza da maioria. Todo vendedor está familiarizado com o velho álibi do "vou pensar no assunto", a última defesa do cliente potencial que simplesmente não tem coragem de dizer sim ou não.

Os grandes líderes mundiais sempre foram pessoas de decisões rápidas. O general Grant com certeza não era o suprassumo da virtude, mas era um militar capaz porque tinha a qualidade de tomar decisões firmes, e isso era o suficiente para contrabalançar suas fraquezas. A história de seu sucesso militar está compilada na resposta que ele dava aos críticos: "Vamos lutar ao longo dessas linhas mesmo que leve o verão inteiro".

DECIDA – E AJA!

Quando Napoleão tomava a decisão de movimentar seus exércitos em dada direção, não permitia que nada o fizesse mudar de decisão. Se a linha de marcha levasse os soldados a uma vala cavada pelos oponentes para detê-los, dava ordem de fechar a vala, enchendo-a de homens e cavalos mortos suficientes para transpô-la.

O suspense da indecisão leva milhões de pessoas ao fracasso. Um homem condenado uma vez disse que o pensamento da proximidade da execução não era tão aterrorizante, uma vez que ele havia decidido aceitar o inevitável.

A visão de Andrew Carnegie de uma grande indústria de aço jamais teria se materializado se ele não tivesse tomado a decisão de transformar seu sonho em realidade.

Wallace Johnson e Kemmons Wilson, de Memphis, no Tennessee, sonharam em ser os maiores hoteleiros dos Estados Unidos – e a cadeia de Holiday Inns é um tributo à visão dos fundadores. A rede adotou técnicas de *marketing* inovadoras e estabeleceu exigências de qualidade para os franqueados que se tornaram padrão na indústria. Entre as mais divulgadas está o *slogan*: "Nossa placa representa qualidade ou não se apresenta". Se uma franquia não atendesse aos padrões de qualidade da Holiday Inn, Johnson e Wilson mandavam um guindaste retirar o grande letreiro verde. A procrastinação com certeza não desempenhou um papel nessa história de sucesso fenomenal.

Imaginação por si só não basta para garantir o sucesso. Milhões de pessoas são dotadas de imaginação e criam planos que trariam fama e fortuna facilmente, mas esses planos nunca chegam à etapa

da decisão. É preciso DECISÃO DEFINITIVA! A pessoa decidida consegue o que quer, não importa quanto tempo leve, não importa o
quanto a tarefa seja árdua. A pessoa decidida não pode ser parada.
A pessoa indecisa não consegue começar. Faça a sua escolha.

> Atrás dele ficaram os cinzentos Açores,
> Atrás os Portões de Hércules;
> Diante dele, não o espectro da costa,
> Diante dele apenas mares sem litoral.
>
> O bom imediato disse: "Agora devemos orar,
> Pois eis que até as estrelas se foram.
> Bravo almirante, diga: o que devo falar?".
> "Ora, diga: naveguem em frente!"

Quando Colombo partiu em sua famosa jornada, tomou uma das
decisões de maior alcance da história da humanidade. Se não tivesse
se mantido firme em sua decisão, a liberdade dos Estados Unidos
jamais teria se tornado realidade.

FATURAMENTO DOBRADO

O falecido Earl Nightingale, cujo programa de rádio *Our Changing
World* era ouvido diariamente em centenas de estações, tomou
uma decisão e dedicou tempo a aprender os segredos do sucesso.
Você vai ver que ele aprendeu uma lição muito valiosa na primeira
semana e dobrou seu faturamento. Seus esforços geraram grande
segurança financeira e reconhecimento nacional. Além do programa de rádio, ele era um palestrante famoso e gravou várias fitas e
discos que foram campeões de venda.

Earl Nightingale foi a voz e a personalidade por trás do au-
diolivro *Think and Grow Rich* (*Pense e enriqueça*), baseado no maior
best-seller de Napoleon Hill. Nightingale disse: "Em mais de vinte
anos procurando uma fórmula pela qual uma pessoa pudesse usar
todo e qualquer elemento a seu favor, só encontrei as respostas
quando li Napoleon Hill.

"Usando a fórmula da realização de Hill, consegui dobrar meu
faturamento em uma semana. Foi uma façanha e tanto, porque meu
faturamento na época já era considerável. Aí pensei que, se havia
funcionado uma vez, poderia funcionar de novo e ao mesmo tempo
tirar todas as dúvidas sobre a eficácia do processo. Repeti o processo.

"Qualquer pessoa que estude com cuidado e pratique diligentemente os métodos comprovados de Napoleon Hill com certeza
conseguirá alcançar o que seu coração deseja.

"O trabalho de Hill mudou minha vida e o recomendo de todo
o coração a qualquer um que se interesse em ter uma vida melhor".

Dê uma olhada nas pessoas à sua volta e observe esse fato
significativo: *as pessoas bem-sucedidas são aquelas que tomam decisões
rápidas e se mantêm firmes depois que decidiram.*

Se você tem o costume de decidir uma coisa hoje e mudar de
ideia amanhã, está fadado ao fracasso. Se não tem certeza do caminho a seguir, é melhor fechar os olhos e andar no escuro do que
não se mexer.

O mundo irá perdoá-lo se você cometer erros, mas nunca o
perdoará se você não tomar uma decisão, porque ninguém vai
ouvir falar de você fora do seu círculo imediato.

Você está consumindo tempo. Tudo é sempre uma questão do
movimento seguinte. Mova-se com decisões rápidas, e o tempo

estará a seu favor. Fique parado, e o tempo poderá atropelar você. Você nem sempre fará o movimento certo, mas, se fizer movimentos suficientes, vai conhecer o poder interior especial capaz de mantê-lo trabalhando na rota do sucesso.

O domínio dessas qualidades habilita quem trabalha com vendas a ser considerado um supervendedor. Estude essa lista criteriosamente. Você pode adquirir todas as qualidades citadas.

VOCÊ TAMBÉM PODE APRENDER

Um excelente exemplo da falácia de que "já se nasce vendedor e não se torna um" e uma prova de que a arte de vender pode ser dominada por aqueles que realmente desejam aprendê-la é a história de Clarence Walker, da Geórgia.

Clarence N. Walker, executivo aposentado da Coca-Cola, em Atlanta, construiu uma carreira altamente bem-sucedida em vendas. Sua notável capacidade de capturar e prender a atenção de uma plateia não só lhe rendeu a distinção de ser um dos relações-públicas mais proeminentes da empresa, como também a recompensa muito maior de ter inúmeros amigos. Seu humor e sua inteligência são uma vitrine reluzente para uma mensagem ainda mais séria: o valor da cidadania consciente e responsável em qualquer campo em que se escolha trabalhar.

A arte das vendas pode ser dominada por qualquer pessoa que deseje aprender. Clarence Walker com certeza demonstrou isso em sua vida. Ele lidou com vendedores na maior parte do tempo e exercitava aquilo que pregava: o valor do poder de persuasão. Ele não demonstrava persuasão visitando comerciantes ou tentando vender produtos para as pessoas, mas demonstrava como representar bem a empresa em matéria de relações públicas, prestando um serviço aos outros. Sua vida é um bom exemplo de como a arte de vender é vital e necessária em qualquer situação de vida.

Num discurso no Rotary Club de Nova York, Walker disse: "Tenham uma grande visão. Seu sucesso e sua felicidade nunca serão mais puros, mais brilhantes ou melhores do que a visão que vocês tenham ou do quadro que pintem para si mesmos. (...) Tenham fé nessa visão. Tenham fé nos seus planos, no seu negócio, no seu governo, na sua cidade, em Deus, em suas preces, naquilo que é bonito e fundamental (...) e, não menos importante: tenham fé em si mesmos. Tenham coragem. Às vezes essa é a parte mais difícil. Mas tenham a coragem de sair para fazer o trabalho necessário para concretizar sua visão e fé. Acho que Shakespeare tinha razão quando disse: "Se fazer fosse tão fácil quanto saber o que seria bom fazer, as capelas seriam igrejas, e as choupanas dos pobres, palácios de príncipes", mas não é tão fácil, é? Muitas vezes é mais difícil viver e trabalhar para o que é certo do que lutar e morrer por isso.

"Mas nunca esqueçam do valor dessas coisas (...) e do valor do investimento na amizade. (...) E, quanto a mim: 'Deixem que eu viva em minha casa à beira da estrada/ Por onde passa a raça dos homens./ Homens que são bons, homens que são maus,/ Tão bons e tão maus quanto eu./ Não me sentaria no assento do escarnecedor/ Nem lançaria a blasfêmia do cínico./ Deixem que eu viva em minha casa à beira da estrada/ E seja um amigo dos homens'".

Nascido em Ellijay, na Geórgia, Walker graduou-se nas Escolas Berry, em Mt. Berry, na Geórgia. Formou-se bacharel em direito pela Universidade da Geórgia, em Athens. Na Primeira Guerra Mundial, serviu como oficial e executivo na produção de aviões; na Segunda

Guerra, foi diretor regional da Agência Nacional de Habitação, supervisionando oito estados do Sudeste norte-americano.

Foi advogado na Geórgia e na Carolina do Norte por seis anos. Depois passou pelos setores bancário, imobiliário e de investimentos e foi gerente de negócios das Escolas Berry. Por 14 anos, fez parte da equipe da The Coca-Cola Company.

Membro ativo da igreja e de organizações cívicas, comunitárias e de fraternidades, Walker foi membro do Rotary Club por mais de quarenta anos. Integra o corpo de diáconos da Primeira Igreja Batista de Atlanta, onde dá aula sobre a Bíblia para homens.

Walker é um vendedor todos os dias de sua vida. Em qualquer empreendimento a que se dedica, ele pensa e age como vendedor. É uma arte que ele praticou e utilizou para produzir uma carreira plena e satisfatória. Você pode fazer o mesmo se quiser.

SEÇÃO 3
As principais deficiências na personalidade e nos hábitos dos vendedores

Assim como existem qualidades positivas fundamentais para se tornar um supervendedor, existem aquelas negativas que o aprendiz de vendedor deve evitar. São os pontos fracos da personalidade e da aptidão profissional.

Leia essa lista de pontos fracos com cuidado. Risque qualquer fraqueza que saiba que já superou. Faça um "X" onde sente que precisa melhorar.

REPITA ATÉ MELHORAR

Se você sinceramente deseja o sucesso, volte a essa seção e estude até atribuir-se nota 10 em tudo. Feito isso, peça a um amigo próximo, alguém que o conheça bem, para avaliar você honestamente. Se o seu sócio ou amigo o avaliar pelo desempenho passado e você tiver melhorado seus hábitos ou personalidade, assinale "Melhor" ao lado desses pontos. Certifique-se de adotar uma postura positiva, contando ao amigo como e quando mudou. Dê exemplos concretos. Ao se comprometer com outras pessoas em seu programa para melhorar, você terá mais uma fonte de inspiração e incentivo.

1. O HÁBITO DA PROCRASTINAÇÃO. Nada substitui uma ação imediata e persistente.

2. UM OU MAIS DOS SEIS MEDOS ELEMENTARES. A pessoa cuja mente está repleta de algum tipo de medo não consegue vender. Os seis medos elementares são:

   a. Medo da pobreza;

   b. Medo de críticas;

   c. Medo de problemas de saúde;

   d. Medo de perder o amor de alguém;

   e. Medo da velhice;

   f. Medo da morte.

A essa lista de medos elementares talvez se possa acrescentar o medo de que o comprador potencial não compre.

3. PASSAR MUITO TEMPO FAZENDO "VISITAS" EM VEZ DE VENDAS. Uma "visita" não é uma entrevista. Uma entrevista não é

uma venda. Muita gente que se autodenomina vendedor não aprendeu essa verdade. Você deve falar com a pessoa que pode dizer sim ou não!

4. RESPONSABILIZAR O GERENTE DE VENDAS. O gerente de vendas não é obrigado a acompanhar o vendedor nas visitas. Ele não tem pernas, nem horas suficientes para isso. O trabalho dele é dizer ao vendedor o que fazer, e não fazer o trabalho por ele.

5. PERFEIÇÃO NA CRIAÇÃO DE DESCULPAS. Explicações não explicam nada. Encomendas explicam! E nada mais! Não se esqueça disso.

6. PASSAR TEMPO DEMAIS NO SAGUÃO DE HOTÉIS E EM CAFETERIAS. *Lobbies* de hotéis e cafés são dois lugares bons para dar uma "estacionada", mas o vendedor que estaciona por tempo demais acaba recebendo uma carta de demissão mais cedo ou mais tarde.

7. ACREDITAR EM HISTÓRIAS DE "MÁ SORTE" EM VEZ DE VENDER PRODUTOS. É comum discutir as atuais tendências do mercado e dos negócios, mas não deixe o comprador potencial usar isso para desviar sua mente da sua história.

8. TOMAR "UMAS E OUTRAS" NA NOITE ANTERIOR. Festas são divertidas, mas não contribuem para o trabalho no dia seguinte.

9. DEPENDER DE INDICAÇÕES DO GERENTE DE VENDAS. Aqueles que só anotam pedidos esperam que os compradores potenciais fiquem amarrados e presos até eles chegarem. Supervendedores

pegam seus clientes "em fuga". Esse é um dos principais motivos para serem supervendedores.

10. ESPERAR QUE O MERCADO MELHORE. O tempo nunca é ruim para os sabiás. Eles não ficam esperando alguém desenterrar as minhocas do chão para eles. Seja no mínimo tão esperto quanto um sabiá. Este ano os pedidos não vão ser enfiados por baixo da porta pelo carteiro.

11. OUVIR A PALAVRA "NÃO". Para um verdadeiro vendedor, essa palavra é apenas um sinal para começar a luta. Se todo comprador dissesse "sim", os vendedores não teriam emprego, pois não seriam necessários.

12. TER MEDO DA CONCORRÊNCIA. Henry Ford enfrentou muita concorrência, mas aparentemente não a temeu, porque teve a coragem e a capacidade de produzir um carro de oito cilindros a um preço incrivelmente baixo num período em que muitos fabricantes estavam cortando gastos.

PLANEJAMENTO, EQUIPAMENTO, BOAS MANEIRAS

13. FALHA EM PLANEJAR O DIA COM ANTECEDÊNCIA. A pessoa que planeja o dia de antemão desempenha seu trabalho de forma lógica e eficiente, realizando o que planejou para aquele dia. Sem uma agenda organizada, o vendedor simplesmente "não sabe por onde começar".

14. NÃO ANOTAR DATAS DAS VISITAS. Clientes habituais e potenciais logo se cansam do vendedor que frequentemente "se esquece"

de aparecer nos dias marcados. Quando um cliente precisa da mercadoria, é para já!

15. ATRASO. O vendedor que normalmente se atrasa para reuniões de vendas, compromissos de negócios e para chegar ao escritório logo se vê à procura de novos clientes e, muitas vezes, de um novo emprego.

16. USAR MATERIAL AMASSADO OU DESATUALIZADO. Materiais amarrotados, sujos ou desatualizados denotam desorganização e desinteresse por parte do vendedor.

17. NÃO TER UMA CANETA. Um instrumento de escrita é um elemento vital para a eficiência do vendedor. O supervendedor investe numa boa caneta ou lapiseira que atenda perfeitamente suas necessidades. Ele sabe que os clientes potenciais logo se cansam do vendedor que sempre pede algo emprestado para anotar um pedido. O cliente se cansa ainda mais do vendedor que pega uma caneta emprestada e nunca devolve.

18. USAR OS ÓCULOS OU ALGUM ADORNO PESSOAL COMO "MULETA". Mexer no relógio, girar o anel, morder a haste dos óculos ou usá-la para palitar os dentes, como se isso ajudasse a pensar melhor, são maneiras garantidas de enervar o cliente e, consequentemente, perder a venda.

19. APRESENTAÇÃO DE VENDAS TEDIOSA. Apressar a apresentação de vendas como se você estivesse cansado de ouvi-la – em tom de voz monótono e parecendo entediado com a coisa toda – deixa o cliente aborrecido com *você e sua apresentação*.

20. CONTAR PROBLEMAS PESSOAIS PARA CLIENTES E SÓCIOS. Seus problemas pessoais são importantes para você – e só para você. Todo mundo tem problemas e não quer ouvir os seus.

21. DEIXAR DE LER E SEGUIR AS INSTRUÇÕES PERTINENTES. Sua empresa não produz informativos ou contribui para publicações do setor para vê-los transformados em aviõezinhos de papel ou arremessados no cesto de lixo sem ser lidos. Esse material é produzido para lhe dizer alguma coisa. Leia e mantenha-se bem informado.

22. DESCORTESIA AO ESTACIONAR O CARRO. O cliente que encontra o carro de um vendedor estacionado em sua vaga cativa não fica francamente entusiasmado para comprar. Gerar um engarrafamento bloqueando a entrada da garagem da empresa também é uma maneira esplêndida de despertar a raiva de qualquer cliente potencial e perder a possibilidade de vender para ele no futuro. Não é tão difícil caminhar por um quarteirão a mais.

23. PROMETER UMA COISA QUE SUA EMPRESA NÃO É CAPAZ DE CUMPRIR. O cliente espera receber o que o vendedor promete. A incapacidade de cumprir uma promessa não só é constrangedora para o cliente e para a sua empresa, é também um péssimo negócio.

24. NÃO ESTAR PREPARADO PARA CHUVA. O vendedor encharcado, que não se preparou para um dia de chuva inevitável, é uma

visão deprimente para o cliente. Um guarda-chuva e uma capa leve são de extremo valor quando necessários.

25. FICAR SEM MATERIAL. O vendedor sem um bom estoque de folhetos, contratos e blocos de pedidos geralmente vê as vendas serem tão escassas quanto seus materiais.

26. FRANCO PESSIMISMO. O hábito de esperar que o comprador potencial lhe mostre a porta da rua provavelmente vai resultar nisso. A vida tem uma maneira estranha de tentar agradar. Ela geralmente dá o que se espera.

Essa não é uma lista completa do que o vendedor não deve fazer, mas é uma bela amostra. Talvez alguns a considerem um tanto pessoal demais. Outros podem ver nela um toque de sarcasmo. Enquanto lê, lembre-se de que ela foi planejada apenas para aqueles que precisam dela. Os outros não vão se ofender.

Essa lista não é da autoria de Napoleon Hill. Foi compilada a partir da observação de milhares de vendedores que Hill treinou ou supervisionou durante sua longa e notável carreira.

Será que precisamos sugerir que nenhum desses pontos é atributo de uma personalidade agradável?

SEÇÃO 4
Os principais fatores da confiança

Observando cuidadosamente o trabalho de milhares de vendedores, com quem Napoleon Hill dizia modestamente que aprendeu muito do que sabia sobre vendas, ele descobriu que inúmeros fatores contribuem para o desenvolvimento da autoconfiança. Alguns dos mais importantes aparecem na lista a seguir:

1. Adotar o hábito de prestar um serviço maior e melhor do que é pago para prestar.

2. Não fazer negócios que não beneficiem, da maneira mais igualitária possível, todos que dele participem.

3. Não afirmar o que você não acredita ser verdade, independentemente das vantagens temporárias que a falsidade pareça oferecer.

4. Ter no coração o desejo sincero de prestar o melhor serviço possível ao maior número de pessoas possível.

5. Cultivar uma completa admiração pelas pessoas; gostar mais delas do que de dinheiro.

6. Fazer o possível para viver sua própria filosofia de negócios tão bem quanto vende. As ações falam mais alto que palavras.

7. Não aceitar favores, grandes ou pequenos, sem retribuir.

8. Não pedir nada de ninguém sem acreditar que tenha o direito de pedir.

9. Não discutir com qualquer pessoa sobre detalhes pequenos ou não essenciais.

10. Espalhar a luz radiante do alto-astral onde e sempre que puder. Seja uma pessoa feliz!

11. Prestar assistência após a venda pode ser uma frase batida – mas, quando é verdade, é a melhor garantia de repetir os negócios.

12. Lembrar que, se você é bem-sucedido, alguém o ajudou a ter sucesso.

Vale a pena memorizar essa lista. Também vale a pena segui-la.

VENDEDOR – NÃO TRAPACEIRO

Um supervendedor pode vender qualquer coisa de que o cliente necessite caso a pessoa confie nele. Também pode vender várias coisas de que o cliente não precisa, mas não faz isso. Lembre-se de que o supervendedor desempenha o papel duplo de comprador e vendedor. Assim, ele não tenta vender a ninguém nada que ele mesmo não compraria se estivesse no lugar do comprador potencial.

Tem um tipo bem conhecido de vigarista que se autointitula supervendedor. É conhecido como homem de confiança. Seu único trunfo é a capacidade de gerar confiança na mente das vítimas. Suas trapaças estão na casa dos milhões, e entre as vítimas estão empresários dos mais astuciosos, profissionais liberais e pessoas leigas.

Esses trapaceiros geralmente "perseguem" as vítimas por meses, ou mesmo anos, só para construir uma relação de total confiança. Quando essa fundação está devidamente cimentada, mesmo as pessoas mais inteligentes podem ser "capturadas". Todos nós ficamos sem defesa diante daqueles em quem depositamos total confiança.

Se a confiança pode ser usada como única ferramenta de trabalho por um vigarista, com certeza pode ser usada com maior eficiência para propósitos legítimos. O vendedor que sabe como construir uma ponte de confiança entre ele e os compradores potenciais pode determinar sua renda, como tais vendedores fazem.

Fatos alardeados com exagero, métodos de alta pressão, detur-pações intencionais – seja por afirmação direta, alusão indireta ou insinuação – destroem a confiança.

Toda empresa bem-sucedida deve ter a confiança de seus clien-tes. O vendedor é o intermediário pelo qual a confiança é adquirida – ou perdida. O supervendedor, sabendo como é importante adquirir e manter a confiança de seus compradores, negocia com eles como se fosse o dono da empresa que representa. Ele lida com os clientes exatamente como os trataria se de fato fosse o dono do negócio.

A confiança é a base de todas as relações harmoniosas. Infeliz do vendedor que ignora esse fato. Ele nunca poderá obter o super-poder da persuasão. Isso significa que ele limita sua capacidade de renda e suas possibilidades de progresso.

Existem duas forças que fazem as pessoas falarem sobre uma empresa de modo favorável ou desfavorável. Elas falam quando acham que foram enganadas e quando receberam um tratamento melhor do que esperavam.

Todo mundo é assim. Vivemos pela lei dos contrastes. Qualquer coisa incomum ou inesperada, seja favorável ou desfavorável, causa impressão duradoura.

OS DEZ MOTIVOS BÁSICOS

Motivo é uma força que opera sobre a vontade humana e leva à ação. Em matéria de vendas, podemos dizer simplesmente que, quando um vendedor faz sua apresentação para um comprador potencial, ele baseia seu apelo naquilo que leve o cliente a comprar.

Os três apelos básicos são:

1. Apelo ao instinto;

2. Apelo à emoção;

3. Apelo à razão.

O apelo que leva a maioria das pessoas a comprar comida, roupas e um local de abrigo enquadra-se principalmente no primeiro grupo, embora possa encontrar expressão nos outros dois em menor grau.

Todas as coisas bonitas do mundo desejadas por sua beleza podem ser vendidas apelando-se para o segundo tópico – a emoção.

Amor, casamento e religião baseiam-se amplamente em apelos emocionais.

Muitos bens e serviços são vendidos mediante apelos emocionais. Educação, livros, música, teatro, arte, propaganda, seguro de vida, cosméticos, artigos de luxo e brinquedos estão entre as muitas coisas vendidas mediante apelo emocional.

Investimentos, poupança, utensílios domésticos, máquinas profissionais e trabalhos científicos geralmente trocam de mãos com um apelo à razão.

Existem dez motivos básicos aos quais as pessoas respondem e que – individualmente ou em combinações – influenciam quase todas as ações e os pensamentos humanos. Quando o supervendedor classifica seu comprador potencial, ele procura primeiro o motivo mais lógico com que pode influenciar a mente do comprador e baseia seu apelo nesse conhecimento.

Os dez motivos básicos são:

1. Desejo de autopreservação;

2. Desejo de ganho financeiro;

3. Desejo de amor;

4. Desejo de sexo;

5. Desejo de fama e poder;

6. Desejo de superar o medo;

7. Desejo de vingança;

8. Desejo de liberdade (de corpo e mente);

9. Desejo de construir e de criar em pensamento ou na realidade;

10. Compaixão pelos desafortunados.

Os motivos estão listados pela ordem aproximada de importância e utilidade.

VENDENDO COM BASE NOS MOTIVOS

O supervendedor examina sua apresentação de vendas em relação aos dez motivos e se certifica de abranger o maior número possível destes. Ele sabe que apresentação de vendas é mais eficaz se for baseada em mais de um só motivo.

Nenhum vendedor tem o direito de vender nada para ninguém a não ser que sua apresentação de vendas possa oferecer um motivo lógico para o cliente comprar – sem um motivo, o supervendedor não tentará vender. A arte de vender envolve a prestação de um serviço útil ao comprador. Métodos de alta pressão não se encaixam na categoria da arte de vender principalmente porque tais métodos pressupõem a falta de um motivo lógico para a compra. Métodos de alta pressão não seriam necessários se o encarregado da venda pudesse mostrar ao comprador potencial um motivo lógico para comprar.

Vendedores de alta pressão geralmente dependem de superlativos em lugar de motivos para comprar. Essa é uma forma de enganação à qual o supervendedor nunca recorre.

AS SEIS FRAQUEZAS MAIS COMUNS

Se a apresentação de vendas não enfatiza um ou mais dos dez motivos básicos, é fraca e deve ser revisada. Uma análise cuidadosa de vendedores mostrou que a fraqueza destacada de cerca de 98% deles encontra-se entre as seguintes:

1. Fracasso em apresentar um motivo para a compra;

2. Falta de persistência na venda e no fechamento;

3. Falha em classificar os compradores potenciais;

4. Fracasso em neutralizar a mente dos compradores potenciais;

5. Falta de imaginação;

6. Ausência de entusiasmo.

Essas deficiências são comuns entre a maioria dos vendedores em todos os setores de atuação. Qualquer uma dessas é suficiente para destruir a chance de vender.

Você observou que fracasso em apresentar um motivo para a compra encabeça a lista das seis fraquezas mais comuns. Nada além de desinteresse ou desconhecimento das técnicas científicas de venda explica tal fraqueza.

SEÇÃO 5
Neutralizando a mente do comprador

Munido do conhecimento de si mesmo, de suas aptidões e desejos, o aspirante a vendedor está pronto para avançar para o estudo do comprador. O entendimento da relação comprador-vendedor é a diferença entre sucesso e fracasso em vendas.

OS PRIMEIROS PASSOS

A relação comprador-vendedor depende de duas condições, ambas controladas pelo vendedor:

1. O vendedor deve acreditar em si mesmo e no seu produto.

2. O vendedor deve neutralizar a mente do cliente, que deve ser cultivada e preparada antes que a semente do desejo possa ser plantada com sucesso.

Para neutralizar a mente do comprador, o vendedor primeiro deve estabelecer três coisas:

1. CONFIANÇA. O comprador deve confiar no vendedor e no produto.

2. INTERESSE. O comprador deve ser cativado por um apelo à sua imaginação. A mercadoria oferecida deve despertar seu interesse.

3. MOTIVO. O comprador deve ter um motivo lógico para comprar.

O fracasso em neutralizar a mente do comprador potencial é uma das cinco maiores fraquezas da maioria dos vendedores malsucedidos. Não existe regra fixa para neutralizar a mente dos compradores potenciais; cada caso deve ser tratado de acordo com suas peculiaridades. O vendedor dotado de imaginação não demora a reconhecer os métodos adequados para abordar um cliente em particular.

Alguns dos métodos bem-sucedidos de preparação ou neutralização são os seguintes:

1. CONTATOS SOCIAIS EM CLUBES. Dizem que mais negócios são fechados nos campos de golfe norte-americanos do que em todos os escritórios. Por certo todo supervendedor conhece o valor dos contatos em clubes.

2. AFILIAÇÃO A UMA IGREJA. É possível conhecer pessoas sem as formalidades habituais, em circunstâncias que tendem a gerar confiança, caso ela seja merecida.

3. LOJAS MAÇÔNICAS E OUTRAS AFILIAÇÕES. Em muitas áreas de vendas, pode ser proveitoso fazer contatos em lojas maçônicas ou almoços em associações empresariais, onde é natural deixar-se as formalidades de lado.

4. CORTESIAS PESSOAIS. Convites para jantar oferecem oportunidade favorável para quebrar a resistência das formalidades e estabelecer confiança, condição que leva à neutralidade mental.

5. HOBBIES E INTERESSES COMUNS. Quase todo mundo tem um *hobby* ou interesse fora de sua profissão. Ao falar sobre seus *hobbies* ou se dedicar a eles, todo mundo fica

propenso a relaxar as barreiras de defesa mantidas no dia a dia dos negócios.

DESEMPENHE UM PAPEL NA COMUNIDADE

6. SERVIÇO PÚBLICO. Você pode exibir seu talento no mais alto grau ao frequentar unidades locais que beneficiam sua comunidade. Ninguém vai criticar o trabalho duro e o serviço bem feito para United Way, Heart Fund, escoteiros e bandeirantes ou qualquer outra organização cívica que precise de um trabalhador entusiasmado. Se ninguém o convidou, você pode conseguir uma função simplesmente oferecendo-se como voluntário. Depois que descobrirem que você é atuante, não vão faltar convites. Esse pode ser um degrau muito importante para o sucesso de qualquer jovem.

7. REDAÇÃO DE CARTAS. Uma boa ideia é mandar cartas breves de apreço às pessoas que prestaram algum serviço vital para a comunidade ou ajudaram você a resolver algum problema. Serviços especiais merecem agradecimentos por escrito. Não uma carta formal, mas um bilhete pessoal escrito com verdade e sinceridade, sem exageros. É muito importante ter o nome correto, cargo (se for o caso), endereço e código postal.

8. PALESTRAS. Talvez você possa palestrar de graça em associações de pais e mestres, clubes cívicos ou outras organizações sem fins lucrativos sobre *Pense e enriqueça* e outros livros motivacionais. Se você faz isso como um serviço cívico, não é considerado atividade profissional.

> Apesar de a maioria dos autores e editores permitirem pequenas citações de material protegido por direitos autorais em artigos de imprensa e palestras, a maioria dos advogados de direitos autorais recomenda fortemente que qualquer pessoa que utilize esse tipo de material em palestras deve primeiro obter uma autorização por escrito dos detentores dos direitos.

Uma vez que tenha neutralizado a mente do comprador e conquistado sua confiança, o próximo passo para fazer a venda é transformar a confiança em interesse pelo produto. Aqui o vendedor deve desenvolver toda a apresentação de vendas em torno de um motivo central apropriado ao negócio e à situação financeira do comprador potencial. Quando esses três requisitos – confiança, interesse e motivo – são preenchidos, o vendedor chega ao ponto em que pode fechar a venda.

SEÇÃO 6
Fechando a venda

Não é verdade que o fechamento seja a parte mais difícil de uma venda; não é difícil se o alicerce preparatório foi efetivamente assentado. De fato, quando a venda foi bem planejada e executada, o clímax da transação torna-se um mero detalhe.

Saber como fechar uma venda faz a diferença entre sucesso e fracasso. Quer esteja vendendo ações e títulos públicos, móveis, cosméticos, seguros, publicidade, imóveis ou uma viagem de férias em 12 prestações, você deve ter um fechamento antes de ter uma venda.

Muitas vendas são perdidas antes de ser feito qualquer esforço para garantir uma decisão favorável ao produto ou serviço. Isso acontece quando o vendedor não consegue falar com a pessoa que pode dar um sim ou um não definitivo.

Uma vez que esteja dentro da sala do comprador potencial para fazer a venda, o vendedor deve primeiro capturar a atenção dele. (Estude a Seção 5, Neutralizando a mente do comprador.) Muitos vendedores tentam o esquema da piada, usando o infame: "Ouviu a última do...". Se você vai contar uma piada, deve ser depois de o comprador ter dado a deixa e contado algumas ou ter criado uma atmosfera propícia. Nunca pegue uma afirmação séria e tente fazer graça, tipo: "Isso me lembra a história...". Tudo bem que é um fechamento – a porta é fechada!

O vendedor lamentavelmente mal informado pensa que sexo é sucesso garantido, e seu conceito de sexo geralmente consiste na última piada suja, que não diverte nem estimula.

FUMAR OU NÃO FUMAR?

Muitas vendas são perdidas na segunda baforada de um cigarro. Nunca é adequado fumar durante uma venda. Alguns acham adequado fumar se pedem permissão. Isso é deveras ridículo, porque pouquíssimas pessoas vão proibir você de fumar. Outros acham que é adequado fumar quando o cliente oferece um cigarro.

Um executivo de vendas viu uma venda "virar fumaça" em menos de 30 segundos quando o cliente potencial ofereceu um cigarro ao vendedor e este respondeu sem pestanejar: "Não, obrigado. Prefiro esse aqui". Acendeu seu cigarro e queimou a venda fumando sem parar durante o resto da apresentação.

Três meses depois, o cliente perguntou ao gerente de vendas o nome do vendedor que o acompanhara no dia em que oferecera uma determinada promoção. O cliente lembrava do nome do programa, mas não do nome do vendedor. Ele fez vários comentários pontuais sobre por que não fez a compra. "Fiquei me perguntando", comentou o cliente aborrecido, "o que ele pensou que eu estava fumando – maconha ou um cigarro de palha?"

Embora o executivo compreendesse que a conversa houvesse se tornado negativa por causa do cigarro, pareceu um exagero que o incidente tivesse matado a venda tão rápido na cabeça do cliente. Quase 15 anos mais tarde, ele descobriu que a mulher do cavalheiro em questão havia herdado uma fortuna em uma companhia de tabaco e na época todos os sonhos de futuro dele estavam ligados ao sucesso daquela marca específica.

Quando um cliente oferecer um cigarro, a regra simples e segura é dizer: "Não, obrigado". Além disso, pode ficar tranquilo que o cliente não está interessado em saber como você parou de fumar e se livrou do hábito.

O JEITO SIMPLES E DIRETO

O que o cliente quer ouvir? Muito simples: o que você pode fazer por ele.

Clara e concisamente, diga por que você está ali e o que sabe sobre o produto que está vendendo. Assinale os benefícios. Enumere as vantagens, utilidades, qualidade e o valor do produto.

Depois de (1) ser recebido pela pessoa que tem o poder de dizer sim ou não e (2) informar o que você tem a oferecer e por que ela necessita do produto, você está pronto para passar à última etapa do fechamento.

O supervendedor nunca volta a repetir ou requentar o que já falou. Um vendedor que não sabe fechar se vê preso em um carrossel verbal que não para.

Existem muitos fechamentos recomendados e aprovados por organizações de vendas no país inteiro. Em algum momento você vai encontrar vendedores que usam alguns ou todos eles. No entanto, acreditamos que um fechamento pode ser simplesmente "conduzir a venda a um bom termo". Utilizar uma abordagem honesta e sincera para garantir uma decisão positiva mostrou-se a mais bem-sucedida forma de fechamento.

Os elementos básicos da apresentação e do fechamento de uma venda são tão simples e diretos que muitos vendedores ficam propensos a dificultá-los e correr riscos valendo-se de truques ou tentando ludibriar o cliente potencial com firulas. O ex-executivo de uma fundação viu uma apresentação de um "profissional" que queria vender um serviço especial para os funcionários da organização, incluindo um suplemento semanal para as esposas dos vendedores. Depois de 20 minutos de uma apresentação bem ensaiada e bem executada, o vendedor, bem vestido num terno de seda e camisa sob medida, começou o que chamava de "fechamento".

Primeiro, pôs a mão no bolso e tirou uma ratoeira, armou-a e a acionou com uma caneta de ouro, dizendo que, com esse serviço, o empregador nunca cairia na armadilha de estar sempre treinando novos empregados. A seguir embaralhou cartas e tirou um *full house*, dizendo que o serviço cobria todos os empregados e que era uma mão vencedora para o cliente. Nesse momento, tirou o bloco de pedidos da pasta e o colocou confiante em cima da mesa. Finalmente, pôs dois amendoins com casca em cima da mesa e disse que o serviço custava aquela "ninharia por dia".

Como o executivo era um vendedor, nunca esqueceu da experiência. Não é preciso dizer que a resposta foi: "Não, obrigado". Mesmo assim, achou que seu tempo havia sido bem gasto, pois testemunhou um exemplo infeliz – mas perfeito – de como destruir uma venda, demonstrado por um vendedor competente que poderia ter vendido o produto rapidamente, se tivesse sido honesto e ido direto aos fatos. O comprador potencial havia gostado dos benefícios do serviço e pensara seriamente em adquiri-lo, mas a "ninharia por dia" fora a única referência a preço, contrato ou acerto financeiro. Não só havia sido insuficiente, como um insulto à inteligência do cliente.

Vender é muito divertido. É um negócio fascinante, com potencial ilimitado. Quando você fala com a pessoa que pode dizer sim ou não, diz o que sabe sobre o produto e a conduz à compra, você pratica a verdadeira arte de vender. Quando vir que o cliente está comprando, apresente os fatos de que ele precisa para fechar a venda com você. Informe sobre futuros aumentos de preço, enfatize os períodos de promoções e descreva benefícios especiais. Sempre dê fatos para o cliente, fatos que sejam valiosos para ele ou para a empresa que ele representa.

SAINDO

Nenhuma venda é feita até chegar-se a um acordo definitivo. Não tenha medo de mostrar ao cliente como essa parte funciona. Se a sua empresa exige que você preencha um formulário de pedido ou obtenha uma ordem de compra, cheque ou pagamento adiantado, solicite isso de maneira confiante e profissional. O mais importante é que você mostre gentilmente como sua empresa negocia. Se for um cliente novo, você deve explicar o procedimento. Se for um cliente habitual, discuta o que for necessário. Faça o que tem que ser feito com uma atitude segura e eficiente, poupando o tempo dele. Demonstre que você considera a venda concluída.

Fechada a venda, comece a se despedir. Faça um cumprimento sincero e agradeça pela transação. Em determinadas ocasiões, um convite para um almoço ou jantar no futuro é uma ótima ideia. Um cumprimento pessoal enquanto você pega sua pasta também é aceitável, dependendo de quanto tempo faz que você conhece o cliente e da natureza da relação.

Saia da sala com a mesma simpatia com que entrou. Um obrigado e bom dia para a secretária são suficientes. Alguns vendedores entram num escritório com a cabeça erguida e ombros para trás, falando com todo mundo que estiver no bebedouro, depois de um ensaio com o ascensorista. Tendo concluído a venda e fechado a porta do cliente, murcham e perdem todo o brilho. Mantenha um equilíbrio na maneira de entrar e de sair. Isso prepara o terreno para a próxima vinda e a próxima venda.

Para resumir, lembre-se de que fechar uma venda é simples e consiste em três passos básicos:

1. Fale com a pessoa que pode dar uma resposta definitiva.

2. Diga o que você tem a vender e por que acha que atenderá os interesses do cliente.

3. Conduza o cliente à venda.

Para ilustrar a lição de como fechar uma venda, gostaríamos de contar a incrível história de uma ocasião em que Napoleon Hill achou absolutamente necessário fazer uma venda. Nem tanto por causa da conta, mas porque precisava mostrar a um aluno como os princípios da arte de vender funcionavam. Hill percebeu que, se falhasse, seu aluno e gerente de vendas, o jovem Jack Randall, perderia muitas e muitas vendas. Esse é um bom exemplo do que um supervendedor pode e vai fazer, dentro de uma total honestidade, quando instigado por um motivo real para vender. A seguir, o relato de Napoleon Hill sobre a venda.

A VENDA PARA UMA LAVANDERIA

Uma manhã, no meu escritório de Nova York, recebi um telefonema do presidente da Newark Laundry Company. Ele pediu que eu fosse falar com ele sobre o treinamento de seus vendedores. Até então, nunca tinha ouvido falar de uma lavanderia que empregasse vendedores. Mais tarde, vim a saber que todos os motoristas da empresa eram autônomos e tinham que arranjar seus clientes e mantê-los. Para isso, tinham que entender alguma coisa de vendas. Era um campo novo para mim, e decidi que ganharia aquele contrato, custasse o que custasse.

Resolvi condicionar minha mente antes de ir a Newark, de modo que fosse impossível voltar sem a venda. As pessoas perguntaram: "Será que você consegue?". Eu já tinha feito isso antes e sabia que poderia fazer de novo.

Dei instruções à telefonista para não me passar ligações até eu sair, entrei no escritório e tranquei a porta. Sentei à mesa e comecei a condicionar minha mente: "Napoleon, você vai se encontrar com o dono da lavanderia e não vai voltar até ter fechado negócio". Repeti umas 500 vezes no mínimo, até chegar ao momento psicológico em que, mesmo antes de ver o cliente, eu soube que faria a venda. Para ter certeza, chamei meu gerente de vendas, Jack Randall, e falei: "Jack, vamos a Newark fazer uma venda para a Newark Laundry Company e não voltaremos antes de fechar negócio".

Ele disse: "Mas de onde você tirou essa coisa de 'não voltaremos'? Tenho família e tenho que voltar".

"Também tenho família e vou voltar, mas não voltarei antes de fecharmos a venda", respondi. Eu estava até levando a minha mala de pernoite, para o caso de ter que dormir lá.

Quando fomos apresentados ao presidente, ele falou: "Os senhores chegaram bem na hora. São quinze para o meio-dia. Vamos almoçar no Athletic Club e depois vamos à biblioteca, onde podemos sentar sem interrupções enquanto conversamos". Olhei para Jack e ele piscou como se dissesse: "Está no papo, chefe". Era o que ele pensava – e eu também.

Durante o almoço, o dono da lavanderia começou a falar dos problemas. Alguém havia espalhado entre os clientes a informação de que o trabalho da empresa não era higiênico. O fato havia chegado aos motoristas, que vinham perdendo uma conta atrás da outra. Na hora em que ouvi a história, soube o que tinha de ser feito.

Falei onde achava que estava o erro, como poderia ser consertado e quanto tempo levaria. Durante todo o tempo em que eu falava, podia ver pela expressão do homem que ele estava concordando. Qualquer supervendedor sabe que tem que observar o comportamento do cliente para saber se a apresentação está funcionando ou não. A expressão do homem mostrava que ele estava recebendo bem a minha proposta, e eu sabia que faria a venda.

Depois que falei tudo o que precisava, diminuí um pouco o ritmo. O dono da lavanderia então falou: "Sr. Hill, gostei do seu plano. Gostei muito mesmo. E também de você e do seu gerente, mas...".

O OBSTÁCULO

Esse é um momento que geralmente acontece nas vendas, o momento inesperado em que surge alguma coisa para impedir o cliente de ir em frente.

"Mas", ele continuou, "quando liguei para o seu escritório, também telefonei para outros dois cavalheiros que treinam vendedores e agendei compromissos. Eles vão vir amanhã. Tenho certeza de que o contrato vai ser seu; por isso, depois da entrevista com eles, ligarei para o seu escritório."

Esse seria o momento perfeito para eu me levantar e dizer: "Obrigado pelo almoço e pela sua cortesia; depois que ouvir as propostas deles, me telefone", e a maioria dos vendedores teria feito isso. Eu também, se antes não tivesse condicionado minha mente a não voltar até concluir a venda.

O que você faria se estivesse no meu lugar, naquele momento?

Eu fiz o seguinte: ignorei o que ele falou e passei para a segunda fase do meu discurso de vendas. Um bom vendedor sempre tem duas, três ou quatro abordagens diferentes, mas não usa todas ao mesmo tempo.

Falei por uns cinco ou seis minutos até voltar a diminuir o ritmo.

Finalmente, o Sr. Dono de Lavanderia perguntou: "Sr. Hill, se você estivesse no meu lugar, o que o faria?". Era exatamente a deixa que eu esperava!

"Faria o seguinte: telefonaria para os outros dois cavalheiros e diria que já contratei Napoleon Hill. Agradeceria pela atenção e lhes pouparia de uma viagem até aqui", eu disse.

Ele replicou: "Caramba, é exatamente o que vou fazer". Trocamos um aperto de mão e fim!

É CERTO QUE OS RESULTADOS VIRÃO

Indústrias e instituições financeiras bem-sucedidas são administradas por líderes que consciente ou inconscientemente aplicam os princípios descritos neste manual. Você pode se tornar um líder em qualquer atividade utilizando os mesmos princípios e se cercando de mentes que possam ser aliadas em espírito de cooperação.

Quer esteja no topo ou subindo na vida, o livro ajudará a desenvolver e manter suas melhores qualidades em foco.

Experimente. Adote as ideias, as características e os princípios que desejar. Tudo foi testado. Sabemos o quanto o material destas páginas é prático e coerente. Vai trazer sucesso nos negócios, riqueza financeira e paz mental àqueles que desejem projetar e aplicar o que está aqui. O superpoder da persuasão vai ajudá-lo a procurar as melhores qualidades nos membros de sua família e parceiros de negócio e servirá como um espelho ou refletor de autoanálise.

Já dizia Will Rogers: "Todo ser humano tem pelo menos uma boa qualidade". Ele disse que procurava essa qualidade quando conhecia uma pessoa e tentava elogiá-la por isso.

Certa vez, um dos aprendizes de Napoleon Hill disse de um cliente que lhe devia muito dinheiro: "Vou personificar o melhor dele, e com isso meu caráter vai melhorar". A essa altura, segundo Hill, o pupilo tinha aprendido o verdadeiro significado do princípio de que "toda adversidade traz em si a semente de um benefício equivalente ou maior". Embora não estivesse satisfeito com a atitude do cliente e a lentidão do pagamento, o aluno prestou um serviço muito bom para os outros clientes e aumentou seus negócios enquanto lidava com uma situação das mais desagradáveis. Dessa maneira, conseguiu aproveitar ao máximo essa experiência ao longo de muitos anos na linha de frente como vendedor e combiná-la com os frutos da experiência de vida de Napoleon Hill como professor de vendedores.

Na última seção deste livro, você aprenderá meios específicos de obter poder produtivo. Vai conhecer um homem que nunca viola os direitos dos outros e mesmo assim construiu uma fortuna pessoal e mantém a felicidade e a paz mental seguindo os princípios delineados neste livro. Vai conhecer sua origem humilde, saber como ele encontrou essa filosofia num orfanato e começou a aplicá-la com grande sucesso desde muito jovem. Vai entender por que essa pessoa excepcional foi escolhida pela Fundação Napoleon Hill para ser incluída em *Quem convence enriquece*.

Depois de estudar os próximos capítulos, sobre poder, você estará pronto para conhecer Delford Smith, da Evergreen International Aviation, Inc., de McMinnville, no Oregon. Não pule os capítulos sobre poder. Eles são necessários para ajudá-lo a receber todos os benefícios dessa história impressionante.

Capítulo 8

DOMINANDO
O PODER DA MENTE

QUANDO VOCÊ PENSA QUE PODE, DESPERTA EM SUA MENTE O PODER QUE PODE

Você QUER E PRECISA de mais poder – poder para trabalhar e realizar, poder para estudar e aprender, poder para as ideias certas, poder para um amor maior, poder para um serviço altruísta à humanidade?

Você precisa de poder e força suplementares para encarar as mudanças que ocorrem em sua vida todos os dias?

Você precisa de mais poder para conseguir o que deseja da vida sem violar os direitos dos outros?

Você utiliza o superpoder da persuasão que repousa dentro do seu "outro eu"?

Você compreende o poder que sua mente subconsciente detém – um poder que você pode acessar e utilizar mesmo enquanto dorme? Você reconhece a fonte do poder para a realização e o sucesso que pode ser ativado juntando os recursos de sua mente com os recursos de outras pessoas em prol de todos?

O poder para todas as realizações, o poder de que você precisa para compreender e aplicar a filosofia do sucesso está totalmente disponível. O poder de que você precisa para uma vida produtiva está no depósito da sua mente.

O principal objetivo deste capítulo é descrever alguns dos poderes mais importantes que você tem à sua disposição e ajudá-lo a tomar posse da sua mente, dirigindo-a para os objetivos que escolher.

O PODER DO PENSAMENTO PRECISO

Nesse momento nos aproximamos da análise do "mistério de todos os mistérios" – o poder da mente humana. Devemos abordar esse tema com um espírito respeitoso, já que é o assunto mais profundo do livro. Ele engloba o segredo de todos os sucessos e todos os fracassos. Sua presença é necessária na lista dos princípios "obrigatórios" de todos os que desejam alcançar o superpoder da persuasão. É o assunto mais importante conhecido pela humanidade – todavia, paradoxalmente, o menos compreendido de todos: o *pensamento preciso*.

O poder do pensamento pode ser comparado a um belo jardim. O solo pode ser convertido, mediante esforço organizado, em alimentos úteis, ou, pela negligência, pode produzir ervas daninhas. A mente está eternamente em funcionamento, construindo ou destruindo, gerando miséria, pobreza e infelicidade, ou alegria, prazer e riqueza. Ela nunca fica inativa. É o maior recurso disponível à humanidade; no entanto, é o menos utilizado e o mais abusado. O abuso consiste principalmente em não utilização.

A ciência revelou muitos dos segredos mais profundos da natureza, mas não o segredo da maior fonte de riqueza do homem – o poder do pensamento. Esse segredo não foi revelado talvez porque a humanidade mostrou uma indiferença imperdoável diante dessa dádiva divina.

O pensamento é o mais perigoso ou mais benéfico dos poderes à disposição dos seres humanos, dependendo, é claro, de como seja usado. Pelo poder do pensamento, o homem constrói grandes impérios e civilizações. Pelo mesmo poder, outros homens destroem impérios como se fossem de barro frágil.

Toda criação humana, boa ou ruim, é criada primeiro na forma de pensamento. Todas as ideias são concebidas pelo pensamento. Todos os planos, objetivos e desejos são criados no pensamento. E o pensamento é a única coisa sobre a qual as pessoas têm o privilégio do controle total.

O pensamento é o senhor de todas as outras formas de energia, porque é uma forma de energia misturada à inteligência. Os pensamentos têm a solução para todos os problemas dos seres humanos. Quando usado adequadamente, o pensamento é o maior remédio conhecido para todas as doenças físicas. Seu poder terapêutico é ilimitado. O pensamento é a fonte de todas as riquezas, sejam materiais, físicas ou espirituais, porque é a maneira pela qual as 12 Grandes Riquezas da Vida podem ser obtidas por todos que as desejem. O ser humano passa a vida inteira procurando riquezas materiais, sem reconhecer que a fonte de toda riqueza já está a seu alcance e sob seu controle, só esperando ser reconhecida e aplicada.

O pensador preciso reconhece todos os fatos da vida, tanto os bons quanto os ruins, e assume a responsabilidade de separar e organizar os dois, pegando os que servem às suas necessidades e rejeitando todo o resto. Ele não se impressiona com o que "dizem por aí". Ele não é escravo, mas senhor de suas emoções. Vive entre as pessoas sem lhes dar o privilégio de se meter em seus pensamentos interiores ou no seu modo de pensar. Suas opiniões resultam de análises sóbrias e de um cuidadoso estudo dos fatos ou de indícios confiáveis mostrados pelos fatos. Ele se serve dos conselhos de outras pessoas, mas se reserva o direito de aceitá-los ou rejeitá-los sem pedir desculpas. Quando um plano dá errado, ele logo pensa em outros substitutos, mas nunca se desvia de seu objetivo por causa de uma derrota temporária. É um filósofo que determina as causas pela análise dos efeitos. Obtém a maioria das pistas observando as leis da natureza e adaptando-se a elas. Ao rezar, seu primeiro pedido é mais sabedoria. Mas ele nunca insulta o Divino pedindo para driblar alguma lei da natureza ou exigindo alguma coisa em troca de nada. Por isso, suas preces são geralmente atendidas, pois ele se lançou ao lado do Criador. Ele não cobiça as posses materiais das outras pessoas; tem um jeito melhor de adquirir tudo de que precisa por merecimento. Não sente inveja porque sabe que é mais rico que os outros nos valores que mais importam na vida. Ajuda as outras pessoas generosamente e aceita ajuda apenas quando ela se justifica.

UMA PEQUENA MINORIA

Essas são as características de um pensador preciso. Estude-as com cuidado se quiser se tornar parte da pequena minoria que pensa com precisão. São características simples e facilmente compreendidas, mas não tão facilmente cultivadas, pois o cultivo requer mais disciplina do que a maioria das pessoas estão dispostas a praticar. Mas as recompensas do pensamento preciso valem todo o esforço exigido. São compostas por vários valores, entre eles paz mental, liberdade de pensamento, liberdade corporal, sabedoria, conhecimento das leis da natureza, necessidades materiais da vida e, acima de tudo, harmonia com o grande esquema geral do universo, conforme determinado e mantido pelo Criador. Ninguém pode negar que o pensador preciso estabeleceu uma relação de trabalho com o Criador. O pensamento preciso é um ativo inestimável, que não pode ser comprado com dinheiro, nem pegado emprestado dos outros. Precisa ser adquirido pelo estrito hábito da autodisciplina, como foi feito pelas pessoas bem-sucedidas de todas as esferas da vida.

É uma experiência raríssima encontrar alguém, em qualquer tempo e lugar, que viva a própria vida, pense com a própria cabeça, desenvolva os próprios hábitos e faça sequer um esforço mínimo para ser ela mesma. A maioria das pessoas simplesmente imita as outras, e muitas são neuróticas que preferem "viver como o vizinho" do que ser elas mesmas. Observe as pessoas que você conhece melhor, estude seus hábitos atentamente e vai perceber que a maioria é apenas uma imitação sintética de outras pessoas, sem um único pensamento que possam chamar de verdadeiramente seu. Muita gente apenas segue a trilha, aceitando e agindo de acordo com os pensamentos e costumes dos outros, como ovelhas que seguem uma atrás da outra em caminhos bem demarcados. Muito de vez em quando, uma pessoa com tendência para o pensamento preciso se desvia da massa, pensa por si e ousa ser ela mesma. Quando encontrar uma pessoa assim, tome nota – você está diante de um pensador de verdade.

O PODER DO DESEJO E DO MOTIVO

Todo sucesso é conquistado pelo uso do poder. Tendo em mente a definição de sucesso (o poder de conseguir o que quer que se deseje da vida sem violar os direitos dos outros), percebemos que o ponto de partida é um desejo ardente de conquista de algum objetivo especificamente definido.

Assim como um carvalho dorme como um embrião dentro de uma bolota, o sucesso começa na forma de um desejo intenso. Do desejo intenso nascem as forças motivadoras que nos levam a acalentar esperanças, fazer planos, desenvolver a coragem e estimular a mente para agir em busca de um plano ou objetivo definido. Não há nada por trás do desejo, a não ser o estímulo com o qual ele pode se transformar em ação.

Já foi dito, não sem razão, que uma pessoa pode ter tudo o que quiser, dentro dos limites do razoável, desde que deseje com intensidade suficiente! Qualquer pessoa capaz de estimular a própria mente para produzir um desejo intenso também é capaz de realizar o desejo. No entanto, devemos lembrar que desejar uma coisa não é o mesmo que desejar com tanta intensidade que desse desejo nasçam as forças motrizes para uma ação construtiva.

Os dez motivos básicos aos quais os seres humanos respondem com uma ação direcionada a uma meta são todos precedidos pelo desejo de alguma coisa específica. O desejo define o objetivo, e o motivo é o ponto de partida para a ação.

Pessoas de aptidão comum conseguem se transformar em super-homens quando impelidas por um desejo que estimula um ou mais dos motivos básicos para a ação. Um homem colocado diante da possibilidade de morrer em uma emergência súbita pode desenvolver força física e estratégia criativa de que não seria capaz sem um motivo tão urgente para agir.

Quando guiadas pelo desejo natural de contato sexual, as pessoas fazem planos, desenvolvem a imaginação e se dedicam a ações que seriam impossíveis sem um desejo premente.

O desejo por ganho financeiro muitas vezes alça pessoas de aptidões medíocres a posições de grande poder. O desejo de fama e poder pessoal é facilmente discernível como a principal força motivadora de líderes em todos os campos.

O desejo animalesco de vingança muitas vezes leva pessoas normalmente sem imaginação a criar os planos mais engenhosos e intrincados para concretizar seus objetivos.

O desejo de vida após a morte é um motivador tão forte que leva as pessoas a extremos construtivos e destrutivos em busca da perpetuação eterna. Também desenvolve uma capacidade de liderança extremamente eficaz, encontrada na obra de praticamente todos os fundadores de uma religião.

Se quiser obter um grande sucesso, plante um motivo forte em sua mente!

Milhões de pessoas vão à luta todos os dias sem nenhum motivo melhor do que bancar as necessidades básicas da vida, como comida, roupas e abrigo. De vez em quando, alguém se separa das massas e exige de si e do mundo mais do que a mera subsistência. Esse indivíduo se motiva pelo desejo e concretiza o que deseja por intermédio da ação.

Como disse Elbert Hubbard: "Diga-me o que você mais deseja, e eu direi quem é que mais pode ajudá-lo a conseguir".

Indagado sobre quem seria tal pessoa, Hubbard respondeu: "Olhe-se no espelho e você vai vê-la".

Quando uma pessoa comum deseja alguma coisa fora de seu alcance, começa a pensar em como conseguir alguém que a ajude a adquirir o que deseja. Se percebe que sempre existe alguma coisa que ela pode fazer, por iniciativa própria, para dar o passo inicial rumo ao objetivo, essa pessoa aprende a usar seus recursos, não sendo necessário depender dos outros. Quando uma pessoa descobre os poderes da autossuficiência e da própria mente, está no caminho para conseguir aquilo que mais deseja da vida.

O PODER DA FÉ APLICADA

Nada de grandioso foi conquistado sem a ajuda de uma atitude mental positiva, que começa com um objetivo definido, ativado por um desejo ardente de obtê-lo, intensificado até esse desejo transformar-se em fé aplicada.

Uma vontade não é um desejo ardente, porque todo mundo tem montes de vontades. Uma simples curiosidade costuma inspirar ações que geralmente dão em ruas sem saída, sem beneficiar ninguém. Esperanças são úteis, mas a maioria das pessoas vive a vida em cima de esperanças que nunca viram realidade, porque esperança não é o bastante para inspirar ação baseada num objetivo definido. O desejo ardente é uma combinação de vontade, curiosidade e esperança. Ninguém chega às maiores realizações sem esse estado mental que impulsiona a ação.

A fé aplicada é um estado mental que só pode existir se a atitude mental for positiva. É o poder que abre a porta para uma vida bem--sucedida. A fé aplicada é uma concentração de todas as vontades, esperanças e desejos de uma pessoa – com tanta intensidade que inspira a busca dos seus objetivos na crença de que serão atingidos.

A fé aplicada permite-nos olhar para o futuro e justificar nossa crença na conquista dos nossos desejos mesmo antes de começarmos a adquiri-los. Quando nosso objetivo se fundamenta nessa atitude mental positiva, todo desejo se torna uma prece.

Olhe à sua volta e você verá que as pessoas mais bem-sucedidas do mundo são aquelas que reconhecem e utilizam sua capacidade de fé. No entanto, esse poder não pode ser ligado e desligado como uma corrente elétrica. Ele precisa ser alimentado e fortalecido pelo uso diário.

MEDOS PARALISANTES

Que estranhos medos invadem a mente das pessoas e causam um curto-circuito na ativação do poder magistral que pode erguê-las ao ápice da realização? Como e por que a vasta maioria das pessoas se tornam vítimas de um ritmo negativo hipnótico que destrói a capacidade de usar o poder de sua própria mente?

Com excessiva frequência as pessoas deixam o medo e o poder negativo comandar todas as suas decisões e ações. Tudo o que anseiam é uma espécie de proteção generalizada, resumida no clichê genérico de "segurança".

A pessoa verdadeiramente bem-sucedida não pensa nesses termos. Seu raciocínio se baseia em criatividade e produtividade. Como dizia o ex-presidente Dwight Eisenhower: "Uma pessoa pode alcançar um alto grau de segurança na cela de uma prisão, se segurança for tudo o que deseja da vida".

A pessoa bem-sucedida é aquela disposta a correr riscos quando a lógica mostra que eles são necessários para atingir o objetivo desejado.

Todos nós temos medo. O que é o medo? É uma emoção para ajudar a proteger nossas vidas, alertando-nos do perigo. Por isso, o medo pode ser uma bênção quando ergue a bandeira da cautela para pararmos e analisarmos a situação antes de tomar uma decisão ou passar à ação.

Devemos controlar o medo em vez de permitir que ele nos controle. Depois de ele ter servido ao objetivo emocional de sinal de alerta, não podemos permitir que se intrometa no raciocínio lógico com o qual decidimos o curso de ação.

A famosa declaração do discurso de posse do presidente Franklin Roosevelt no primeiro mandato – "não temos nada a temer a não ser o próprio medo" – é tão válida agora quanto na época da Depressão.

Como você pode superar seus medos? Uma das melhores maneiras é se perguntar sem rodeios: "Do que eu tenho medo?". Muitas vezes, constata-se que estamos nos assustando com meras sombras.

Vamos examinar algumas das preocupações mais frequentes e ver como o sistema funciona.

DOENÇA. O corpo humano é dotado de um sistema engenhoso de conserto e manutenção automáticos. Por que se preocupar com o fato de que ele possa estragar? É melhor se impressionar com a maneira como ele se mantém funcionando bem, apesar das exigências que impomos.

VELHICE. Os anos dourados são algo que devemos ambicionar, não temer. Trocamos a juventude pela sabedoria. Lembre-se de que nada é retirado de nós sem que um benefício equivalente ou maior se torne disponível.

FRACASSO. O fracasso momentâneo é uma verdadeira bênção disfarçada, carregando em si a semente de um benefício equivalente, se buscarmos a causa e usarmos nosso conhecimento para uma tentativa melhor na próxima vez.

MORTE. Reconheça que ela é uma parte necessária do plano geral do universo, instituída pelo Criador como maneira de dar às pessoas uma passagem para o plano mais alto da eternidade.

CRÍTICAS. No fim das contas, você deve ser seu crítico mais severo. Como então temer a crítica alheia? Algumas críticas podem incluir sugestões construtivas que vão ajudar você a se aperfeiçoar.

COMO LIDAR COM O MEDO

O medo resulta principalmente da ignorância.

É bom analisar todas as facetas do que você teme. Quais são os riscos? A recompensa esperada vale a pena? Quais são os outros cursos de ação possíveis? Quais são os prováveis problemas inesperados a enfrentar? Você tem todos os dados, fatos e estatísticas necessários? O que outras pessoas fizeram numa situação semelhante e quais foram os resultados?

Uma vez que tenha completado seu estudo, passe para a ação – imediatamente. Procrastinação só leva a mais dúvidas e mais medo. Um famoso psicólogo observou certa vez que uma pessoa amedrontada, sozinha de noite e ouvindo ruídos imaginários, pode enterrar seus medos rapidamente. Tudo o que precisa fazer é colocar o pé no chão. Com isso, terá dado o primeiro passo num curso de ação positiva para superar o medo.

A pessoa que ambiciona o sucesso deve se obrigar, da mesma maneira, a controlar o medo com fé absoluta e dar o primeiro passo em direção à meta.

O medo, o poder negativo da mente, pode ser superado ao se aprender a recorrer à força e à coragem do poder positivo que existe dentro de cada um de nós.

Como se pode acessar esse poder que vem de dentro? A resposta é fé – fé apoiada na ação. A fé, corretamente compreendida, é sempre ativa, nunca passiva. A fé passiva não tem mais poder do que um dínamo desligado. Para gerar poder, a máquina deve ser acionada. A fé ativa não conhece o medo, nem limitações autoimpostas. Com a força da fé, o mais fraco dos mortais é mais poderoso do que qualquer desastre, mais forte do que qualquer fracasso e mais potente do que o medo.

As emergências da vida muitas vezes levam as pessoas a uma encruzilhada, onde são obrigadas a escolher entre uma avenida chamada Medo e outra chamada Fé. O que leva tanta gente a pegar o caminho do medo? A escolha depende da atitude mental, e o Criador distribuiu os poderes de tal maneira que cada pessoa controla a sua.

A pessoa de fé é aquela que condicionou sua mente a acreditar. A pessoa de fé condicionou sua mente aos poucos, com decisões e ações rápidas e corajosas em todos os detalhes do trabalho quotidiano. Do outro lado, a pessoa que vive amedrontada é assim porque descuidou de condicionar a mente para uma atitude positiva.

A NECESSIDADE DE MUDANÇA

O verdadeiro teste à crença na atitude mental positiva e à fé de um indivíduo está no desafio das mudanças que ele deve enfrentar todos os dias da vida. Um dos primeiros requisitos da fé e do sucesso duradouros é a capacidade de aceitar as mudanças e lucrar com elas.

Já disseram que a única coisa permanente na vida são as mudanças. Para preservar a fé que lhe dará poder para alcançar o sucesso, você precisa se tornar suficientemente flexível para se adaptar a todo tipo de mudança. Se for flexível, você surfará na onda da mudança em vez de ser engolido por ela.

Pense nas seguintes sugestões e veja quais delas, se utilizadas, fortaleceriam o poder da fé que você precisa no dia a dia.

Mude do hábito de pensar nas coisas de que não gosta e de que tem medo para o hábito de acreditar que pode e vai conseguir viver a vida nos seus próprios termos.

Mude do hábito de ficar pensando e falando sobre as doenças físicas que você tem ou tem medo de vir a ter para o hábito de pensar e falar sobre a saúde perfeita que deseja até desenvolver uma "consciência de saúde". Lembre que doenças imaginárias podem fazer tão mal quanto se fossem reais caso você as aceite e incentive por causa do medo.

Mude do hábito de desejar mais coisas materiais do que precisa e pode utilizar para o hábito de compartilhar sua riqueza, de modo que ela sirva a outras pessoas e assim se multiplique em seu benefício.

Mude do hábito da autocomplacência para o hábito do descontentamento positivo suficiente para mantê-lo em busca de mais conhecimento e sabedoria para tornar sua vida mais rica material e espiritualmente.

Mude do hábito da intolerância para o hábito de ter a mente aberta em todos os assuntos e em relação a todas as pessoas, lembrando que uma mente fechada não cresce, mas se atrofia e perde força.

Mude do hábito de procurar defeitos para o hábito de procurar o lado bom das pessoas e deixá-las saber que você o descobriu. A verdade é que as pessoas vão ver em você o que quer que você veja nelas, seja bom ou ruim.

Mude do hábito da autopiedade para o hábito de encarar os fatos sobre si mesmo e as verdadeiras causas dos seus medos e angústias. Lembre que o espelho será muito útil para fazer essa mudança.

Mude do hábito de falar mal dos outros para o hábito de elogiá-los, porque esse também é um hábito que enseja reciprocidade.

Enquanto estiver pensando nessas sugestões, certifique-se de reconhecer a diferença entre suas necessidades e seu direito de receber. Precisamos de muitas coisas que não temos o direito de receber. A única maneira garantida de obter o direito de receber é fazer um esforço a mais, deixando os outros em dívida com você ao prestar um serviço maior e melhor do que aquele que foi pago para fazer.

O grande filósofo alemão Goethe enunciou os seguintes princípios para uma vida equilibrada:

Saúde suficiente para que o trabalho seja um prazer.

Riqueza suficiente para suprir as necessidades.

Força suficiente para lutar contra as dificuldades e superá-las.

Paciência suficiente para labutar até que algo de bom seja obtido.

Graça suficiente para confessar os pecados e abandoná-los.

Caridade suficiente para ver o bem nos vizinhos.

Amor suficiente para mobilizar-se para ser útil aos outros.

Fé suficiente para tornar realidade os atos de Deus.

Esperança suficiente para remover todos os medos em relação ao futuro.

Todo mundo precisa de uma planta básica para construir sua vida. O credo de Goethe pode dar uma base para você criar um esquema que ajude a fazer a vida recompensá-lo nos seus próprios termos, sem violar os direitos dos outros. Um credo diário ajuda a manter diante de si uma imagem clara da pessoa que você deseja tornar-se. Ajuda a dar o poder da fé para enfrentar e superar os obstáculos ao longo do caminho.

Se você sinceramente deseja o sucesso, então deve procurar com entusiasmo até encontrar o acesso ao superpoder que existe dentro de você. Quando encontrar, terá descoberto seu verdadeiro eu, aquele "outro eu" que utiliza todas as experiências da vida. E você terá sucesso, independentemente de quem seja ou de quais tenham sido a natureza e o tamanho dos fracassos no passado. Você deve aplicar sua fé. Deve dominar o poder da mente e dirigi-la para o objetivo desejado com entusiasmo.

Ralph Waldo Emerson, o grande norte-americano das letras, bem afirmou: "Nada grandioso jamais é alcançado sem entusiasmo". Entusiasmo é uma característica importante de uma personalidade agradável. É um componente necessário à pessoa que deseja sucesso no mundo acelerado de hoje. Os grandes homens de ontem e as pessoas bem-sucedidas de hoje são aqueles que definiram seus desejos na forma de objetivos definidos e dirigiram sua fé na direção de alcançá-los.

O entusiasmo não é uma característica de personalidade patenteada ou protegida por direitos autorais, mas pode se tornar um ativo de valor inestimável para todos que aprendem a aplicá-lo e o mantêm como hábito na relação diária com os outros. Para ser entusiástico, aja com entusiasmo. Observe que o entusiasmo tem um poder singular, pois trata-se de uma combinação de energia física e mental. O entusiasmo é simplesmente a fé em ação. Essa fé, essa capacidade de acreditar, é o maior poder da sua mente e pode ser liberada e dirigida para a conquista do objetivo desejado. As pessoas bem-sucedidas de hoje e de amanhã são aquelas que dominaram e utilizaram os vastos poderes que residem em suas mentes.

O PODER DA MENTE SUBCONSCIENTE

A mente subconsciente é a fonte do maior poder humano. Pode ser influenciada a trabalhar rumo às metas desejadas mesmo enquanto se dorme, assim como nas horas de vigília.

Embora as pessoas ainda não tenham aprendido a usar o poder total do subconsciente, aprenderam o que entendem como um guia para a consecução das metas.

Numa vida inteira dedicada à pesquisa de padrões de sucesso, estudamos as histórias de centenas de líderes em muitas áreas da realização humana. Uma coisa nos impressionou nesses estudos: a maneira como muitas das pessoas extremamente bem-sucedidas utilizaram o poder do subconsciente, especialmente em momentos de profundo estresse ou grandes decisões.

O presidente Woodrow Wilson, por exemplo, tinha o hábito de escrever uma mensagem clara, logo antes de dormir, do que queria realizar no dia seguinte. Lia em voz alta várias vezes e, na prece noturna, pedia orientação para levar a tarefa a cabo.

Frequentemente, acordava no meio da noite com uma solução completa na mente. Outras vezes, a resposta desejada não vinha.

Ao discutir esse hábito numa entrevista com Napoleon Hill, Wilson falou: "O estado mental com que peço ajuda ao subconsciente tem muito a ver com o resultado. Em horas de grande emergência, sob o estresse de forte emoção, a orientação que peço chega rápido. Se existe alguma dúvida na mente, vejo que o resultado é geralmente negativo. Mas, quando minha crença é tão forte que quase me vejo na posse da resposta para o problema, aí o resultado é sempre positivo".

Wilson estava convencido de que a mente subconsciente é o portal para a inteligência infinita do nosso Criador e só pode ser utilizada com eficiência a partir de uma atitude mental de crença absoluta conhecida como fé. Quando você harmoniza sua mente com a do Criador, recebe orientação, poder e revelação não disponíveis por quaisquer outros meios. Dessa maneira, a mente subconsciente pode ajudar a conseguir segurança material e espiritual.

No entanto, você deve dar a chance de fazê-la trabalhar por você. Uma maneira de fazer isso é reservar uma parte do dia para a meditação. Concentre a mente em um devaneio em forma de prece.

Você vai ver que o tempo dedicado à meditação é bem empregado. Você vai sair de cada sessão espiritualmente revigorado e cheio de ideias para melhorar sua vida.

Com os cinco sentidos físicos podemos detectar e nos proteger de muitos perigos, como queimaduras e cortes. Mas estamos sujeitos a perigos muito maiores do que aqueles que conseguimos detectar pelos sentidos físicos. Esses perigos maiores esgueiram-se em nossa mente subconsciente via autossugestão, revestidos de experiências cotidianas que aceitamos como inevitáveis, como medo, doenças físicas, angústias, fracasso e derrota.

Uma atitude mental positiva não é capaz de curar todas as doenças humanas, mas pode curar muitas delas se soubermos como funciona e a mantivermos imune à aceitação de circunstâncias que não desejamos.

As pessoas estão apenas começando a aprender que o poder da autossugestão é um operário silencioso que pode trazer sucesso ou fracasso, saúde ou doença, paz mental ou infelicidade.

Existe algo no subconsciente que o influencia a aceitar como verdade qualquer impressão que o alcance, negativa ou positiva, construtiva ou destrutiva, confiável ou inconfiável. Por isso devemos condicionar a mente para se alimentar das coisas e circunstâncias que desejamos e protegê-la da influência de sugestões relacionadas ao que não desejamos.

A imaginação pode matar uma pessoa. Ou ajudá-la a se erguer a níveis de realização que parecem milagre, caso mantenha a mente ocupada na direção das coisas que mais deseja. Por exemplo, a crença constante do hipocondríaco de que sua sina é a doença e não há nada que possa fazer a respeito geralmente resulta em má saúde. Como o subconsciente aceita qualquer impressão ou pensamento, seu poder pode ser tão destrutivo quanto magnificamente construtivo. Esse é o motivo para se manter uma atitude mental positiva contínua.

ETAPAS PARA APROVEITAR O POTENCIAL DA MENTE

A mente humana é aquilo que mais se aproxima de um moto-contínuo, pois funciona enquanto dormimos assim como quando estamos acordados. Se levamos medo e preocupações para a cama, o subconsciente os aceita como coisas que desejamos e passa logo a planejar maneiras de trazê-los para o mundo físico.

Por outro lado, a mente subconsciente também vai aceitar e ajudar prontamente a planejar as coisas que desejamos se dermos ordens específicas e acreditarmos que serão cumpridas.

Existem fatos importantes relacionados ao uso da mente que se deve reconhecer e respeitar:

1. A mente pode ser controlada, guiada e dirigida para finalidades que se escolhe. De fato, existem punições específicas para quem não faz isso.

2. A mente pode atrair circunstâncias desagradáveis e indesejadas e vai fazer isso a menos que esteja ocupada em obter o que se deseja.

3. Todas as realizações construtivas são produto de pensamento organizado, dirigido para objetivos específicos com uma atitude mental positiva apoiada na fé.

4. A maioria dos pensamentos que voluntariamente entram na mente não é acurada; por isso, todo pensamento exige análise cuidadosa antes de ser aceito e implementado como verdadeiro.

5.   O que quer que a mente humana seja capaz de conceber
      e acreditar, ela é capaz de realizar. Ela pode fazer isso
      pela aplicação de leis naturais e dos princípios estabele-
      cidos e aceitos pelo homem como factíveis.

Nenhum desses cinco fatores relativos ao uso da mente requer o
que chamamos de educação formal extensiva. Qualquer pessoa
interessada em conhecer os poderes potenciais de sua mente pode
verificar a solidez de cada um deles.

Para ajudá-lo a acessar os poderes ilimitados do seu subconsciente, apresentamos as seguintes sugestões.

1.   Escreva uma declaração clara com o objetivo mais im-
      portante que você deseja realizar nos próximos 30 dias.
      Certifique-se de que seja uma coisa que você tenha di-
      reito a receber ou de que terá tal direito dentro do prazo.
      Por exemplo, uma promoção, um aumento da clientela,
      uma melhora da saúde ou mudanças construtivas em
      sua personalidade são metas desejáveis.

2.   Converse com seu subconsciente várias vezes por dia,
      inclusive de noite, antes de dormir. Conte-lhe o que
      você redigiu como objetivo e dê as razões para acreditar
      que merece receber o que busca. Defenda sua causa com
      entusiasmo.

3.   Faça uma declaração clara de todas as razões pelas quais
      acredita que merece a realização do seu objetivo. Não
      seja modesto na descrição, mas não inclua nada em que
      não acredite ou que seja inverídico. Certifique-se de in-
      cluir na lista uma afirmativa clara do que pretende dar

em troca da realização da sua meta. Isso é importante. A mente subconsciente não vai violar as leis da natureza, e pedir uma coisa em troca de nada vai dar errado. Se, por exemplo, estiver pedindo sucesso em um empreendimento, certifique-se de que o seu lado do negócio seja limpo e absolutamente justificável, porque sempre haverá um parceiro silencioso e invisível em todas as suas associações com outras pessoas. É um juiz que anota todos os seus atos e intenções, guardando um registro que pode abençoá-lo ou amaldiçoá-lo em algum momento mais à frente. Emerson chamava esse parceiro invisível de lei da compensação.

4. Memorize as duas listas: a que descreve o que você pretende realizar nos próximos 30 dias (ou dentro de outro período específico) e a que descreve por que você se acha merecedor de receber o que pediu e o que pretende dar em troca. Repita essas afirmações diariamente e termine agradecendo por já ter conseguido.

5. Se for casado, entre numa aliança de MasterMind com seu cônjuge para que possam implantar esse programa da maneira como foi descrito. Se não for casado, faça uma aliança de MasterMind com seu melhor amigo ou sócio e sigam as mesmas instruções. No entanto, não revele o programa a ninguém de fora que possa ridicularizar seu procedimento por falta de compreensão sobre o poder da mente subconsciente.

6. Sua mente subconsciente adota e trabalha em cima de desejos e pedidos apresentados sob emoção extrema com muito mais rapidez do que aqueles apresentados com uma mente tranquila. Por isso, trate de se vender com uma fé inabalável no sucesso. Coloque entusiasmo em suas palavras e seus pensamentos. Parta do princípio de que está falando para uma pessoa que pode dizer sim ou não ao seu pedido e faça o máximo para convencê-la a dizer sim.

O PODER DE UMA MENTE ABERTA

Uma mente aberta é uma mente livre.

A pessoa que fecha a cabeça para novas ideias, conceitos e experiências escraviza a própria personalidade.

A intolerância – produto de uma mente fechada – é uma espada de dois gumes que de um lado corta novas oportunidades e de outro, as linhas de comunicação.

Quando abre sua mente, você dá liberdade à imaginação para agir por você. Você utiliza o dom da visão.

Hoje é difícil imaginar que pessoas aparentemente inteligentes riram das experiências dos irmãos Wright e que o ícone da aviação Charles Lindbergh mal conseguiu encontrar patrocinadores para seu voo transatlântico.

Pessoas de visão conseguiram levar o homem à Lua, e fotos de outros planetas do nosso sistema solar são transmitidas regularmente para a Terra por veículos de exploração espacial, enquanto agora sonhamos com estações, hotéis e espaços recreativos no espaço. O objetivo da NASA é desenvolver e demonstrar a possibilidade das viagens interplanetárias. Onde estão aqueles que no início escarneceram da viagem à Lua?

Uma mente fechada é sinal de uma personalidade estática. Ela deixa o progresso passar e nunca aproveita as oportunidades que o progresso oferece.

Apenas com uma mente aberta você pode absorver o pleno impacto da primeira regra que leva a qualquer tipo de sucesso: *o que quer que a mente humana seja capaz de conceber e acreditar, ela é capaz de realizar.*

A pessoa abençoada com uma mente aberta pode fazer milagres nos negócios, indústrias e profissões, enquanto as que têm a mente fechada ainda gritam "impossível".

Avalie-se. Você é daqueles que dizem "eu posso" e "isso vai ser feito" ou se enquadra no grupo do "ninguém consegue fazer isso" exatamente na hora em que tem alguém fazendo?

Uma mente aberta exige fé – em você mesmo, nos seus companheiros e no Criador, que elaborou um padrão de progresso para as pessoas e o universo.

O tempo da superstição já passou, ou pelo menos deveria ter passado. Mas a sombra do preconceito continua tão escura como sempre. Você pode sair à luz do dia fazendo um exame atento da sua personalidade. Você toma decisões baseadas na razão e na lógica ou na emoção e nas ideias preconcebidas? Você ouve os argumentos dos outros com atenção, interesse e ponderação? Você vai atrás dos fatos em vez de rumores e disse me disse?

A mente humana definha se não for estimulada por pensamentos novos. Numa lavagem cerebral, o ditador sabe que a maneira mais rápida de destruir a vontade de um homem é isolando sua mente, separando-o das outras pessoas, de livros, jornais, rádio, televisão e outros canais comuns de comunicação intelectual.

Em circunstâncias assim, o intelecto morre de desnutrição. Só a vontade mais férrea e a fé mais pura podem salvá-lo.

É possível que você tenha aprisionado sua mente num campo de concentração cultural e social? Será que você se submeteu a uma lavagem cerebral que você mesmo criou?

Se isso aconteceu, está na hora de afastar as barras do preconceito que aprisionam seu intelecto. Abra sua mente e liberte-a. Descubra por si o poder maior de uma mente que não conhece barreiras.

O PODER DOS PENSAMENTOS

Thomas Paine foi uma das grandes mentes da época da Revolução Americana. A ele devemos, talvez mais do que a qualquer outra pessoa, tanto o início como o final feliz da revolução. Foi sua mente arguta que ajudou a elaborar a Declaração da Independência e convencer os signatários a transformar aquelas palavras em realidade.

Ao falar da fonte de seu manancial de conhecimento, Paine afirmou: "Qualquer pessoa que observa o progresso da mente humana, a começar pela sua, não pode deixar de perceber que existem duas classes distintas do que chamamos de pensamento: aqueles que são produzidos dentro de nós pela reflexão e pela arte de pensar e aqueles que irrompem na mente por si.

"Estabeleci como regra tratar os visitantes voluntários com educação, tomando o cuidado de analisar, tanto quanto fosse capaz, se valia a pena entretê-los, e foi deles que obtive quase todo o conhecimento que possuo. Quanto ao aprendizado que uma pessoa recebe na escola, esse serve apenas como um pequeno capital para colocá-la no caminho de aprender por si mais adiante. Toda pessoa instruída é por fim sua própria mestra, e o motivo é o seguinte: como os princípios são diferentes das circunstâncias, não podem ser gravados na memória; a residência mental deles é na compreensão, e nunca duram tanto como quando concebidos pela própria pessoa".

Nos parágrafos acima, Paine, um grande filósofo e patriota norte-americano, descreveu um fenômeno que vez por outra todo mundo vivencia. Quem é tão desafortunado a ponto de nunca ter recebido evidência positiva de que pensamentos e até ideias inteiras "pipocam" na mente, vindos de fontes externas?

Que meio de transmissão haveria para esses invasores senão o éter? O éter preenche o espaço sem fim do universo. É o meio de transmissão de todas as formas conhecidas de vibração, como som, luz e calor. Por que não seria também o veículo da vibração do pensamento?

Toda mente, ou cérebro, está diretamente ligada a todas as outras mentes por intermédio do éter. Todo pensamento lançado por qualquer cérebro pode ser imediatamente captado e interpretado por todos os outros cérebros que estejam em harmonia com o cérebro emissor (vibrando na mesma frequência). Napoleon Hill tinha certeza desse fato, tanto quanto da fórmula da água ser H_2O.

O fato de o éter ser um transmissor de pensamentos de uma mente para outra não é sua qualidade mais impressionante. Existem indícios convincentes de que cada vibração de pensamento emitida por qualquer cérebro é captada pelo éter e mantida em movimento por frequências de onda sinuosas, que correspondem em tamanho à intensidade da energia utilizada na emissão; que essas vibrações se mantêm em movimento para sempre, e que são uma das duas fontes pelas quais os pensamentos "pipocam" na mente de alguém – a outra é o contato direto e imediato via éter com o cérebro que emite a vibração do pensamento.

Portanto, vê-se que, caso essa teoria seja um fato, o espaço infinito de todo o universo já é e continuará sendo literalmente uma biblioteca onde se podem encontrar todos os pensamentos emitidos pela humanidade.

Uma das descobertas mais maravilhosas já feitas pelo homem é o princípio do rádio, que funciona com a ajuda do éter, importante nas leis da natureza. Imagine o éter captando a vibração comum do som e transformando aquela vibração de frequência de áudio em uma frequência de rádio (pelo aumento da taxa de vibração), transportando-a para uma estação receptora devidamente sintonizada e ali transformando-a de novo para a forma original de frequência de áudio, tudo isso numa fração de segundo. Não deve surpreender ninguém que uma força assim possa coletar a vibração do pensamento e mantê-la em movimento para sempre.

O fato da transmissão instantânea do som pelo éter, conhecido e comprovado pelo aparelho moderno de rádio, significa que a teoria da transmissão das vibrações de pensamento de uma mente para a outra não só é possível, mas também provável.

No próximo capítulo, você vai aprender como acelerar a capacidade da sua mente de receber e transmitir vibrações de pensamento. Certifique-se de que o sistema de comunicação se mantenha em sintonia positiva para esse importante aprendizado.

Capítulo 9

O PODER DO MASTERMIND

Nesse ponto do estudo deste livro, tire três minutos para meditar e se concentrar no que aprendeu sobre o poder da sua mente. Anote e revise após concluir este capítulo. Esse momento de meditação pode muito bem ser os três minutos mais importantes que você utilizará no estudo do superpoder da persuasão. O valor desse tempo vai depender da sua capacidade de se concentrar séria e silenciosamente.

É vital que você compreenda o conteúdo do Capítulo 8 antes de mergulhar no estudo da aliança de MasterMind e da química da mente. Os três minutos de meditação deixarão sua mente alerta e ativa, unindo as mentes consciente e subconsciente para maior compreensão.

MENTES DEMONSTRAM ATRAÇÃO – E REPULSA

É fato bem sabido tanto pelo leigo quanto pelo cientista que algumas mentes se atritam no instante em que entram em contato. Entre os extremos de antagonismo imediato e afinidade natural a partir do encontro ou contato das mentes existe uma ampla gama de possibilidades de reações entre duas mentes.

Algumas mentes se adaptam tão naturalmente uma à outra que o "amor à primeira vista" é o resultado inevitável do contato. Quem não passou por essa experiência? Em outros casos, as mentes são tão antagônicas que uma violenta antipatia mútua se revela no primeiro encontro. Os resultados ocorrem sem que uma palavra seja dita e sem o menor sinal de estímulo por qualquer uma das causas habituais para amor e ódio.

É bem provável que a mente seja feita de algum tipo de substância ou energia parecida com a do éter (se não da mesma substância). Quando duas mentes se aproximam o bastante para fazer contato, a mistura das unidades dessa "substância mental" (vamos chamá-la de elétrons do éter) precipita uma reação química e dá início a vibrações que afetam as duas pessoas de forma agradável ou desagradável.

O efeito do encontro de duas mentes é bastante óbvio até para o observador mais casual. Todo efeito deve ter uma causa. O que poderia ser mais razoável do que suspeitar que a causa da mudança da atitude mental nas duas mentes que acabaram de entrar em contato seja de fato uma perturbação dos elétrons ou das unidades de cada mente enquanto elas se rearranjam no novo campo criado pelo contato?

Com o objetivo de assentar essa filosofia sobre uma base sólida, obtivemos bastante êxito ao admitir que o encontro ou o contato entre duas mentes precipita em cada uma um certo "efeito" ou estado mental perceptível, diferente do que existia imediatamente antes do contato. Embora desejável, não é fundamental conhecer a "causa" dessa reação de uma mente sobre a outra. Que a reação sempre ocorre é fato bem conhecido, o que nos dá um ponto de partida para mostrar o que queremos dizer com o termo "MasterMind".

Um MasterMind pode ser criado pela união ou mistura de duas ou mais mentes em espírito de perfeita harmonia para a consecução de um objetivo específico. Dessa mistura harmoniosa, a química da mente dá origem a uma terceira mente, que pode ser apropriada e utilizada por uma ou todas as mentes individuais. O MasterMind permanecerá disponível enquanto existir a aliança amigável e harmoniosa entre as mentes individuais. Ele vai se desintegrar e desaparecer sem deixar vestígios no momento em que a aliança amigável for quebrada.

ISSO VOCÊ NÃO VAI ENCONTRAR
EM LIVROS DIDÁTICOS

O termo "MasterMind" é abstrato e não possui correspondente no terreno dos fatos conhecidos, exceto para um pequeno número de pessoas que fizeram um estudo cuidadoso do efeito de uma mente sobre outras.

Ao longo de toda a sua vida, Napoleon Hill em vão pesquisou sobre a mente humana nos livros didáticos e ensaios, não conseguindo encontrar referências ao princípio que aqui descrevemos como MasterMind.

A expressão chamou a atenção de Hill pela primeira vez numa entrevista com Andrew Carnegie. O empresário atribuiu ao MasterMind a acumulação de sua vasta fortuna na indústria siderúrgica. Ele explicou que sua aliança de MasterMind era composta por cerca de 20 homens e que eles contribuíram com sua experiência, educação e formação para um objetivo definido: fabricação e co-mercialização de aço.

O grupo detinha o conjunto de conhecimentos de tudo o que se sabia na época sobre a indústria siderúrgica. O trabalho principal de Andrew Carnegie era manter a aliança em movimento, num espírito de perfeita harmonia, em prol do objetivo comum.

Qualquer adulto sabe que os primeiros dois ou três anos do casamento com frequência são marcados por muitas desavenças de natureza um tanto mesquinha. São os anos "de ajuste". Se o casamento sobrevive, há uma boa chance de se tornar uma aliança permanente. Nenhuma pessoa casada experiente irá negar esses fatos. Mais uma vez vemos os efeitos sem entender a causa.

Embora existam outros fatores, a falta de harmonia nesses primeiros anos normalmente resulta da lentidão da química das mentes em se misturar de modo harmonioso. Colocando de outra maneira, os elétrons ou unidades de energia que chamamos de mente com frequência não são extremamente amigáveis ou antagônicos no primeiro contato, mas, pela associação constante, adaptam-se gradativamente em harmonia, exceto nos casos em que a associação tem efeito oposto e por fim leva à franca hostilidade.

É fato bem conhecido que, depois que um homem e uma mu-lher vivem juntos por 10 ou 15 anos, tornam-se praticamente indis-pensáveis um para o outro, mesmo que não haja indício do estado mental chamado amor. Além disso, a associação não só desenvolve uma afinidade natural entre as duas mentes, como faz com que as duas pessoas assumam expressões faciais parecidas e se pareçam muito uma com a outra em muitos aspectos marcantes.

Qualquer analista competente da natureza humana pode apontar facilmente a esposa de um homem no meio de uma multidão de desconhecidos depois de ter sido apresentado ao marido. A expressão dos olhos, o contorno do rosto e o tom de voz de duas pessoas casadas há tempo ficam notavelmente parecidos.

A QUÍMICA DA MENTE APLICADA

O efeito da química da mente humana é tão pronunciado que qualquer palestrante experiente consegue interpretar rapidamente como sua fala está sendo aceita pela plateia. O antagonismo na mente de uma única pessoa entre mil da plateia é detectada pelo palestrante que aprendeu a "sentir" e registrar os efeitos do antagonismo. Por isso, uma plateia pode elevar o palestrante a grandes feitos de oratória ou afundá-lo no fracasso sem fazer ruído ou apresentar expressão facial que denote satisfação ou insatisfação.

Todo supervendedor sabe quando chegou o momento psicológico de fechar uma venda, não pelo que o comprador potencial diz, mas pelo efeito da química de sua mente, interpretada ou "sentida" pelo vendedor. As palavras muitas vezes desmentem as intenções de quem fala, mas a interpretação correta da química da mente não deixa margem para isso. Todo vendedor competente sabe que a maioria dos compradores têm o hábito de simular uma atitude negativa quase até o clímax da venda.

Todo advogado competente desenvolve um sexto sentido com o qual "sente" o terreno em meio às palavras mais artisticamente selecionadas pela testemunha esperta que está mentindo e as interpreta corretamente. Muitos advogados desenvolvem essa aptidão sem saber a fonte. Eles têm a técnica sem a compreensão científica em que se baseia. Com muitos vendedores acontece o mesmo.

Uma pessoa dotada do talento de interpretar corretamente a química da mente dos outros pode, por assim dizer, entrar pela porta da frente da mansão de uma determinada mente e explorar calmamente o prédio inteiro, observando cada detalhe, e sair com um quadro completo do interior sem que o dono jamais venha a saber que recebeu uma visita.

Essas afirmações bastam para apresentar o conceito de química da mente e provar, com a ajuda da experiência diária e das observações casuais do leitor, que, no momento em que duas mentes se aproximam, ocorre uma mudança mental perceptível em ambas, às vezes antagônica e às vezes amistosa. Toda mente tem o que se poderia chamar de campo elétrico. A natureza desse campo varia, dependendo do humor e da natureza química da mente que cria o campo.

Acredita-se que a condição normal ou natural da mente de uma pessoa seja resultado da hereditariedade física e da natureza dos pensamentos que dominam a mente. Toda mente se modifica continuamente à medida que a filosofia do indivíduo e seus hábitos gerais de pensamento alteram sua química mental.

Napoleon Hill acreditava que esses princípios fossem verdadeiros. É fato conhecido que qualquer pessoa pode mudar voluntariamente sua química mental, com isso atraindo ou repelindo todos com quem entra em contato. Em outras palavras, qualquer pessoa pode assumir uma atitude mental que atraia e agrade os outros ou que rechace e antagonize, isso sem ajuda de palavras, expressões faciais ou outros tipos de postura ou movimento corporal.

ESPIRIT DE CORPS NO TRABALHO

Volte agora à definição de MasterMind – uma mente que surge da mistura e da coordenação de duas ou mais mentes em espírito de perfeita harmonia – e você vai entender o pleno significado da palavra "harmonia" conforme utilizada aqui. Duas mentes não se misturam, nem podem ser coordenadas a menos que o elemento de "perfeita harmonia" esteja presente – o elemento que detém o segredo do sucesso ou do fracasso de praticamente todas as parcerias sociais e empresariais.

Todo gerente de vendas, comandante militar e líder compreende a necessidade de um *espirit de corps*, o espírito de entendimento e cooperação que leva ao cumprimento de uma meta comum. Esse espírito de harmonia de propósito de grupo é alcançado com disciplina, forçada ou voluntária, de tal natureza que as mentes individuais se misturam em um MasterMind. Isso acontece quando a química das mentes individuais se mistura e elas funcionam como uma só.

Os métodos pelos quais a mistura acontece são tão numerosos quanto as pessoas que exercem formas variadas de liderança. Cada líder tem seu método de coordenar as mentes dos seguidores. Um usa a força. Outro, a persuasão. Um joga com o medo de punição, enquanto outro joga com recompensas. Não precisamos pesquisar a fundo na história da política, dos negócios ou das finanças para descobrir as técnicas empregadas pelos líderes nesses campos.

No entanto, os verdadeiros grandes líderes do mundo receberam da natureza uma espécie de química mental que é favorável como polo de atração para outras mentes.

Nenhum conjunto de mentes pode ser combinado em um MasterMind se um dos indivíduos do grupo possui uma mente extremamente negativa e repulsiva. Mentes negativas e positivas não vão se misturar no que descrevemos como MasterMind. Muitos líderes capazes foram levados à derrota por ignorar esse fato.

Qualquer líder que compreenda o princípio da química mental pode misturar temporariamente as mentes de praticamente qualquer grupo de pessoas numa mente de massa, mas a composição vai se desintegrar quase que na mesma hora em que o líder sair do grupo. As mais bem-sucedidas organizações de seguros de vida e outras equipes de venda reúnem-se uma vez por semana ou mais com o objetivo de fundir as mentes individuais num MasterMind que servirá de estímulo às mentes individuais por um número limitado de dias.

Pode acontecer – e geralmente acontece – de os líderes desses grupos não saberem o que realmente se passa nessas reuniões, em geral destinadas a palestras do líder e outros membros do grupo. Enquanto isso, as mentes dos participantes estão em contato e recarregando umas às outras.

O cérebro do ser humano pode ser comparado a uma bateria elétrica no sentido de que pode se exaurir ou esgotar, fazendo com que a pessoa se sinta desanimada, desmotivada e para baixo. Quem nunca teve essa sensação? Quando o cérebro humano está esgotado, deve ser recarregado. Isso é feito pelo contato com uma mente ou mentes energizadas. Os grandes líderes compreendem a necessidade do processo de recarga. Esse conhecimento é o que mais distingue um líder de um liderado.

Feliz da pessoa que compreende suficientemente esse princípio para manter o cérebro energizado ou recarregado, colocando-o em contato periódico com mentes mais energizadas. Raramente nos sentimos mais revigorados do que quando compartilhamos de uma experiência intelectualmente estimulante com uma pessoa tão ou mais inteligente que nós. Esse tipo de interação nos mantém mentalmente alerta. Da mesma maneira, nada é mais deprimente e contraproducente do que a associação constante com gente negativa.

Quais podem ser então as possibilidades futuras no campo da química mental?

Pelo princípio da combinação harmoniosa de mentes, pode-se desfrutar de saúde perfeita. Com a ajuda do mesmo princípio, pode-se desenvolver poder suficiente para resolver as dificuldades econômicas que pressionam constantemente todos os indivíduos.

Podemos julgar as possibilidades futuras da química mental fazendo uma lista das realizações passadas, lembrando que tais conquistas resultaram largamente de descobertas acidentais e da reunião ocasional de mentes. Estamos nos aproximando do dia em que os professores universitários vão ensinar química mental como parte do currículo obrigatório. Enquanto isso, o estudo e as experiências referentes ao assunto abrem possibilidades impressionantes para o desenvolvimento mental.

A UNIÃO FAZ A FORÇA

É fato comprovável que a química da mente pode ser devidamente aplicada aos assuntos diários dos setores econômico e comercial.

Por meio da química mental, duas ou mais mentes podem ser combinadas num espírito de perfeita harmonia e desenvolver poder suficiente para permitir aos indivíduos a realização de feitos aparentemente sobre-humanos. O poder é a força com que as pessoas têm sucesso em qualquer empreendimento. Qualquer grupo de pessoas com sabedoria para subordinar suas personalidades e interesses individuais imediatos à união com outras mentes pode usufruir de poder em quantidades ilimitadas.

Observe com que frequência a palavra "harmonia" aparece. Não se pode desenvolver o MasterMind onde não existe perfeita harmonia. As unidades individuais de uma mente não vão se misturar com as unidades de outra mente até as duas serem despertadas e aquecidas num espírito de perfeita harmonia de propósito. No momento em que as duas mentes começam a seguir vias de interesse divergentes, as unidades individuais de cada mente se separam e o terceiro elemento, o MasterMind, se desintegra.

Quando duas ou mais pessoas harmonizam suas mentes para criar um MasterMind, cada integrante do grupo fica dotado do poder para contatar e coletar conhecimento da mente subconsciente de todos os participantes do grupo. Esse poder se torna imediatamente perceptível e tem o efeito de estimular a mente a uma taxa de vibração mais alta, que assume a forma de uma imaginação mais vívida e de uma consciência que parece um sexto sentido.

É por meio desse sexto sentido que novas ideias lampejam na mente. Essas ideias assumem a natureza e a forma do assunto que domina a mente do participante. Se o grupo se reuniu com o objetivo de debater um determinado tema, as ideias relativas ao assunto começam a jorrar na mente de todos os participantes, como se ditadas por uma influência externa. As mentes dos participantes do MasterMind tornam-se ímãs, atraindo ideias e estímulos de

pensamento da mais elevada natureza prática e organizada – sabe-se lá de onde.

O processo de mistura de mentes pode ser comparado ao ato
de se conectar várias baterias elétricas a um só cabo de transmissão,
aumentando assim a força que passa por aquela linha dada a quantidade de energia gerada pelas baterias. Isso se aplica à combinação
de mentes individuais num MasterMind. Cada mente estimula
todas as outras do grupo até a energia mental ficar tão grande que
se conecta com e penetra na energia universal chamada éter, que
por sua vez toca todo átomo de toda matéria do universo.

Mencionamos a influência da química mental num orador experiente e vimos como o palestrante muitas vezes pode se erguer
ao ápice do poder de oratória caso sinta que as mentes individuais
da plateia estão na mesma onda que ele.

Os primeiros cinco a dez minutos de uma palestra em geral são
dedicados ao que é conhecido como "aquecimento". É o processo
pelo qual as mentes do palestrante e da plateia são combinadas em
espírito de perfeita harmonia.

Todo palestrante sabe o que acontece quando esse estado de
perfeita harmonia não se concretiza.

É fato notório que qualquer pessoa pode explorar o depósito
de conhecimento de outra mente pelo princípio da química mental.
Parece razoável supor que esse poder pode ser estendido ao contato
com quaisquer vibrações disponíveis no éter.

A teoria de que todas as vibrações mais altas e mais refinadas
(como o pensamento) são preservadas no éter deriva do fato conhecido de que nem a matéria nem a energia podem ser criadas
ou destruídas. É razoável supor que todas as vibrações que foram

suficientemente amplificadas para serem captadas e absorvidas pelo éter vão continuar a existir para sempre. As vibrações mais baixas, que não se misturam ou contatam com o éter, provavelmente vivem uma vida banal e então morrem.

Todos os chamados gênios provavelmente conquistaram essa reputação porque formaram alianças com outras mentes que lhes permitiram amplificar suas próprias vibrações mentais até estarem aptos a contatar o vasto manancial de conhecimento registrado e arquivado no éter do universo. Todos os grandes gênios, pelo que Napoleon Hill conseguiu apurar, eram pessoas altamente sexuais. O fato de que o contato sexual é o maior estimulante mental que se conhece parece apoiar essa teoria.

OS SEIS GRANDES

Vamos pesquisar um pouco mais sobre a natureza do poder econômico, conforme manifestado pelas realizações de empresários, e estudar o caso do grupo de Chicago conhecido como Os Seis Grandes. O grupo era formado por William Wrigley Jr., dono da companhia de chicletes que leva seu nome e cuja renda pessoal era estimada em mais de US$ 15 milhões por ano; John R. Thompson, que operava a cadeia de restaurantes para almoço que levava seu nome; Albert D. Lasker, dono da agência de publicidade Lord and Thomas; Jack McCullough, dono da Parmalee Express Company, certa época a maior empresa de transportes de conexão na América; e William Ritchie e John Hertz, donos da empresa Yellow Taxicab.

A renda conjunta desses seis homens era estimada em mais de US$ 25 milhões anuais, uma média de mais de US$ 4 milhões por ano para cada um, numa época em que uma renda anual de alguns milhares de dólares era considerada relativamente afluente.

A análise que Napoleon Hill fez do grupo revelou que nenhum deles possuía vantagem educacional específica, que todos começaram sem capital ou muito crédito e que suas conquistas financeiras se deveram a seus planos individuais e não por algum golpe de sorte do destino.

Esses seis homens formaram uma aliança amistosa, encontrando-se em determinados momentos com o objetivo de se ajudar mutuamente com ideias e sugestões em suas várias linhas de negócios.

Com exceção de Hertz e Ritchie, os outros não estavam de maneira alguma associados em uma parceria legal. Os encontros eram estritamente com o objetivo de compartilhar ideias. Os Seis Grandes eram multimilionários. Via de regra não há nada digno de maiores comentários a respeito de um homem que nada mais fez que acumular alguns milhões de dólares.

Entretanto, existe algo ligado ao sucesso financeiro desse grupo específico que vale muito a pena comentar, estudar, analisar e até mesmo imitar. Esse "algo" é o fato de terem aprendido como coordenar suas mentes individuais, combinando-as em um espírito de perfeita harmonia, criando um MasterMind que destravava, em cada indivíduo do grupo, portas que estão fechadas para a maior parte das pessoas.

Onde quer que você encontre um enorme sucesso nos negócios, finanças, indústria ou qualquer profissão, pode ter certeza de que por trás existe algum indivíduo que aplicou o princípio da química mental para criar um MasterMind. Esses sucessos surpreendentes com frequência parecem obra de uma só pessoa, mas, com exame atento, pode-se encontrar os outros indivíduos cujas mentes estavam coordenadas com a da pessoa.

Poder é conhecimento organizado, manifestado em ações inteligentes. Nenhum esforço pode ser considerado organizado a menos que os indivíduos nele engajados coordenem seus conhecimentos e energia em um espírito de perfeita harmonia. A falta de coordenação harmoniosa do esforço é a principal causa de praticamente todo fracasso nos negócios.

QUAIS ERAM OS ATIVOS DE HENRY FORD?

Um experimento interessante foi conduzido por Napoleon Hill em colaboração com os alunos de uma faculdade bem conhecida. Cada aluno foi solicitado a escrever um ensaio sobre "Como e por que Henry Ford ficou rico".

Pediu-se que cada aluno descrevesse o que acreditava ser a natureza real dos ativos de Ford e de que esses ativos consistiam em detalhes. A maioria dos alunos reuniu demonstrativos financeiros e inventários dos ativos de Ford.

Nessas fontes da riqueza de Ford foram incluídos itens como dinheiro em banco, matéria-prima e produtos acabados em estoque, imóveis, edifícios e o valor da marca, estimado em 10% a 25% do valor dos ativos materiais.

Um aluno, de um grupo de várias centenas, respondeu o seguinte:

Os ativos de Henry Ford consistem basicamente de dois itens:

1. Capital de giro e matérias-primas e produtos acabados.

2. Conhecimento, obtido pela experiência e cooperação de uma organização bem treinada que entende como aplicar esse conhecimento para o maior benefício do ponto de vista de Ford. É impossível fazer qualquer estimativa aproximada correta do valor real em dólares de qualquer um desses dois grupos de ativos, mas, na minha opinião, seus valores relativos são:

Conhecimento organizado da Organização Ford: 75%.

Valor em dinheiro e ativos financeiros de qualquer natureza, incluindo matéria-prima e produtos acabados: 25%.

Napoleon Hill era da opinião de que essa declaração não foi redigida pelo rapaz que a assinou sem a assistência de alguma mente ou mentes muito analíticas e experientes.

Inquestionavelmente, o maior ativo de Henry Ford era o próprio cérebro. A seguir os cérebros de seu círculo de associados mais próximos, pois foi mediante a coordenação destes que os ativos físicos sob seu controle foram acumulados.

Caso cada fábrica da Ford Motors fosse destruída, incluindo todas as máquinas, todas as toneladas de matéria-prima ou produto acabado, todos os automóveis montados e cada dólar depositado em banco, Ford ainda seria um dos homens de maior poder econômico dos Estados Unidos. Os cérebros que construíram os negócios Ford poderiam refazer tudo em curto espaço de tempo. O capital está sempre disponível, em quantidades ilimitadas, para cérebros como o de Ford.

Apesar do grande poder e sucesso financeiro de Ford, pode ser que ele tenha cometido muitas mancadas ao aplicar os princípios pelos quais acumulou poder. Sem dúvida os métodos de Ford para a coordenação mental foram muitas vezes toscos. Com certeza devem ter sido toscos nos primeiros tempos, antes que ele obtivesse a sabedoria que naturalmente cresce com a maturidade.

Também não há dúvida de que a aplicação do princípio da química mental por Ford foi resultado da aliança com outras mentes, particularmente a de Thomas Edison. É mais do que provável que a notável perspicácia de Ford sobre as leis da natureza tenha surgido como resultado da aliança amistosa com sua esposa, muito antes de ele conhecer Edison ou Harvey Firestone.

Muitos homens são feitos (e alguns são destruídos) pela esposa, mediante a aplicação do princípio do MasterMind. A esposa de Ford era uma mulher notavelmente inteligente, e temos motivos para crer que foi a mente dela, combinada com a do marido, que deu a ele o primeiro impulso real na direção do poder.

Pode ser mencionado, sem diminuir de forma alguma a honra ou a glória de Ford, que nos primeiros tempos ele teve que combater os poderosos inimigos da falta de instrução e da ignorância em maior grau que Edison ou Firestone, ambos dotados de aptidão para adquirir e aplicar conhecimento. Ford teve que esculpir seu talento tendo como matéria-prima tosca uma condição hereditária não muito favorável.

Em um curto período de tempo, Ford dominou três dos inimigos mais contumazes da humanidade e os transformou em ativos. Esses três inimigos são a ignorância, a falta de instrução e a pobreza.

Qualquer homem que consiga deter essas três forças selvagens e, mais ainda, domá-las e usá-las com proveito, merece um estudo detalhado.

A fonte de todo poder é o esforço organizado. Conhecimento genérico e desorganizado não é poder. É apenas poder potencial, o elemento a partir do qual o poder verdadeiro pode ser desenvolvido. Qualquer biblioteca moderna possui um registro de todo o conhecimento de valor herdado pela civilização atual, mas esse conhecimento não é poder porque não está organizado. Toda forma de energia e toda espécie de vida animal ou vegetal deve ser organizada para sobreviver. Os animais de grande porte cujos ossos enchem o cemitério da natureza deixaram evidências silentes mas categóricas de que falta de organização significa aniquilação. Uma das primeiras leis da natureza é a organização. Afortunado o indivíduo que reconhece a importância dessa lei e trata de se familiarizar com as várias formas como ela pode ser aplicada com vantagem.

NÃO EXISTE PODER SEM ORGANIZAÇÃO

O empresário astuto não só reconhece a importância da lei do esforço organizado, como transforma essa lei na base do seu poder.

Sem qualquer conhecimento do princípio da química da mente, muitos homens acumularam grande poder simplesmente organizando o conhecimento que possuíam. A maioria dos que descobriram o princípio da química mental e com ele criaram um MasterMind toparam com esse tipo de conhecimento por acaso, muitas vezes deixando de reconhecer a verdadeira natureza de sua descoberta ou de entender a fonte de seu poder.

É fato bem conhecido que um dos trabalhos mais difíceis de qualquer empresário é induzir seus associados a coordenar seus esforços num espírito de harmonia. Induzir a cooperação contínua entre um grupo de trabalhadores em qualquer empreendimento é quase impossível. No entanto, muito de vez em quando, surge uma pessoa assim no setor industrial, comercial ou financeiro, e o mundo rende homenagens a um novo líder.

"Poder" e "sucesso" são sinônimos. Um deriva do outro; por isso, qualquer pessoa que tenha conhecimento e capacidade de desenvolver poder pode ter êxito em qualquer empreendimento razoável e possível de ser levado até o fim.

O cérebro e o sistema nervoso humanos compõem uma máquina complexa que poucas pessoas – se é que alguma – realmente compreendem. Quando controlada e devidamente dirigida, essa máquina pode realizar maravilhas; sem controle, produz assombros de natureza espectral e fantástica, como pode ser visto ao se examinar qualquer interno em um manicômio.

O cérebro humano tem conexão direta com um fluxo contínuo de energia do qual as pessoas obtêm o poder de pensar. O cérebro recebe essa energia, mistura-a com a energia criada pelos alimentos ingeridos e a distribui para todas as partes do corpo com ajuda do sangue e do sistema nervoso. Isso produz o que chamamos de vida. De que fonte provém essa energia externa ninguém sabe. O que sabemos é que devemos tê-la ou morremos. Parece razoável supor que essa energia não é outra senão aquela que chamamos de éter e que flui para dentro do corpo junto com o oxigênio do ar ao respirarmos.

Todo corpo humano normal conta com um laboratório químico de primeira linha que se encarrega dos trabalhos de quebrar, assimilar e misturar adequadamente os alimentos que ingerimos antes de distribuí-los para os locais onde são necessários para manter o corpo.

Foram feitos testes em pessoas e animais para provar que a energia conhecida como mente tem papel importante na operação química de compor e transformar o alimento em substâncias necessárias para constituir e manter o corpo.

É sabido que preocupação, excitação e medo interferem na digestão e, em casos extremos, interrompem o processo por completo, resultando em doença ou morte. É óbvio, então, que a mente atua no processo de digestão e distribuição do alimento.

Muita gente acredita, embora nunca tenha sido cientificamente provado, que a energia conhecida como pensamento pode ser contaminada por unidades negativas ou "intratáveis" em tal medida que o sistema nervoso como um todo deixa de funcionar direito, a digestão é afetada e a doença se manifesta. Dificuldades financeiras e amor não correspondido encabeçam a lista de causas para esses distúrbios da mente.

Um ambiente negativo, tal como aquele em que algum membro da família "pega no pé" constantemente, vai interferir na química mental a tal ponto que o indivíduo perderá a ambição e gradualmente afundará na letargia. Essa é a base para o velho ditado de que a esposa pode fazer ou destruir o marido.

Qualquer aluno de ensino médio sabe que certas combinações de alimentos, caso ingeridas, vão resultar em indigestão, dor violenta e até mesmo morte. A boa saúde depende, pelo menos em parte, de uma combinação alimentar "harmonizada". Mas harmonia na dieta não basta para garantir a boa saúde. Deve haver harmonia também entre as unidades de energia mental.

HARMONIA, UM *MUST* ABSOLUTO

A harmonia é uma das leis da natureza e sem ela não poderia haver energia organizada ou qualquer forma de vida. A saúde do corpo, assim como a da mente, é literalmente construída sobre o princípio da harmonia. A energia da vida começa a se desintegrar e a morte se aproxima quando os órgãos do corpo param de funcionar em harmonia. No momento em que cessa a harmonia na fonte de qualquer tipo de energia organizada, as unidades daquela energia são lançadas em um estado caótico de desordem e o poder torna-se neutro ou passivo.

Essa verdade foi dita e repetida porque, a menos que se compreenda esse princípio e se aprenda a colocá-lo em prática, este capítulo sobre o MasterMind será inútil.

Sucesso na vida – não importa o que se considere sucesso – é em grande parte uma questão de adaptação ao ambiente de tal maneira que produza harmonia entre o indivíduo e seu meio. O palácio de um rei fica menor que a choupana de um camponês se não houver harmonia entre as paredes. Por outro lado, a choupana de um camponês pode oferecer grande alegria se dentro dela reinar a harmonia.

Sem perfeita harmonia, a astronomia seria tão inútil quanto o "sexo dos anjos", pois estrelas e planetas colidiriam uns com os outros, e tudo estaria em um estado de caos e desordem.

Sem harmonia não pode haver organização do conhecimento, pois o que é conhecimento organizado se não a harmonia dos fatos, verdades e leis naturais?

No momento em que a discórdia começa a se esgueirar pela porta da frente, a harmonia não floresce dentro da casa. O mesmo vale para uma sociedade empresarial ou para o movimento ordenado dos planetas.

Se o leitor pensa que essa filosofia dá ênfase indevida à importância da harmonia, deve lembrar que falta de harmonia é a primeira, e muitas vezes a única e definitiva causa do fracasso.

Não pode haver poesia, música ou oratória dignas de nota sem a presença da harmonia.

Uma boa arquitetura é em larga medida uma questão de harmonia. Sem harmonia, uma casa nada mais é que um amontoado de material de construção, mais ou menos uma monstruosidade.

Uma sólida gestão empresarial é construída sobre os alicerces da harmonia. Toda pessoa bem vestida é uma prova viva e um exemplo ambulante de harmonia.

Com todas essas ilustrações cotidianas do importante papel da harmonia nas relações do mundo e no funcionamento do universo, como poderia uma pessoa inteligente deixar a harmonia de fora de seu principal objetivo definido de vida?

O corpo humano é uma organização complexa de órgãos, glândulas, vasos sanguíneos, nervos, células cerebrais, músculos e assim por diante. A energia mental que estimula a ação e coordena os esforços dos componentes do corpo também é uma pluralidade de energias sempre variáveis. Do nascimento até a morte, há uma luta contínua, que muitas vezes assume a natureza de franco combate, entre as forças mentais. Exemplo disso é a luta constante pela vida entre as forças e os desejos motivadores da mente humana, travada entre os impulsos do que é certo e do que é errado.

Todo ser humano possui pelo menos duas personalidades distintas. Pelo menos seis poderes diferentes podem ser encontrados numa única pessoa. Um dos trabalhos mais delicados do homem é harmonizar essas forças mentais para que possam ser organizadas e direcionadas à realização ordeira de um determinado objetivo. Sem o elemento da harmonia, ninguém pode se tornar um pensador preciso.

O QUE É LIDERANÇA?

Não é à toa que os líderes têm tanta dificuldade em organizar grupos de pessoas para trabalhar sem atritos na realização de um objetivo. Cada indivíduo possui dentro de si forças difíceis de serem harmonizadas, mesmo quando ele se encontra num ambiente altamente favorável à harmonia. Se a química da mente de uma pessoa é tal que suas unidades mentais não podem se harmonizar facilmente, imagine o quanto é ainda mais difícil harmonizar um grupo de mentes para funcionarem como uma só!

O líder que desenvolve e dirige com sucesso as energias de um grupo de MasterMind deve ter tato, paciência, persistência, autoconfiança, conhecimento profundo da química da mente e a capacidade de se adaptar (num estado de perfeita circunspecção e harmonia) a circunstâncias que mudam rapidamente, sem demonstrar o menor sinal de perturbação.

Quantas pessoas estão à altura dessas exigências?

O líder de sucesso deve ter a capacidade de mudar a cor de sua mente como um camaleão, para se ajustar a qualquer circunstância referente à sua liderança. Além do mais, deve ter a capacidade de mudar de humor sem demonstrar o menor sinal de raiva ou descontrole. O líder de sucesso deve compreender os 17 princípios da Ciência da Realização Pessoal e ser capaz de pôr em prática qualquer combinação dessas leis, conforme a situação exigir.

Sem essa capacidade, nenhum líder consegue ser poderoso e, sem poder, nenhum líder consegue durar muito.

Já de há muito existe um equívoco geral sobre o significado da palavra "educar". Os dicionários não ajudam a eliminar o mal--entendido porque definem "educar" como "o ato de compartilhar conhecimento".

A palavra "educar" tem raiz na palavra latina *educo*, que significa desenvolver a partir de dentro, extrair, puxar para fora, crescer pelo uso.

A natureza odeia toda forma de ociosidade. Ela só dá vida contínua aos elementos que estão em uso. Amarre um braço ou qualquer outra parte do corpo, tirando-o de uso, e ele logo irá atrofiar e perder a vida. Se fizer o contrário, usando o braço mais do que o normal – como um ferreiro que empunha uma marreta o dia inteiro –, ele se fortalecerá (crescendo a partir de dentro).

O poder surge do conhecimento organizado. Cresce dele mediante aplicação e uso.

Uma pessoa pode se tornar uma enciclopédia ambulante sem possuir qualquer poder real. Esse conhecimento se torna poder apenas na medida em que é organizado, classificado e colocado em ação. Alguns dos homens mais instruídos do mundo possuem muito menos conhecimento geral do que alguns considerados tolos — a diferença é que aqueles colocam o conhecimento que possuem em uso, enquanto estes não o aplicam.

O VERDADEIRO SIGNIFICADO DA EDUCAÇÃO

Uma pessoa educada é aquela que sabe como adquirir tudo de que precisa para alcançar seu objetivo principal na vida sem violar os direitos dos outros.

O advogado de sucesso não é necessariamente aquele que melhor memoriza as leis. Ao contrário, o advogado bem-sucedido é aquele que sabe onde encontrar um princípio da lei, mais uma variedade de opiniões apoiando aquele princípio que se ajusta à necessidade imediata de um determinado caso.

Em outras palavras, o advogado de sucesso é aquele que sabe onde encontrar a lei que quer quando precisa. Esse princípio se aplica igualmente na indústria e nos negócios.

Henry Ford teve pouquíssima escolaridade formal, no entanto era extremamente educado porque adquiriu a capacidade de combinar as leis econômicas e da natureza com as mentes humanas para com isso obter qualquer bem material que quisesse.

Durante a Primeira Guerra Mundial, Ford entrou com uma ação contra o *Chicago Tribune*, acusando o jornal de publicar declarações caluniosas a seu respeito, uma delas que Ford era "ignorante, um pacifista ignorante".

Quando o caso foi a julgamento, os advogados do *Tribune* encarregaram-se de provar que as afirmações eram verdadeiras, que Ford era ignorante, e, com esse objetivo em mente, interrogaram-no sobre todo tipo de assunto.

Uma das perguntas foi: "Quantos soldados os britânicos enviaram para subjugar a rebelião nas colônias em 1776?".

Com um sorriso seco no rosto, Ford respondeu em tom indiferente: "Não sei exatamente quantos, mas ouvi dizer que muitos mais do que os que voltaram".

Claro que isso provocou gargalhadas no tribunal, do júri, dos espectadores e até mesmo do advogado frustrado que fez a pergunta.

Essa linha de interrogatório continuou por uma hora ou mais, e Ford permaneceu perfeitamente calmo. Finalmente se cansou e, em resposta a uma pergunta particularmente absurda e desrespeitosa, Ford empertigou-se, apontou o dedo para o advogado inquiridor e replicou:

"Se eu realmente desejasse responder à pergunta tola que você acaba de fazer ou qualquer uma das que andou fazendo, deixe-me lembrá-lo de que tenho uma fileira de botões na minha mesa e, apertando o botão correto, poderia chamar homens capazes de me dar a resposta correta para todas as perguntas que você fez e para muitas que você não tem inteligência para fazer ou responder. Agora, poderia fazer a gentileza de dizer por que eu deveria me dar ao trabalho de encher a cabeça com um monte de detalhes inúteis a fim de responder toda pergunta tola que qualquer um possa fazer, quando tenho homens aptos ao meu redor que podem fornecer todos os fatos que quero quando os chamo?".

Essa resposta foi citada de memória por Napoleon Hill, mas em essência relata o que Ford disse.

Fez-se silêncio no tribunal. O advogado inquiridor ficou de queixo caído e olhos esbugalhados. O juiz inclinou-se à frente e olhou na direção de Ford. Muitos jurados acordaram e olharam em redor como se tivessem ouvido uma explosão – que realmente ouviram.

A resposta de Henry Ford mostrou a todos que verdadeira educação significa desenvolvimento da mente e não apenas obtenção e classificação do conhecimento.

Muito provavelmente, Ford não saberia nomear as capitais de todos os estados norte-americanos, mas sabia como juntar – e de fato juntou – o capital para fazer girar muitas rodas em todos os estados da União.

Ford provavelmente não poderia entrar em seu laboratório químico e separar a água em átomos de hidrogênio e oxigênio e depois recombinar os átomos na ordem original, mas sabia como se cercar de químicos que poderiam fazer isso para ele. A pessoa que consegue usar com inteligência o conhecimento de outrem é tão ou mais educada do que a pessoa que apenas tem o conhecimento, mas não sabe o que fazer com ele.

COMO FORMAR UMA ALIANÇA DE MASTERMIND

Antes de resumir em uma única frase a chave para o extraordinário poder que você terá quando dominar o poder de sua mente, vamos recapitular os princípios da aliança de MasterMind e os passos para se criar uma.

O MasterMind é uma aliança de duas ou mais mentes trabalhando em perfeita harmonia para alcançar um objetivo definido.

Para formar um grupo de MasterMind, você deve:

1. Escrever uma lista das qualificações que deseja dos integrantes.

2. Quem escolher? Pense nas qualidades de um bom amigo ou empregado:

    • Confiabilidade

- Lealdade
- Capacidade
- Atitude mental positiva
- Disposição para fazer um esforço extra
- Fé aplicada

3. Certifique-se de estar em completa harmonia com a segunda pessoa; depois vocês dois devem concordar quanto à terceira, vocês três em relação à quarta e assim por diante. Isso é importante. Você deve ter membros de absoluta confiança. Todos os membros devem aceitar uns aos outros sem reservas.

4. Escolha e *elimine*, se necessário, até ter o grupo certo trabalhando em perfeita harmonia.

5. Certifique-se de encontrar um motivo forte o suficiente para assegurar que o objetivo será alcançado. Se tiver lucro, esteja pronto para compartilhá-lo com quem ajudou você, na proporção da contribuição. Faça um esforço extra.

6. Certifique-se de ter uma hora e um lugar definidos para se reunir e discutir os planos e ações a serem adotados. Negligenciar esse ponto implica fracasso.

7. Mantenha harmonia perfeita. Esse é seu dever como líder. Lembrar o objetivo principal de Carnegie: "Formar homens", ajuda.

8. *Entenda-se consigo mesmo.* Faça um MasterMind com o seu "outro eu", que não sabe o que é derrota, até conhecê-lo perfeitamente. Você não pode vencer sem essa aliança. O sucesso

começa em você. Quando utilizar o princípio do MasterMind para se valer das mentes de outrem, esteja certo de começar pelo controle absoluto da sua própria mente.

Um excelente resumo do princípio de dominar seu poder mental e o poder do MasterMind é a repetição de uma frase que ilustra a fonte de onde o MasterMind extrai seu potencial de poder:

O QUE QUER QUE A MENTE HUMANA SEJA CAPAZ DE CONCEBER E ACREDITAR, ELA É CAPAZ DE REALIZAR.

Conforme afirmado aqui, a "mente humana" consiste da soma de conhecimento constatado, organizado e registrado pela humanidade desde o início da civilização. Esse conhecimento está disponível para todos os que têm o desejo e a inteligência para dele se apropriar e utilizar, para todos que aprenderam a dominar a própria mente e buscam o sucesso pelo superpoder da persuasão.

Capítulo 10

PROCURE UM SÍMBOLO

A Fundação Napoleon Hill elegeu Del Smith como exemplo de pessoa que usa com êxito os 17 princípios para se chegar ao sucesso e desfrutar das verdadeiras riquezas da vida. No Capítulo 6, descrevemos os 17 princípios. Ao ler este capítulo, veja quantos princípios usados por Del Smith em sua vida e experiências você é capaz de identificar.

QUANDO AS RAJADAS CESSARAM e a guerra do Iraque acabou, o primeiro avião civil a pousar no Kuwait foi um Gulfstream II, um jato executivo pertencente ao presidente da Evergreen International Aviation, Inc. A fumaça dos campos de petróleo incendiados pelas forças iraquianas em retirada era tão espessa que o piloto do avião, Noel Fletcher, de 30 anos, não conseguia ver o aeroporto.

Não havia apoio à navegação. O radar, o sistema de pouso por instrumentos e os demais equipamentos eletrônicos haviam sido destruídos pelos iraquianos em retirada. Fletcher anunciou sua posição numa frequência predeterminada para que os outros aviões na região se mantivessem fora do caminho. Esse sistema primitivo era o único controle de tráfego aéreo na cidade destroçada pela guerra.

À medida que o Gulfstream avançou através da fumaça pegajosa, a imagem de um país destruído pela guerra começou a aparecer. A área que rodeava o antes movimentado aeroporto da Cidade do Kuwait estava coberta por refugos da guerra. Carcaças incendiadas de tanques, caminhões e outros veículos, cápsulas da munição usada e os corpos de soldados e animais mortos, pegos no meio do fogo cruzado, amontoavam-se na região.

A bordo do jato estava Delford M. Smith, 60 anos, presidente da Evergreen. Ele estava lá porque sua companhia havia transportado soldados e suprimentos para o Oriente Médio durante meses, enquanto os Estados Unidos e seus aliados se preparavam para a guerra. Um alicerce de sua filosofia de serviço é estar fisicamente presente. "Primeiro você tem que se vender", diz ele. "Em segundo, vender a necessidade; em terceiro, vender a solução e estar com ela à mão. Vendemos soluções de verdade para problemas de verdade."

Ele acredita fervorosamente que, para a Evergreen atender seus clientes adequadamente, seus funcionários – inclusive o presidente – devem estar onde precisam deles. A regra vale independentemente de a empresa transportar malotes de correio para o governo, pulverizar plantações, combater incêndios florestais, levar suprimentos para campos de petróleo em regiões remotas do Alasca, ou soldados para uma zona de guerra.

Logo depois de o Gulfstream II aterrissar na Cidade do Kuwait, Smith e sua equipe foram ao trabalho para descobrir o que era mais necessário e onde poderiam ajudar. A cidade vivia uma situação desesperadora, com falta de água potável, suprimentos médicos e energia elétrica. Sem hesitar, Smith mandou tirar os assentos de seu jato executivo e usou o avião para mandar água mineral, material médico e geradores. Por várias semanas, ele e a equipe – composta pelo comandante Fletcher, o copiloto Steve Lilley, de 23 anos, e Mary Simmons, de 24 anos, assistente pessoal de Smith – viajaram quatro vezes por dia de pontos de apoio na Arábia Saudita para a Cidade do Kuwait, levando os suprimentos de que a cidade tanto precisava.

Uma das muitas ironias da guerra era o fato de ser muito mais fácil levar os suprimentos de avião do que de caminhão. O acesso pelas fronteiras terrestres ainda era controlado por soldados, enquanto no aeroporto toda a infraestrutura – inclusive de migração e alfândega – não estava funcionando. Era melhor e mais seguro chegar à cidade pelo ar.

Não foi acidente Smith estar disponível quando os serviços de sua empresa se fizeram necessários. Ele fez carreira por estar no lugar onde os clientes precisavam. A Evergreen lutou contra a cegueira dos rios (oncocercose) na África, contra a fome na Etiópia e ajudou a exploração em busca de petróleo em todos os campos petrolíferos do mundo livre.

Em seis horas depois de notificada pelo governo norte-americano, a Evergreen transportou o xá do Irã do Panamá para o Cairo e, enquanto ajudava o governo de El Salvador a consertar as linhas de energia elétrica derrubadas pela guerrilha, transportou a filha do ex-presidente salvadorenho Jose Napoleon Duarte para um local seguro quando ela foi solta pelos rebeldes de esquerda. Dias depois do último avião militar norte-americano ter deixado o Vietnã em 1975, a Evergreen continuou no país para retirar os funcionários da Royal Dutch Shell e suas famílias abandonados lá.

A disposição da Evergreen para encarar incumbências difíceis do governo levou a algumas especulações da mídia de que a companhia fosse uma empresa de fachada da CIA, um boato que a perseguiu por anos. Smith não costuma falar sobre nenhum cliente; trata de cuidar em silêncio das necessidades deles da maneira mais eficiente e barata possível. Sua liderança incentiva os funcionários a fazer o mesmo. É fato conhecido na empresa que ele nunca pede a ninguém para fazer algo que ele mesmo não faria ou que já não tenha feito.

Tim Wahlberg, um veterano que trabalha há 22 anos na companhia e agora preside a Evergreen International Airlines, diz que a maioria dos riscos que a empresa correu nos últimos anos foram riscos de Smith. "Ele acredita em si e na empresa; sabe que podemos fazer qualquer coisa. Quando assumimos um compromisso, cumprimos, haja o que houver.

"Nos últimos anos, estivemos envolvidos em alguns projetos importantes, como destruir plantações de maconha e heroína no México. Às vezes nos deparamos com tiros, e tivemos equipamentos incendiados pelos barões da droga que não gostam quando destruímos as plantações deles, mas para nós trabalho é trabalho. Fazemos o que tem que ser feito. Somos uma empresa sem frescuras, que executa o trabalho. Essa atitude começa com Del, passa pela gerência e chega a todos os funcionários", diz Wahlberg.

"Del nos dá a chance de nos provarmos, e jamais o decepcionaríamos. Ele me entrevistou para o emprego porque eu tinha alguma experiência com helicópteros do exército e era disso que ele precisava quando começou a empresa. Foi uma combinação perfeita: eu procurava aventura, e ele procurava tripulação. Ele me perguntou se eu queria ir a campo ou ficar por aqui.

"Desde então, viajei o mundo várias vezes. Trabalhei no Alasca, na Austrália, na África, na floresta amazônica e em muitos outros lugares. Del nos ensina a acreditar em nós mesmos e agir e responder rapidamente. Se ele disser: 'Vamos para o Paquistão', juntamos nossa tralha e vamos. Desde o começo, sempre entregamos serviço de qualidade no prazo.

"Não há espaço para burocracia ou complacência. Somos uma empresa com uma forte ética de trabalho e compromisso com a lucratividade. Sabemos que, se quisermos crescer e prosperar, temos que vender um produto de qualidade a um preço de qualidade. Del costuma dizer: 'Se você acha que a qualidade é cara, tente o contrário – pagar por ela duas vezes'. O cliente sempre vem em primeiro lugar, seja qual for o trabalho."

O destemor de Smith em aceitar incumbências que deixariam os concorrentes horrorizados podem ter raízes no início de sua vida. Ele não teve nada da segurança que normalmente caracteriza a infância. Órfão muito cedo, quando os pais morreram num acidente, Smith foi adotado com pouco mais de um ano de idade, mas a pequena família logo foi abandonada pelo pai adotivo.

Mabel Smith lutou contra a pobreza e a saúde frágil, enquanto batalhava para criar Del sozinha. Quando viu que não podia cuidar dele, Mabel devolveu Smith ao orfanato e depois o entregou à família de sua irmã até sua saúde melhorar. Mas ela era a família de Smith, que a visitou diariamente até ela estar suficientemente boa para ele voltar para casa. Quando a situação era tão difícil que não tinham nem carvão para se aquecer, o jovem Smith jogava esterco de vaca nos ferroviários quando os trens de carga passavam para instigá-los a jogar carvão nele. Ele juntava o carvão e levava para casa.

Quando criança, ele arcou com fardos que fariam muitos adultos vacilarem. Ele não consegue se lembrar de não trabalhar e entregava jornal em três rotas diferentes para manter o corpo e a mente sãos. Aos dez anos de idade, havia poupado o suficiente para dar entrada numa casinha em Centralia, Washington, onde morou com a "mãe Smith".

Foi no orfanato que Smith viu um exemplar de *Pense e enriqueça*, de Napoleon Hill, o livro que teria profunda influência em sua formação. Enquanto estudava o livro, ele percebeu que Hill havia colocado em palavras o que ele sentia. O livro esclareceu seus desejos e o ajudou a focar em suas metas. Pela primeira vez ele entendeu o que queria realizar na vida e como conseguir. A fórmula estava descrita no livro.

Um sucesso inspirou o seguinte à medida que Smith aplicava os princípios de sucesso de Napoleon Hill. Ele percebeu que uma formação universitária era fundamental para realizar as metas que colocou para si mesmo e desenvolveu um desejo ardente de conseguir seu diploma. Ele trabalhava à noite e durante o verão numa madeireira para se sustentar e pagar a faculdade, frequentando a escola de dia. Smith recebeu com orgulho seu diploma da Universidade de Washington em 1953.

Na adolescência ele desenvolveu um amor pela aviação que manteve pelo resto da vida. Recebeu seu brevê para pilotar aviões em 1949, aos 18 anos, e para pilotar helicópteros em 1957, nos primórdios desses aparelhos. Conseguiu emprego de piloto com Dean Johnson, um operador de helicópteros da região, na esperança de viver do seu amor pela aviação.

Ele aprendeu rapidamente a fazer o trabalho e, apesar dos riscos daquele tempo de pioneirismo do helicóptero e das muitas horas de trabalho, ele adorava. Fazia serviços de carga e de combate a incêndios para as agências florestais da costa do Pacífico no Noroeste e transportava peças, suprimentos e trabalhadores da indústria de petróleo no extremo norte do Alasca e no Oriente Médio.

Em 1960, ele estava se coçando para abrir um negócio próprio, montar uma empresa que permitisse incorporar no serviço sua devoção à qualidade e o desejo ardente de ser bem-sucedido. Ele comprou dois helicópteros sem dar entrada; suas principais garantias foram seu currículo e a inclinação para trabalhar duro. A Evergreen Helicopters, Inc., foi fundada em McMinnville, no Oregon, em 1º de julho de 1960.

O lema da empresa incipiente era: "Qualidade sem meio-termo". Smith tinha uma visão básica para a Evergreen, compartilhada com a equipe:

1. Performance é a única coisa que conta!

2. Cuidar bem do cliente é a razão de ser.

3. O que se faz deve ser benéfico para a humanidade.

Sua dedicação e a determinação rapidamente deram retorno. Os clientes apreciavam sua atenção fanática aos detalhes e o atendimento das necessidades e exigências. Sua palavra era mais que um compromisso, era uma promessa sagrada. Se Del Smith dizia que alguma coisa estaria pronta em determinado prazo, você podia dar como certo. Independentemente de qualquer sacrifício pessoal ou das dificuldades encontradas pelo caminho, ele concluía o serviço.

No início, era de praxe Smith e sua equipe viajarem quase a noite inteira numa caravana de caminhões-plataforma levando helicópteros, caminhões-tanques com combustível e produtos químicos e equipamento de apoio. Estacionavam, dormiam um pouco e ao amanhecer começavam o dia de trabalho. Esses hábitos permaneceram com Smith; depois de 30 anos no negócio, ele ainda mantém uma agenda que deixaria homens com a metade da sua idade exaustos.

No final do primeiro ano de negócios, a Evergreen Helicopters contava com sete helicópteros na frota. Por motivo de necessidade naqueles primeiros anos de baixa capitalização, Smith desenvolveu controles de gestão e contabilidade para a pequena empresa e contratou Phoebe Hocken para cuidar da administração e da contabilidade. O espírito de equipe e os controles de gestão implantados por Smith naquele tempo permanecem até hoje. O sistema está mais sofisticado, mas os fundamentos são os mesmos.

Basicamente, cada aeronave é tratada como um centro de lucro separado. As receitas e os custos são lançados, e a utilização e o custo por hora de operação são monitorados diligentemente. Um helicóptero é uma máquina de trabalho, acredita Smith – uma espécie de trator dos ares, um anjo de misericórdia –, e deve ser mantido ocupado. Um helicóptero parado é um sorvedouro de dinheiro. Apesar de a frota contar agora com 165 unidades, ele tem um domínio surpreendente dos detalhes do negócio. É capaz de recitar estatísticas operacionais nos mínimos detalhes e se empenha inflexivelmente numa busca incansável de melhora da performance.

John Carnemolla, vice-presidente sênior da Evergreen Aircraft Sales & Leasing, uma *trading* que compra e vende qualquer coisa, de peças de reserva para helicópteros a Boeings 747, entrou para a Evergreen em 1975. Ele recorda: "Del sempre teve a mão em tudo que ocorre na empresa. Quando entrei, tínhamos cerca de 13 bases e 130 helicópteros. Numa reunião ele podia tomar a palavra e recitar as estatísticas operacionais pelo número de identificação e dizer como cada aeronave estava se saindo – quantas horas estava trabalhando e a receita que estava gerando. Crescemos muito desde então, mas aposto como ele ainda consegue fazer a mesma coisa hoje. Ele tem um conhecimento incrível do negócio".

Mike Clark, presidente da Evergreen Helicopters, diz que Smith possui um intelecto impressionante, o tipo de mente que lhe permite enfocar várias coisas ao mesmo tempo. "Um dia levei um advogado, primo da minha mulher, para trabalhar comigo. Temos uma reunião de gestores toda segunda às sete da manhã e geralmente recebemos convidados, por isso eu o levei comigo.

"Como de costume, a *holding* fez seu relatório primeiro e cada uma das empresas operacionais repassou as prioridades da semana. Mais tarde, no mesmo dia, tivemos mais umas reuniões em que Smith esteve envolvido, de modo que o advogado passou bastante tempo com ele e pôde ver como ele funcionava.

"Quando voltávamos para casa, perguntei o que mais o havia impressionado em Del Smith. Ele disse: 'Bem, ele é a pessoa mais brilhante que já conheci. Conheço algumas pessoas muito inteligentes, mas fiquei surpreso com a capacidade que ele tem de enfocar tantos assuntos ao mesmo tempo. Fiquei impressionado com seu conhecimento profundo de todos os aspectos de uma empresa tão diversificada'.

"Del se envolve", disse Carnemolla. "É o método dele. O sistema que ele desenvolveu traz os sucessos e as falhas à tona para que possam ser analisados ou consertados caso necessário, de modo que ele possa dar crédito a quem merece ou tomar ações corretivas caso exigidas."

A maior parte dos negócios da Evergreen nos anos 1960 concentrava-se em florestas e agricultura. Os contratos de Smith eram principalmente para semear e pulverizar plantações, combater incêndios florestais e desmatar. No primeiro ano de atividade, ele conseguiu um contrato com a Agência de Gestão do Solo dos EUA para replantar 12 mil hectares de florestas destruídas por incêndios. A agência concluiu que Del Smith e sua equipe poderiam fazer o trabalho de helicóptero por um terço do custo de replantar manualmente a área devastada e chegar a regiões remotas e montanhosas que eram inacessíveis a pé.

Os comentários sobre os feitos de Smith espalharam-se, junto com sua reputação. Nos primeiros anos de operação, a Evergreen foi contratada para executar missões tão variadas como contar os alces do rio Ruby, transportar sangue para cirurgias de coração aberto e fincar postes de energia elétrica.

O terreno árido em que a Evergreen opera ajudou a produzir homens obstinados, sem medo de encarar trabalhos difíceis. Mas que fazem isso com prudência. São tomadas todas as precauções para minimizar riscos, e Smith nunca hesitou no compromisso com a segurança em primeiro lugar. O equipamento é mantido em condições impecáveis, independentemente dos custos.

Só se corre riscos quando há vidas em perigo. Em 1966, Smith recebeu várias homenagens pelo ousado resgate, em 27 de dezembro de 1965, de uma garota que ficou presa numa pequena ilha no meio de um rio turbulento.

A chuva dos dias anteriores fez o rio Yamhill subir até transbordar e inundar as fazendas próximas na região de McMinnville. Naquela tarde, um jovem casal, David Hughes, de 19 anos, e Mary Lou Boyers, de 18, entrou no rio com um bote inflável para verificar os danos da enchente. O bote virou, e eles ficaram presos numa ilhota que, antes da enchente, fazia parte de uma fazenda.

Quando os dois viram que não conseguiriam chamar a atenção com gritos de socorro, decidiram que Hughes tentaria nadar até a costa e pedir ajuda. Ele nadou 800 metros no rio turbulento e correu até a fazenda mais próxima para pedir ajuda, gelado, encharcado e quase incoerente.

Pelo relato dos jornais da época, Smith estava em casa, gripado, e os oito helicópteros da Evergreen estavam em solo por causa do mau tempo, quando ele recebeu uma chamada das autoridades locais pedindo ajuda. "Não podíamos mandar homens de barco à noite", disse o xerife W. L. "Bud" Mekkers para o *News-Register* de McMinnville. "O rio estava muito rápido, cheio de redemoinhos, de troncos de árvores em deslocamento acelerado e muitas cercas de arame farpado escondidas logo abaixo da superfície.

"Como eu mesmo sou piloto", disse Mekkers, "sabia o que estava pedindo para Del fazer. Ele fez sem pestanejar, sabendo que tinha que ser feito, ou a garota poderia ser arrastada pela correnteza, ou morrer de hipotermia". Segundo o xerife, Smith não parou nem para pegar um colete salva-vidas quando correu para o helicóptero. Tirou as portas do helicóptero bolha e decolou.

Voando de lado para ter melhor visibilidade, Smith executou vários rasantes e subidas verticais enquanto procurava a garota entre as ilhas. Quando a localizou, era necessário pousar "num terreno coberto de árvores, com diâmetro pouco maior que o da hélice – cerca de doze metros –, enquanto rajadas de vento de 100 quilômetros por hora ameaçavam o pequeno helicóptero de três lugares".

Quando o resgate finalmente foi concluído, a ilhota estava prestes a submergir. Reticente sobre os próprios feitos, como de costume, Smith disse ao *News-Register* simplesmente que "foi um pouco assustador".

Pela desconsideração altruísta para com a segurança pessoal na hora do resgate, Smith foi indicado para o prêmio Piloto do Ano da Associação das Operadoras de Helicópteros dos Estados Unidos e chamado a Washington, D.C., para receber o prêmio Frederick L. Feinberg. No mesmo ano, a Evergreen foi citada pela Agência Federal de Aviação por sua notável segurança.

A história da vida de Smith e a história da indústria de helicópteros comerciais estão inextricavelmente ligadas. Ele inventou o sistema de pulverização agrícola por helicóptero e foi pioneiro no uso dos aparelhos em atividades nunca imaginadas. Os pilotos da Evergreen religaram linhas de eletricidade em áreas isoladas e foram os primeiros a usar helicópteros para transportar sistemas pesados de ar-condicionado até o topo de arranha-céus.

Nunca satisfeito com o *status quo*, em meados da década de 1960 Smith investiu pesadamente em pesquisa e desenvolvimento de aplicações ainda mais comerciais para os helicópteros. Em 1966, a empresa comercializava seu sistema patenteado de pulverização aérea por todos os Estados Unidos.

O final da década de 1960 trouxe reconhecimento para Smith também em outras áreas. A precisão dos voos da Evergreen durante as piores condições de voo já registradas no mês de julho, enquanto a empresa combatia uma invasão de mariposas no estado de Washington, gerou rasgados elogios para a maior operação de pulverização de inseticida já empreendida nos Estados Unidos. Smith recebeu amplo reconhecimento – e mais negócios.

Em 1968, a empresa comprou o primeiro helicóptero turbinado comercial fabricado pela Bell, e Smith novamente expandiu os horizontes da companhia. O Bell 205 tornou-se um pé de boi para operações de construção e de carga pesada. Smith chamou a atenção da revista *Men of Action*, que retratou suas aventuras pelo mundo: pulverizando plantações de banana na América Central, trabalhando com uma expedição baleeira na Antártica e voando para operações de mineração no Alasca.

Para se assegurar de ter as pessoas certas nos lugares certos, Smith permaneceu envolvido no recrutamento, não obstante a empresa ter crescido substancialmente e obtido uma boa reputação nos círculos da aviação civil. Wade Green, hoje chefe das operações de voo da companhia de helicópteros, recorda seu primeiro encontro com Smith.

"Eu tinha acabado de sair do exército, onde havia sido piloto de helicóptero no Vietnã, e estava sondando vários empregos. Um deles era na Evergreen. Como combinado, me reuni com um cara

num motel em Fort Worth, no Texas, para falar sobre a possibilidade de trabalhar como piloto na Evergreen.

"Fui bastante franco com ele. Eu tinha outras oportunidades e
não precisava pegar a primeira coisa que aparecesse, por isso perguntei tudo sobre a empresa, benefícios, problemas e o que mais
pude pensar. Não me contive. Pensei que estivesse falando com um
dos pilotos, por isso perguntei tudo o que eu queria saber.

"Falamos sobre ir para o Alasca e eu disse que estava interessado no que poderia ganhar com isso. Eu ficaria distante de casa por
longos períodos, e nós dois sabíamos que seria um trabalho muito
duro. Ele foi sincero, preto no branco, sem tentar tons de cinza.

"Depois da entrevista, fui até o carro dele, ainda conversando, e percebi que eu estivera falando com Del Smith, o dono da
empresa. Ele me impressionou não só por ser pé no chão, mas
também por parecer ter uma ideia muito nítida do rumo que o
setor estava tomando.

"Mais tarde, relembrando a entrevista, imaginei que provavelmente havia estragado tudo com meu excesso de franqueza. De
fato, eu não havia tentado impressioná-lo porque achei que fosse
apenas um dos funcionários. Mas concluí que ele era muito direto
e, se me quisesse, eu iria para a Evergreen e para o Alasca.

"Acho que Del gosta de conversa franca, porque ligou três dias
depois e me ofereceu um emprego. Aceitei na mesma hora e no dia
seguinte estava em Prudhoe Bay, no Alasca, trabalhando no oleoduto. Foram dias excitantes. Estávamos no comecinho, experimentan-
do qualquer coisa que pudéssemos imaginar com um helicóptero.
Fertilizamos florestas, usamos os primeiros helicópteros grandes

para pulverizar, entramos no setor madeireiro e de construção, trabalhamos em prédios e linhas de transmissão de energia.

"Desde o começo Del exercitou os princípios do sucesso – especialmente a definição de objetivo. Ele sabia para onde estava indo e como chegaria lá. Ele sabia que estávamos construindo algo de valor, algo que seria muito bom para muita gente algum dia. Ele é tão determinado em atingir suas metas que não deixa nada atrapalhar. Ele desconhece o significado da palavra *parar*. Naquele tempo, ele trabalhava o dia inteiro, depois dirigia a noite toda para chegar ao local do próximo serviço. Hoje ele não precisa mais dirigir a noite toda para chegar ao próximo serviço, mas ainda trabalha no mesmo ritmo de quando estava começando.

"Del também acredita muito em trabalho de equipe. Estamos num tipo de negócio que exige cooperação; todo mundo deve fazer um bom trabalho ou a operação inteira fracassa, mas Del vai além do que normalmente seria esperado."

Dizem na empresa que Green foi beneficiário da dedicação de Smith aos funcionários e de seu compromisso com o trabalho em equipe. Quando Green e Walhberg participavam da equipe da Evergreen no oleoduto do Alasca, uma combinação de mau tempo e problemas de navegação deixou os dois e o helicóptero retidos num *iceberg*, sem combustível. Green dormiu e Walhberg se preocupou, mas ambos sabiam que Smith acabaria encontrando eles.

Ativaram o transmissor de emergência que informaria sua localização à aeronave de patrulha. Apesar da confiança em que Smith e os outros iriam encontrá-los, eles sabiam que era arriscado. Estavam muito fora de rota em cima de um *iceberg* em movimento. Mesmo que o sinal de emergência fosse captado e o tempo colaborasse, na hora em que mandassem buscá-los a localização teria mudado.

Eles estavam no *iceberg* há 24 horas quando foram avistados por um avião de patrulha, e muitas horas mais se passaram até um avião da Evergreen conseguir chegar lá. Os dois foram levados para o acampamento de base, onde se alimentaram e pegaram combustível para buscar seu helicóptero. Logo o trabalho voltou ao normal. Smith e sua equipe da Evergreen mais uma vez tiveram um desempenho admirável – sem alarde.

A disposição de Smith para fazer um esforço extra pelos clientes e empregados lhe rendeu a reputação de líder de uma empresa de qualidade, mas ele queria mais. Queria uma companhia de classe mundial, uma líder respeitada no setor. Enquanto trabalhava incansavelmente para manter a empresa avançando, continuava a planejar de antemão.

Boa parte do crescimento da Evergreen pode ser atribuído à visão de longo prazo de Smith. Ele é um pensador extraordinariamente preciso, capaz de controlar sua atenção e foco nos negócios em mãos, enquanto mantém um olho no futuro. "Del é um visionário", afirma Richard Nelson, diretor de recursos humanos da Evergreen International Aviation. "Ele realmente acredita na filosofia de Napoleon Hill de que 'o que a mente humana é capaz de conceber e acreditar, ela é capaz de realizar'. É muito orientado para metas. Impõe metas ambiciosas para si e para a companhia e as atinge mediante uma prática persistente. Ele ensina esses princípios para os jovens da empresa e todo mundo mais. Seu conceito de atingir metas permeia a organização."

Oficial da reserva graduado pela Universidade do Estado de Oregon, Nelson entrou para o exército em 1965 como segundo--tenente e serviu duas vezes no Vietnã, na segunda como piloto. Aposentou-se vinte anos depois e foi trabalhar na Evergreen como diretor de recursos humanos.

"Del é um líder notável no modelo de liderança militar", acredita Nelson. "O lance é desempenho. Nada mais interessa. Ele recompensa os que têm bom desempenho. Os outros não sobrevivem, mas até eles melhoram por passar pela Evergreen.

"Algumas pessoas não são adequadas para o nosso estilo de trabalho", diz ele. "Simplesmente não são do tipo Evergreen. Quer se saiam bem ou não, Del nunca economiza seus colaboradores. Ele é um homem honesto, íntegro e totalmente franco. Não tem nenhum segredo. O que você vê é o que é.

"*Não dá* não existe no vocabulário de Del. Ele tem uma capacidade fantástica para avaliar um serviço e dizer na hora se vai dar lucro. Se vai, pegamos. Gostamos de ganhar dinheiro. É importante para nossos credores, nossos fornecedores, nossos funcionários e nosso crescimento. Acreditamos que, se nosso desempenho for como deve ser, todo serviço deve dar lucro.

"Ao longo dos anos, Del aprendeu o que funciona e o que não funciona. Ele e nós aprendemos com os erros. Fazemos uma auditoria de todas as missões depois que terminam para determinar o que podia ter sido feito com mais eficiência. Recentemente, por exemplo, num trabalho na África, descobrimos que as hélices das turbinas duravam apenas a metade do que deveriam por causa da poeira e da areia. Vamos levar isso em conta no próximo contrato que fizermos lá.

"Temos padrões muito elevados e os mantemos. Del está sempre ali para garantir que não decaiam. Aplicamos os mesmos princípios aos contratos. Nosso modelo de contrato é o que acreditamos ser o melhor possível, pois presumimos que, durante o processo de negociação, todos têm que ceder um pouco. Partimos de um padrão elevado para poder manter nosso compromisso com a qualidade.

"Eu diria que Del Smith é um líder natural, com aptidão igual à de Dwight Eisenhower ou Douglas McArthur", diz Nelson. "Os princípios que aprendeu estudando a obra de Napoleon Hill permaneceram com ele ao longo de sua carreira, e ele os ensinou a outros em postos-chave na Evergreen. Ele inspira as pessoas porque acredita nelas. Ele faz o gênero humanitário. No processo mental dele, o mais importante de tudo é que, com nossos contratos, de algum modo vamos melhorar a vida na Terra. Se ele não acreditar nisso, não pega o contrato."

Sempre de olho no futuro, à medida que o negócio de helicópteros prosperava, Smith começou a prever o momento em que a Evergreen teria que começar a acrescentar aviões de grande porte à frota para continuar crescendo. Nem todos na companhia concordaram. Tim Walhberg recorda: "Como um velho fã dos helicópteros, eu não entendia por quê. Não achava que devêssemos ser uma companhia aérea, mas Del viu o valor do negócio".

Para entrar nesse ramo antes da desregulamentação do setor aéreo, era preciso enfrentar uma enorme burocracia e obter a aprovação do Conselho de Aeronáutica Civil, algo que era quase que um pequeno milagre. Mesmo assim, Smith deu início ao processo comprando um certificado provisório, sujeito a aprovação pelo conselho, da Johnson Flying Service, com sede em Missoula, em

Montana. A aquisição daria à Evergreen a capacidade de operar em todos os Estados Unidos.

Amigos e clientes que Smith ajudou ao longo dos anos deram uma mãozinha. Segundo o perfil de Smith na revista *Forbes* de 10 de dezembro de 1990, George Doole, o fundador da Air America (uma empresa da CIA), se interessou pessoalmente pelas audiências. "Antes, o conselho havia rejeitado dois candidatos à compra da Johnson, primeiro a U.S. Steel, depois o general Curtis LeMay e seu sócio, o ator James Stewart", relatou a *Forbes*. "Mais ou menos na mesma época, a CIA começou a sofrer pressão do Congresso para se livrar de suas empresas aéreas, como a Air America e a Intermountain Airlines, e arrendar sua grande base aérea em Marana, no Arizona, para a Evergreen."

O autor da reportagem da *Forbes*, Richard L. Stern, fez algumas especulações sobre as conexões de Smith no governo, mas concluiu: "Embora muita gente vá dizer que Smith recebeu um belo empurrão de 'certas agências governamentais', poucos podem negar que a Evergreen é esplêndida no que faz".

Depois de dezoito meses de audições e batalhas judiciais, o conselho enfim ratificou a decisão inicial do juiz de que a aquisição da Johnson Flying Service beneficiaria a Johnson, seus empregados e o público.

A Evergreen Helicopters pagaria US$ 5 milhões pelo certificado da Administração Federal de Aviação e pelas operações da Johnson. Uma das pioneiras da aviação, a Johnson Flying Service funcionava desde 1924, literalmente desde os primórdios da aviação nos Estados Unidos. O diário de bordo de Bob Johnson foi assinado por Orville Wright. Num gesto histórico, em 1975 o presidente Gerald Ford concedeu a permissão de operação da Johnson à Evergreen pelo Certificado Suplementar nº 1, reconhecendo o histórico "comprovado" da empresa na aviação. A concessão com "direitos adquiridos" deu à empresa uma vantagem de cinco anos sobre a concorrência que surgiria com a desregulamentação do setor aéreo. Foi o empurrão que permitiu a Smith e à Evergreen a expansão para o setor de aviação e foi registrado na história da companhia como a data de nascimento da Evergreen International Airlines, Inc.

A Evergreen Airlines logo se instalou na recém-adquirida base aérea de Marana, no Arizona, agora rebatizada de Evergreen Air Center. E Smith, que aprendeu sobre as complexidades de fazer negócios em Washington, D.C., a partir da dolorosa experiência, abriu um escritório de relações governamentais na capital. Sua missão seria obter novas concessões de operações para a Evergreen.

O ano de 1975 trouxe outros sucessos para a Evergreen. A cobertura do estádio do Detroit Lions foi instalada por um helicóptero Sikorsky S64, diminuindo em 90% o tempo de instalação, segundo especialistas em construção. A empresa também foi notícia nacional ao resgatar o cantor country Hank Williams Jr., que se feriu numa queda nas montanhas de Montana.

A companhia começou a se expandir para valer em setembro do ano seguinte com a aquisição de uma aeronave DC-9, que a Evergreen usou num contrato com a aeronáutica norte-americana no programa Comando Aéreo Logístico. O contrato era de fornecimento de fretes aéreos, operação mantida até hoje. Para Smith e a Evergreen, é uma fonte de orgulho essa ser uma das operações mais antigas da companhia.

A Evergreen entrou na era dos jatos em 1976, com a compra de dois DC-8, e se expandiu para voos *charters* internacionais, utilizando as concessões de operação rapidamente ampliadas. Smith gostava do que chamava de aeronaves de "transformação veloz", que permitem a rápida conversão de cargueiros em aviões de passageiros para atender às necessidades do cliente.

A Evergreen Airlines fazia voos *charter* e voos de substituição para grandes companhias aéreas quando um problema de manutenção ou greve deixava os aviões em solo. Entre os clientes da companhia estavam Emery, United Parcel Service, agentes de viagens, empresas de carga e o governo norte-americano. A companhia foi escolhida para levar os convidados de Frank Sinatra para sua festa de aniversário em Las Vegas, em 1981.

A unidade de manutenção na base aérea de Marana, no Arizona, estabeleceu uma reputação de excelência e confiabilidade que se espalhou pelo setor. Outras linhas aéreas e donos de aviões particulares – como a banda pop Bee Gees – gostavam da qualidade do serviço fornecido em Marana e mandavam seus aviões para a manutenção no Evergreen Center, assim como a NASA faz hoje com seus ônibus espaciais.

Sempre alerta às oportunidades e insatisfeito com o manuseio de bagagem e o serviço em terra nos principais aeroportos norte-americanos, Smith abriu sua própria empresa de despacho de bagagens. Chamada E.A.G.L.E.** (Evergreen Aviation Ground Logistics Enterprises), a nova unidade proporcionou à companhia a vantagem nas operações em solo. Logo estava operando nos principais aeroportos dos Estados Unidos.

---

* Águia em inglês. (N.T.)

Em matéria de manutenção das instalações, Smith é um fanático. O piso dos hangares é pintado e envernizado, as ferramentas são cuidadosamente arrumadas, e todo o equipamento é organizado e imaculado. Os hangares mais parecem uma sala de cirurgia de hospital do que uma unidade de armazenamento e manutenção cheia de graxa.

O equipamento de solo é tratado da mesma maneira. Os caminhões estão sempre bem pintados, são lavados regularmente e estacionados em filas certinhas. Se Smith observa alguma coisa fora do lugar quando sobrevoa a operação, o gerente da unidade pode esperar uma ligação do presidente pedindo para ele descer ao hangar e ajeitar as coisas, seja em horário de trabalho, à noite ou num fim de semana. Com um avião decolando a cada oito minutos em qualquer lugar do planeta, a Evergreen opera 24 horas por dia.

Espera-se que os funcionários da Evergreen se comportem com profissionalismo na segunda-feira às sete da manhã e nas tardes de domingo em que Smith tira uma rara folga para assistir ao filho Mark, de 24 anos, nomeado recentemente calouro do ano pela American Racing Series, correr num carro patrocinado pela Evergreen.

Para Smith, assistir às corridas é uma prioridade desde que Mark e o irmão mais velho, Mike, de 25 anos, hoje piloto de F-15 na Guarda Aérea Nacional, começaram a correr de *kart*, ainda meninos. "Não imaginávamos o esforço que nosso pai tinha que fazer para ir nas corridas", recorda Mike. "Quando meninos, achávamos que era normal os pais voarem do trabalho no Alasca ou da América do Sul para casa, para ver os filhos correrem. Ele quase sempre estava presente."

Hoje Smith viaja para as corridas no seu Gulfstream II, levando vários convidados, autoridades visitantes, funcionários e os filhos destes, dependendo do espaço disponível. Na Evergreen, ser convidado para ir às corridas com o presidente é um grande privilégio. Todos a bordo recebem o mesmo tratamento VIP da tripulação, e os que estão em serviço devem seguir o padrão de excelência da empresa, quer estejam na corrida ou providenciando a alimentação dos convidados.

Certa vez, o motorista do ônibus da Evergreen responsável por levar Smith e os convidados do aeroporto ao autódromo cometeu uma grande gafe por desconhecer o trajeto, um erro inaceitável na cultura da empresa. Ele deveria ter feito o trajeto pelo menos uma vez antes do evento para ter certeza de conhecer a melhor rota para o autódromo. Todos sabiam que ele seria severamente repreendido.

Após deixar o grupo no autódromo, o motorista chamou Smith para pedir desculpas. "Me ofereci para esse trabalho porque queria conhecê-lo", disse ele. "Como trabalhei a semana inteira, não tive tempo de checar o trajeto. Agora percebo que deveria ter arranjado um tempo para isso."

"Você aprendeu alguma coisa com essa experiência?", perguntou Smith.

"Sim, aprendi", respondeu o motorista. "Nunca mais cometerei um erro desses."

"Esse é o espírito", disse Smith. "Você está indo bem. Um erro não é um erro se você não aprender com ele. Na próxima vez, sei que você vai estar mais preparado."

Boa parte da popularidade de Smith com os funcionários de baixo escalão deve-se a seu interesse genuíno pelo bem-estar deles.

Smith viaja sem descanso, visitando operações em locais remotos e parando para bater papo com os funcionários da doca de carregamento até o presidente da unidade.

A primeira pergunta é sempre a mesma: "Como seu chefe está liderando?".

Esse tipo de avaliação reversa improvisada, em que os trabalhadores são indagados sobre o desempenho do líder, cria um ambiente que expõe rapidamente os incompetentes. Existem poucos segredos na Evergreen. Todo mundo sabe que os objetivos são o atendimento ao cliente e desempenho; ninguém pode repousar nos louros por muito tempo.

A segunda pergunta é: "Como você está se saindo na busca de um bom substituto para si mesmo?". Smith acredita que gente boa encontra mais gente boa e incentiva seu pessoal a encontrar substitutos para si mesmos, para que possam avançar nas promoções. John Irvin, de 35 anos, que chefia a seção de seguros da Evergreen International Aviation, atribui boa parte do sucesso da empresa à confiança de Smith nos jovens.

"Del gosta de dar oportunidades às pessoas. Ele deixa a gente trabalhar e cometer os próprios erros. Recruta muitos recém-formados na faculdade e os treina à sua maneira. Geralmente, passam por um programa de treinamento em gestão de dois anos e depois recebem mais responsabilidade do que sonhariam ser possível na idade deles.

"Mary Simmons é bom exemplo. Ela tem uns 25 anos e é um dos braços direitos de Del. Ele confia nela plenamente, e ela tem muitas responsabilidades. Quando ele não pode ir a algum lugar, muitas vezes envia Mary para representá-lo".

"O Sr. Smith muitas vezes me pede opinião", diz Mary. "Ele pergunta o que eu penso, e eu digo. Ele não gosta de puxa-sacos. Ele quer respostas honestas. Acredita que todos ensinam uns aos outros. Aprendemos uns com os outros, por isso ele pede nossa opinião. Mas discussão não substitui a ação. Todo mundo sabe que, para ele, a única coisa que interessa são os resultados. Ele insiste em desempenho e responsabilidade. Se você quiser um conselho, ele sempre está disponível. Ele tem uma política de portas abertas, mas, se você se comprometer com algo, ele espera que você faça.

"Ele é muito observador, o que faz com que seja bom em avaliar pessoas. É sensível aos sentimentos alheios e escuta o que as pessoas *não* dizem, tanto quanto o que *dizem*. Ele é totalmente confiável e com ele não tem fingimento. Ele é exatamente o que aparenta ser, sempre. É muito consistente, não é de um jeito hoje e amanhã está diferente", acrescenta Mary.

Ele também gosta de prazos. Se a resposta é vaga, Smith conversa com o funcionário até acertarem uma data. Uma meta não é uma meta se não tiver um prazo para ser realizada.

Smith mantém várias casas nos milhares de hectares que possui em torno das unidades das instalações em McMinnville, usadas para hospedar funcionários enquanto aguardam designação permanente para outro local ou fazem treinamento na companhia. A Evergreen oferece serviços de alimentação e limpeza em acomodações muito mais amistosas do que um hotel impessoal. O presidente passa por ali com frequência para conversar e recepcionar os recém-chegados à família Evergreen.

"Podemos aprender com você", ele diz aos recém-chegados. "Se você perceber uma maneira melhor de fazer alguma coisa, fale com seu supervisor ou ligue para mim. Às vezes, estamos perto demais das coisas para ver todas as oportunidades. Você pode ser mais objetivo. Estamos interessados em aprender tudo o que pudermos com você."

Quando um funcionário novo deu a sugestão de computadorizar parte do agendamento numa conversa na mesa da cozinha, Smith quis saber mais. Convencido de que o novato entendia do que estava falando, Smith disse: "Ligue para o meu escritório segunda, e vamos marcar uma reunião com as pessoas certas para levar esse assunto adiante. Diga à minha assistente que pedi para você ligar e que ela deve transferir a ligação".

É fato notório na empresa que existem pessoas que são feitas para a Evergreen e outras que não são. Não existe uma descrição num manual, mas via de regra uma pessoa feita para a Evergreen compartilha os valores de Smith. Elas são propensas a trabalhar duro, gostam de desafios e são altamente motivadas.

"Nossa filosofia é nunca limitar o indivíduo ou a empresa", diz Joe Sharp, 41 anos, presidente da Evergreen Holding Company. Sharp passou dois anos dando aulas de inglês e uns anos numa empresa de serviços públicos antes de entrar na Evergreen como gerente de negócios dos investimentos agrícolas de Smith em 1984. Depois de três anos de crescimento anual acima de 30%, Smith o designou para o posto de vice-presidente de materiais da Evergreen Airlines. Logo depois, foi nomeado vice-presidente executivo da companhia, antes de assumir a presidência da *holding* em 1989.

"Del é um grande professor e mentor", diz Sharp. "Ele trabalha ao seu lado, em vez de lhe dar um chute no traseiro. Um dia, quando estávamos percorrendo a fazenda de carro, tivemos a ideia de construir um complexo de atletismo no terreno. Vai ficar pronto no ano que vem e terá os equipamentos de academia mais modernos. Também vamos construir um museu da aviação num terreno da Evergreen e estamos analisando a possibilidade de montar um *show* aéreo com a coleção de aviões antigos de Del para percorrer o país. Se for uma boa ideia, Del apoia. Ele é focado em ter êxito em tudo o que faz e insiste que façamos o mesmo. Ele acredita que, se damos duro, fazemos o que é certo e acreditamos em nós mesmos, não temos como fracassar. Não existe desculpa para falta de desempenho. Em vez de fingir que estão doentes para matar aula, os filhos dele fingiam estar tão bem que podiam ir! Smith não aceita desculpas para mau desempenho.

"Apesar dos rígidos padrões de desempenho para si mesmo e aqueles à sua volta, Smith é uma pessoa muito gentil e bondosa. Ele ajuda muita gente que não faz ideia de quem seja o benfeitor", diz Sharp.

Mary Simmons ecoa: "Ele é como um pai de quem todo mundo sentiria orgulho. Quando fomos passar alguns dias em Washington, D.C., acabamos conhecendo os funcionários do hotel. Uma das garçonetes do restaurante do hotel era uma moça africana que disse que estava trabalhando ali para conseguir dinheiro para trazer a família para os Estados Unidos. O Sr. Smith não disse nada, mas, quando saímos do hotel, deixou um envelope para ela com mil dólares, para ajudar nas despesas da família. Isso mostra que tipo de pessoa ele é; ele acredita que Deus quer que ele ajude os outros".

Quando um banco de McMinnville do qual Smith era um dos diretores enfrentou dificuldades porque alguns devedores locais não conseguiram pagar os empréstimos, vários diretores disseram que o melhor a fazer era declarar o banco insolvente e fechar as portas.

"Del nem cogitou isso", recorda Joe Sharp. "Ele disse: 'Não vamos deixar nossos investidores e as pessoas que depositaram seu dinheiro na mão'. Ele forneceu o dinheiro necessário para manter o banco operando e colocou duas ou três pessoas de confiança na diretoria, para garantir a aplicação de práticas de gestão que não permitissem tal situação ocorrer outra vez.

"Ele é um completo capitalista, mas acredita sinceramente que no fim das contas somos avaliados pelo que damos de volta e não pelo que acumulamos. Ele é um homem de ação. Ele diz: 'Vamos fazer o trabalho sem preocupação com homenagens ou frescuras. Nosso trabalho é cuidar dos clientes e não perder tempo demais se preocupando com quem leva o crédito por um trabalho bem feito. Se a empresa fica bem, todo nós ficamos bem'.

"Del é comprometido com os princípios de sucesso de Napoleon Hill e fala sobre eles com frequência. Sei que ele pratica todos os princípios, mas diria que é particularmente bom em fé aplicada e trabalho em equipe. Ele nos ensina a acreditar em nós mesmos. Às vezes, podemos ficar decepcionados com as pessoas, mas sabemos que sempre podemos contar com nós mesmos, com nossa equipe e principalmente com Del. Ele se esforça mais do que todo mundo.

"Ele se empolga tanto com as nossas possibilidades que é contagioso. Ele é totalmente comprometido com a qualidade e está a par de todos os detalhes a cada minuto de cada dia. É totalmente focado nas metas e nos incentiva a fazer o mesmo. Embora muitas vezes seja acusado de *workaholic* (como a maioria de nós na Evergreen), ele também compreende e aprecia os valores da família. Trabalhamos muito, mas ele nos dá a oportunidade de viajar e levar nossos filhos a lugares onde de outro modo não conseguiríamos ir."

Como pai, Smith incentivou os filhos a explorar o mundo e se testar. Quando não estavam pilotando *karts*, eram livres para pegar um avião da Evergreen para o Alasca e passar o fim de semana pescando salmão ou caçando, atividades de que Mike especialmente gostava. "Viajamos para todo lado", conta ele, "dormindo no avião na volta para casa, para chegar a tempo de ir à escola na segunda-feira."

Como o pai era piloto e instrutor de voo, os dois meninos aprenderam rapidamente a pilotar. Mark aprendeu em um dia, fazendo a primeira aula às oito da manhã e voando sozinho mais tarde no mesmo dia. Hoje ele tem licenças para pilotar helicópteros e aviões. Mike tem licença de piloto comercial para voo com instrumentos e linhas aéreas. Quando o irmão está competindo nas imediações, ele às vezes voa até o autódromo em seu biplano antigo para assistir à corrida.

O velho Smith fez um esforço enorme para que os filhos não crescessem como pirralhos ricos e mimados. Colocou os garotos no escotismo e os inclui entre as suas realizações, lembrando que chegaram a Eagle Scouts (posto máximo do escotismo nos Estados Unidos), entre outras realizações. Ele mesmo arranjou tempo para atividades de escotismo e, no fim de uma travessia de canoa, os escoteiros podiam avistar o velho Smith sobrevoando a área de helicóptero, enquanto alguém jogava melancias no rio para a tropa cansada e faminta.

Smith ainda mora na casa onde criou os filhos e aponta com orgulho para o centro de recreação que os meninos ajudaram a construir quando adolescentes. Ele entrou com o material; Mike e Mark entraram com o trabalho. O resultado foi um espaçoso salão de jogos e atividades físicas ao lado de uma piscina *indoor*, um retiro onde uma turma de garotos vivazes podia gastar o excesso de energia.

Eles brincam sobre o capataz exigente que o pai é, mas compartilham da mesma ética de trabalho e do compromisso em ajudar os outros. Mark doa metade de sua renda como piloto profissional para The Seeing Eye, Inc. e para a Sociedade Nacional de Prevenção da Cegueira. Na edição de 7 de abril de 1991, a revista *Parade* publicou uma entrevista com Mark, na qual ele contou:

"'Um dia eu estava reunido com meu pai e algumas pessoas que cuidam do meu patrocínio. Mencionei o quanto me sentia afortunado por poder fazer o que faço, e a conversa enveredou para a ideia de que deveríamos fazer alguma coisa pelos outros. Decidimos que, em vez de ficar só falando, iríamos fazer alguma coisa'".

Relembrando seu próprio tratamento para combater a "síndrome do olho preguiçoso" (ambliopia) e ter uma visão 20/20, Mark sugeriu ajudar os cegos. Continua a revista:

"Em muitos sentidos foi uma decisão natural. O pai do jovem piloto é Delford Smith, um *self-made millionaire* que fundou uma das maiores empresas do mundo no ramo de *leasing* e manutenção de aviões. Del Smith e sua empresa, Evergreen Airlines, Inc., há anos doam tempo, dinheiro e equipamento para o combate à cegueira dos rios, uma doença parasitária devastadora que cegou milhões de pessoas na África Ocidental. Também forneceram vários helicópteros para um grupo médico que combate a cegueira pela catarata nas grandes altitudes do Nepal. O jovem Smith estava ansioso para seguir o exemplo do pai. 'Meu pai é realmente um cara incrível', diz ele. 'Eu realmente o admiro'".

As palavras *um cara incrível* já foram usadas muitas vezes para descrever Del Smith. Ele é um homem verdadeiramente determinado – na melhor acepção da palavra. É obcecado, mas com tudo o que é certo. Não ganha dinheiro só por ganhar, mas pelo bem que pode realizar. Ajuda muitas instituições de caridade e contribui generosamente para os menos favorecidos, mas, como Napoleon Hill, dá muito mais valor a ajudar os outros a se ajudarem, fazendo-os perceber seu verdadeiro potencial.

Qualquer conversa com alguém da "velha guarda" da Evergreen invariavelmente aborda a quantidade de pessoas que saíram da empresa para montar seu próprio negócio. Os veteranos acreditam que faz parte do trabalho de um líder permitir que os outros cresçam e sabem que as pessoas inevitavelmente vão crescer em direções impossíveis de se prever no início.

"Eu não seria nem capaz de adivinhar a quantidade de pessoas que ajudamos a competir conosco", diz Smith. Num ambiente onde as informações são compartilhadas livremente e todos são incentivados a se desenvolver no limite da própria capacidade, uma consequência inevitável é que alguns saiam para empresas concorrentes ou comecem seu próprio negócio. É um orgulho quando eles se dão bem. Smith sabe que a Evergreen de hoje será diferente amanhã. A companhia deve inovar constantemente para se manter à frente da concorrência. Ele acredita que não é o tanto que você faz, mas o quão bem você faz.

Seus gerentes ouvem com frequência que não há segredos na empresa. Eles compartilham informações para gerar confiança e competência. Smith distribui os objetivos da empresa para toda a organização, para ter certeza de que todos os funcionários saibam quais são as metas do presidente. A lista para o ano fiscal de 1992 incluía o seguinte:

- Definição de objetivo.
- Qualidade sem meio-termo.
- Custo competitivo e vantagem de serviço em cada mercado.
- Liderança dinâmica e responsável.
- Espírito de equipe total, com alto grau de motivação e entusiasmo.
- Avaliação semanal da dedicação ao treinamento e desenvolvimento de gestores.
- Revisão séria e regular dos resultados em todos os mercados.
- Avaliação constante da eficiência da produtividade operacional.
- Comprometimento da equipe com a disciplina orçamentária.
- Alianças de qualidade no mundo inteiro.
- Recrutamento de membros com aptidão e caráter notáveis.
- Expansão criativa e prudente no mercado.
- Faturamento de US$ 500 milhões.
- Lucro de 10% antes da tributação, mediante melhor gerenciamento de tarifas, custos e redução da dívida.
- Boa resposta a oportunidades e situações de emergência pelo mundo.

- Promoção da paz, da boa vontade e da livre iniciativa no mundo.

Smith acredita que uma parte da responsabilidade dos líderes é desenvolver o caráter, bem como a aptidão. "Um sem o outro é inaceitável", sentencia.

Os líderes que ele mais admira são Jesus Cristo, Gandhi, Maomé, Churchill, W. Clement Stone e os presidentes Lincoln e Eisenhower. Considera os visionários Howard Hughes e Bill Boeing líderes excepcionais no setor de aviação e cita o técnico de futebol americano Vince Lombardi como um dos líderes contemporâneos mais notáveis, sublinhando sua atenção ao básico como uma característica fundamental de um bom líder. "A atenção ao básico é fundamental para o sucesso em qualquer empreendimento", diz ele. "Não interessa em que ramo você esteja, não vai conseguir ser bem-sucedido a menos que seja bom no básico."

O comprometimento de Smith com o crescimento da Evergreen é o compromisso de gerar empregos e estender as oportunidades àqueles que merecem, mas que não conseguiriam não fosse por empreendedores determinados como ele. Esses compromissos sustentam sua determinação e lhe permitem manter uma agenda inflexível, trabalhando 16 horas por dia, seis ou sete dias por semana, ano após ano.

A vice-presidente sênior de administração da Evergreen, Donna Nelson, comanda o escritório de Smith há dezessete anos, mas ainda se surpreende com a energia do chefe e sua capacidade de trabalho.

"Uma das melhores frases que ele usa com frequência é: 'Deus nos deu uma vida. Devemos a ele nossa melhor performance!'", diz Donna. "Essa é uma afirmação muito poderosa e mostra por que é essencial comunicar o nosso credo, usar a avaliação como ferramenta de gestão e manter o espírito de família. Fazer parte da família Evergreen é uma verdadeira honra, mas com ela vem uma grande responsabilidade.

"Temos uma filosofia tão forte de liderança e gestão pelos Seis Ms (*management, money, men, machines, material, market* – gestão, dinheiro, pessoas, máquinas, material e mercado) que o ensino dessa disciplina nos torna a melhor faculdade de administração dos Estados Unidos", afirma ela.

O ambiente é de respeito mútuo. Indagado sobre Donna, Smith responde: "Me preocupo com ela. Ela trabalha demais. Está criando uma família sozinha e passa muito tempo no escritório; às vezes, temos que obrigá-la a ir para casa".

Donna trabalha próximo de Smith há tanto tempo que instinti-vamente sabe como ele vai reagir numa determinada situação. Ela é a cola que mantém a família Evergreen unida quando ele viaja e que mantém a ordem no caos que caracteriza um império que se expande em várias direções ao mesmo tempo.

Ela diz que, para Smith, fazer um esforço extra vai além da empresa e dos funcionários.

"Nos dedicamos tanto a fazer do mundo um lugar melhor para se viver que nosso trabalho – o combate à cegueira (que inclui pedir a todos os chefes de Estado que conhecemos que declarem a visão um direito humano fundamental), a luta contra a praga das dro-gas e a promoção e perpetuação do sistema de livre iniciativa – é realmente uma alegria e tem um significado substancial para nós. Del nos apoia em todas essas missões sem hesitar."

Donna está comprometida a ser uma professora e "incentiva-dora" pelo resto da vida, como Smith. "Os princípios são firmes", afirma ela enfaticamente. "Nossa aliança de MasterMind com aqueles mencionados neste capítulo, somados a Ron Lane, vice-presiden-te da companhia aérea, e John Kiesler, que comanda a operação dos helicópteros, parte dos mesmos princípios que praticávamos quando tínhamos apenas a empresa de helicópteros. Nosso com-promisso é com a segurança, qualidade, estabilidade financeira, confiabilidade, agilidade e total compatibilidade... com o lucro que faz tudo isso acontecer.

"W. Clement nos disse: 'Façam agora!'", ela recorda, "e Madre Teresa de Calcutá falou, quando começamos o primeiro trabalho de reabilitação de drogas na Índia: 'Tudo o que precisamos saber é que o momento é agora!'. Del incentiva nossos gestores jovens – e nós – a estar sempre atentos. E essa é uma lição fantástica."

Apesar de seu comprometimento incansável com a "família" Evergreen e suas missões de caridade, Smith ainda acha tempo para contribuir com a indústria da aviação. Atuou como presidente do conselho e presidente da Associação Internacional das Operadoras de Helicóptero e fundou o comitê econômico. É diretor da Associação de Resgates Aéreos e membro da Associação de Transportes de Defesa Nacional e da Associação Nacional das Companhias Aéreas.

Quando um de seus helicópteros Bell-205 perdeu o controle da hélice traseira, ele não se contentou em consertar e retomar as ativi-dades. Pesquisou problemas semelhantes e descobriu que a causa do defeito era uma falha de fabricação no sistema de tratamento de calor. A persistência em ir à raiz do problema deixou todo o setor mais seguro. Em 1991, o patrimônio líquido de Smith foi estimado em

US$ 600 milhões. Naquele ano, a Evergreen anunciou faturamento de US$ 477 milhões e era proprietária de uma frota avaliada entre US$ 900 milhões e US$ 1 bilhão. A frota incluía 16 Boeings 747, 11 DC-8s e DC-9s, 11 Boeings 727, 100 helicópteros e dúzias de outras aeronaves. Ele também é dono de 23 aviões antigos – inclusive um bombardeiro Flying Fortress B-17 e um Ford Trimotor da Segunda Guerra Mundial em perfeitas condições –, todos aptos para voar. Ele planeja exibi-los como "Acervo Patrimonial", junto com uma coleção de armas militares antigas e tanques russos da Segunda Guerra no museu que pretende construir em McMinnville.

Del Smith exerceu influência positiva em inúmeras pessoas cujas vidas ele tocou. Ao acreditar nelas, ajudou-as a acreditar em si mesmas e as incentivou a se tornar realizadoras. Ele acumulou grande riqueza pessoal, mas também encontrou a verdadeira riqueza da vida: o respeito da família, dos amigos e dos colegas de trabalho. Ele fez do mundo um lugar melhor por ter feito parte dele.

EPÍLOGO

No dia 25 de outubro de 1986, no Fairmont Hotel, em Dallas, o presidente do conselho curador da Fundação Napoleon Hill e fundador e presidente da Combined International Corp., W. Clement Stone, agraciou Delford M. Smith com a Medalha de Ouro da fundação na categoria Realização Empreendedora.

Em sua impressionante carreira, Smith recebeu centenas de prêmios e diplomas honoríficos, mas nenhum tão adequado como esse. Smith foi um porta-voz incansável dos princípios de sucesso de Napoleon Hill e dos valores que ele representava. O avião particular de Smith tem um jogo americano com a foto do avião cercado pelos 17 princípios do sucesso, e ele com frequência patrocina cursos da Ciência do Sucesso para seus funcionários.

O sucesso não causou muitas mudanças em Smith. Ele ainda trabalha mais duro do que a maioria dos funcionários e nunca pede aos outros para fazer algo que ele não faria ou já não tenha feito. Fica tão à vontade com senadores e celebridades quanto com um recém-formado que acabou de entrar para a empresa. Ele realmente gosta das pessoas.

Quando o conselho curador da Fundação Napoleon Hill foi à procura de alguém cujo exemplo pudesse inspirar os outros a realizações de alto nível, o escolhido foi Del Smith. Os curadores acreditam que sua vida é um excelente exemplo a ser seguido.

Já se disse que a verdadeira medida de um homem não é como ele lida com o fracasso. Seu verdadeiro valor é determinado pelo modo como lida com o sucesso. A maioria de nós tem mais experiência com o fracasso. Aprendemos com nossos erros, limpamos a poeira e voltamos para o jogo. Mas o que acontece quando atingimos níveis de realização que nos permitem fazer qualquer coisa que desejarmos?

Smith continua preso aos valores que o levaram ao sucesso. Os princípios que ele aprendeu há muitos anos, quando encontrou um exemplar de *Pense e enriqueça* num orfanato, sustentam-no até hoje. Ele continua a fazer atos de caridade e generosidade discretamente, compartilhando a riqueza que amealhou, enquanto ajuda outros a atingir um nível de sucesso que nunca sonharam ser possível.

Ao estudar a vida dele, leia não com inveja, mas com alegria e expectativa. Os princípios que ele praticou, os atributos de sucesso que ele desenvolveu estão a seu dispor. O segredo do sucesso de Smith – e muitos outros – está contido nas páginas deste livro.

Agora você só tem que os adotar e aplicá-los à sua vida.

PODER E MOTIVAÇÃO: FRASES ÚTEIS

NESTE LIVRO FORAM INCLUÍDAS muitas frases de efeito para ajudá-lo a condicionar sua mente com pensamentos de persuasão positiva. Elas vão aumentar seu poder de autodisciplina e animar e reaquecer a chama do desejo em sua vida. Essas frases curtas já foram denominadas de várias formas: vitaminas de sucesso, sabedoria destilada, provérbios, epigramas. Independentemente do nome que escolha, você com certeza conseguirá aumentar seu potencial de sucesso pelo princípio da autossugestão. Algumas das afirmações foram retiradas da revista *Golden Rule*, do livro *The Science of Personal Achievement* (A ciência da realização pessoal), de manuscritos antigos e do banco de memória da mente de Napoleon Hill. Num dado momento, Hill chegou a ter seis mil dessas frases catalogadas para usar no programa de relações humanas de uma empresa.

Esses provérbios baseiam-se na experiência de mais de quinhentos líderes responsáveis pelo desenvolvimento do estilo de vida norte-americano.

Eles mostraram-se sólidos e práticos, porque trouxeram bons resultados para os que os adotaram. Foram reduzidos ao mínimo de palavras possíveis em prol de todos aqueles que sinceramente desejam encontrar seu lugar no mundo.

Essa antologia foi preparada na esperança de que qualquer um que leia possa enriquecer o corpo, a mente e o espírito. Pois, como disse o grande filósofo Sócrates: "A sabedoria adorna a riqueza e alivia a pobreza".

Esses provérbios são condicionadores da mente. Leia-os com atenção e faça-os parte de sua vida; veja então como os outros vão cooperar rápida e amigavelmente com você.

Ao nos aproximarmos do final deste livro, a Fundação Napoleon Hill lhe estende a mão da amizade. Pelas palavras aqui escritas, desejamos-lhe coragem, paz e fé em abundância. Se possuir esses estados mentais, todas as outras coisas de que precisa vão chegar a você quando precisar delas.

AÇÕES

- Se você for realmente bom, vai deixar que os outros descubram isso por suas ações.

- Considere o dia perdido se o sol baixar sem que você tenha praticado alguma boa ação.

- Medalhas e títulos não vão valer nada quando você chegar ao céu, mas você pode ser cuidadosamente analisado pelas ações que praticou.

- A única maneira adequada de se gabar é por atos construtivos e não por palavras.

- Quando você se convenceu daquilo que quer, é o momento certo para parar de falar e começar a dizer com ações.
- Autoelogio só é válido quando consiste de ações úteis aos outros e não de meras palavras.
- Ações, não palavras, são a melhor maneira de elogiar a si mesmo.
- Se você realmente for mais inteligente que os outros, vai deixar que eles descubram isso por suas ações.
- A melhor e mais segura maneira de punir alguém que lhe fez uma injustiça é retribuir com uma gentileza.
- Não gaste palavras com alguém que não gosta de você. Ações serão muito mais impressionantes.
- Diga ao mundo de todas as formas possíveis o quanto você é bom – mas primeiro mostre!
- A pessoa que acha que pode comprar seu caminho para o céu só com dinheiro pode acabar se arrependendo de não o ter convertido em boas ações.
- Talvez você possa falar alguma coisa com eloquência, mas ações serão lembradas por muito mais tempo.
- Não é o epitáfio numa lápide, mas o histórico de suas ações que perpetuará seu nome após a morte.
- Lembre-se: o mundo não vai condecorá-lo pelas coisas que você sabe, mas pode coroá-lo com glória e riqueza pelas coisas que você fizer.
- Fé é uma combinação de pensamentos e ações.

- Se você aprecia a gentileza que os outros lhe demonstram, diga com ações, além de palavras.

- O que você faz é mais impressionante do que qualquer coisa que possa dizer.

- Ações corretas não precisam ser enfeitadas com palavras.

ACREDITAR

- Você pode fazer se acreditar que pode.

- Uma pessoa termina acreditando em qualquer coisa que diga para si mesma ao repeti-la o suficiente, mesmo que não seja verdade.

- O poder lança-se ao lado daqueles que acreditam no que é certo.

- O "vagabundo" comum trabalha mais duro e paga mais pelo que recebe da vida do que qualquer outra pessoa, mas se ilude acreditando que está conseguindo algo a troco de nada.

AMIGOS

- A pessoa que só vai aos amigos quando quer alguma coisa logo se vê sem amigos.

- Os amigos devem ser cultivados – e não dados como certos.

- Se você quer ter "conhecidos", seja rico. Se quer ter amigos, seja amigo.

- Se vai decepcionar alguém, assegure-se de que não seja o amigo que o ajudou quando você estava por baixo.

- Amigo é aquele que sabe tudo a seu respeito e ainda assim o respeita.

- A amizade necessita de manifestações frequentes para continuar viva.

- A amizade reconhece os defeitos dos amigos, mas não fala deles.

AMOR

- O amor é só um jogo para o solteirão, mas um tônico para a solteirona.

- Existe algo de bom em qualquer pessoa que seja amada pelo cachorro e pela família, porque estes realmente sabem como ela é.

- Só uma coisa vai atrair amor: o amor.

- Amor, amizade e gentileza são três ativos preciosos que não podem ser comprados com dinheiro e *precisam ser distribuídos* antes de ter valor.

- Os poetas podem tecer loas ao "amor numa casinha", mas as pessoas sabem que o amor sai pela porta dos fundos quando a pobreza bate na porta da frente.

APRENDENDO COM A ADVERSIDADE

- Antes que a oportunidade coroe um indivíduo com grande sucesso, ela geralmente o testa pela adversidade, para ver de que material ele é feito.

- Se não quer que sua vida fique bagunçada, não ande com gente que bagunçou a própria vida.

- Quando sobrevém uma adversidade, é bom ser grato por ela não ter sido pior em vez de ficar se preocupando com o infortúnio.

- Você nunca sabe quem são seus verdadeiros amigos até ser atingido por uma adversidade e precisar de ajuda financeira.

- Se a vida lhe der um limão, não reclame, mas faça uma limonada e venda para os que estão com sede de tanto reclamar.

ATITUDE MENTAL

- A qualidade e a quantidade de serviço que você presta, somadas à atitude mental com que presta, determinam o pagamento que você recebe e o tipo de trabalho que tem.

- A pessoa com atitude mental negativa atrai problemas assim como um ímã atrai limalha de aço.

- Se você está preocupado ou com medo de alguma coisa, existe alguma coisa na sua atitude mental que precisa ser corrigida.

- Lembre-se de que ninguém jamais é recompensado ou promovido por causa do mau humor ou da atitude negativa.

- Promoções rápidas nem sempre são as mais duradouras.

- Tentar receber antes de dar é tão infrutífero quanto tentar colher antes de plantar.

- Ninguém jamais é recompensado com promoção por causa de uma atitude mental negativa.

- É melhor imitar uma pessoa bem-sucedida do que a invejar.

- Sempre é seguro falar de outras pessoas, contanto que seja sobre suas qualidades.

- Ou você cavalga a vida, ou ela monta em você. Sua atitude mental determina quem é o cavaleiro e quem é o "cavalo".

- Em vez de reclamar do que não gosta no seu trabalho, comece a elogiar o que você gosta e verá a rapidez com que ele vai melhorar.

- Às vezes, é melhor juntar forças com um oponente do que o combater.

- Ninguém seria capaz de montar num cavalo se o cavalo descobrisse sua verdadeira força. O mesmo vale para as pessoas.

- A pessoa que tem mais inimigos do que amigos precisa examinar sua atitude mental.

- Sua atitude mental determina o tipo de amigos que você atrai.

- Antes de querer mandar nos outros, certifique-se de que manda em si mesmo.

- Não é a derrota, é a sua atitude mental diante dela que o açoita.

- Se você não tem força de vontade para manter seu corpo físico em forma, também carece de atitude mental positiva em outras circunstâncias importantes que controlam sua vida.

- A melhor recomendação de uma pessoa é aquela que ela mesma faz prestando um serviço de qualidade com a atitude mental correta.

- O caráter de uma pessoa reflete-se com exatidão em sua atitude mental.

- Uma mente negativa só gera ideias negativas.

- Não vale a pena enxergar os outros por meio de uma atitude mental nebulosa.

- Uma atitude mental positiva é uma força irresistível que não conhece nada de corpo imóvel.

- Lembre-se de que suas limitações mentais são criadas por você mesmo.

- Se você tem certeza de que está certo, não precisa se preocupar com o que o mundo pensa.

- A maioria das doenças começa com uma mentalidade negativa.

- Pessoas com atitude mental positiva nunca são encontradas num rame-rame.

- Se você é um cidadão norte-americano, não permita que nenhum pangaré diga que você está subjugado.

ATITUDE MENTAL E A MENTE

- O corpo físico é a casa de máquinas onde a mente reside.

- Até agora ninguém descobriu as limitações do poder de *sua própria mente*.

- Boas maneiras começam com uma atitude mental positiva.

- Uma mente negativa nunca atrai felicidade ou sucesso material, mas atrai o contrário.

- Todo cérebro é uma estação emissora e receptora das vibrações do pensamento.

- Uma mente disciplinada reconhece apenas umas poucas limitações.

- Procure o que é bom nas outras pessoas, e elas vão procurar o que é bom em você. O mesmo vale para o "mau".

- Sua mente pertence exclusivamente a você. Tome posse dela, dirija-a para um uso específico e faça a vida compensá-lo nos seus próprios termos.

- Aquilo de que uma pessoa gosta e não gosta retorna para ela de fontes inesperadas e muitas vezes *enormemente multiplicado*.

- Se a sua mente pode deixá-lo doente – e ela pode –, lembre-se de que ela também pode curá-lo.

- Um otimista pode exercer mais influência construtiva do que mil pessimistas.

- Preocupação não alimentada logo morre de inanição.

- Sua verdadeira idade é determinada por sua atitude mental, não pelos anos vividos.

- Se não está em paz com a sua consciência, tire um tempo para ler o Sermão da Montanha (Mateus, capítulos 5-7).

- Sua mente é a única coisa que você *controla sozinho*. Não a desgaste desnecessariamente com discussões inúteis.

- A maioria das doenças começa com uma *mente negativa*.

- A vida tem o hábito de dar a todo mundo o que eles *acreditam* que vão receber.

- Mau humor é como fermento. "Azeda" todo mundo que chega perto.

- Pessoas com atitude mental positiva nunca são encontradas num rame-rame.

- As galinhas voltam para o poleiro, e o mesmo vale para os pensamentos humanos. Portanto, cuidado com os pensamentos que emite.

- Existe uma chance em um milhão de que você não tenha alguma preocupação que não possa eliminar simplesmente com uma mudança de atitude mental.

- Uma pessoa tem mais chances de "enferrujar" o cérebro por falta de uso do que o esgotar por excesso de uso.

- Uma mente jovem faz um corpo jovem.

- Quando um livre-pensador nasce, o demônio treme de medo.

- Uma mente disciplinada trabalha enquanto o corpo físico dorme.

- Sua *atitude mental* é seu *verdadeiro chefe*.

- Só uma mente aberta é capaz de crescer.

- O autoelogio geralmente é uma indicação cabal de complexo de inferioridade.

- Sua mente é sua – assim como a responsabilidade de como usá-la.

- Uma mente doente é mais perigosa que um corpo doente, pois é um tipo de doença *sempre contagioso*.

- Algumas pessoas nunca ficam livres de problemas basicamente porque mantêm a mente sintonizada na preocupação. A mente atrai aquilo em que se detém.

- Mantenha a mente fixa no que você quer da vida, não no que não quer.

- Mude sua atitude mental, e o mundo à sua volta mudará de acordo.

- Uma mente positiva encontra o meio pelo qual *dá para fazer*. Uma mente negativa procura todos os meios pelos quais *não dá para fazer*.

- Se você não consegue gerenciar sua própria atitude mental, o que o faz pensar que possa gerenciar outras pessoas?

- A mente é cheia de dinamite mental. Tome cuidado ao manuseá-la.

- Quando fecha a porta da sua mente para *pensamentos negativos*, a porta da oportunidade abre-se para você.

- Sua *atitude mental* é a chave mais confiável para a sua *personalidade*.

- Você não pode controlar as ações das outras pessoas, mas pode controlar sua reação mental às ações delas, e isso é o que mais conta.

- Você pode pensar em como entrar ou sair de quase qualquer circunstância, boa ou má.

- A maioria dos empecilhos são obra de uma *mente negativa*.

- Você sempre pode ver nas outras pessoas quaisquer traços de caráter que procure.

- Existe sempre uma escassez de gente que faça um bom trabalho no prazo *sem desculpas ou resmungos*.

- A oportunidade tem um jeito de se aproximar da pessoa que tem uma atitude mental positiva.

- Os sábios pensam duas vezes antes de falar uma vez.

- A vida nunca é doce para a pessoa amarga a respeito do mundo.

- Lembre-se do seguinte: os problemas geralmente vão aonde são convidados.

- A pior coisa da preocupação é que ela atrai um bando de parentes dela.

- O entusiasmo coloca as rodas da imaginação a girar.

AUTOCONFIANÇA

- A autoconfiança pode ser confundida com egotismo se não for acompanhada de humildade no coração.

- Autoconfiança demais geralmente inspira cautela de menos.

AUTOCONTROLE

- Uma pessoa educada é aquela que aprendeu como conseguir o que quer sem violar os direitos dos outros.

- Antes de tentar mandar nos outros, certifique-se de que manda em si mesmo.

- Ninguém é livre até aprender a pensar por si e ter a coragem de agir por iniciativa pessoal.

- Desenvolva o ego, mas fique com o pé no pescoço dele.

- Quando você fica de cabeça quente, é melhor ficar frio.

- Se tiver limitações, tome o cuidado de guardá-las para você, pois os inimigos têm o hábito de dominar as pessoas a partir de suas fraquezas.

- A independência começa com a capacidade de depender apenas de si mesmo.

- Cabeça quente não produz pensamentos frescos.

- O ódio pode não ferir os outros, mas o estrago que faz em quem odeia é *inescapável*.

- Quando você tem *controle total* sobre si mesmo, pode ser seu próprio chefe.

AUTODISCIPLINA

- A autodisciplina é a primeira regra de todos os líderes bem-sucedidos.

- Quando estiver com raiva, assobie por três minutos antes de falar e observe como a raiva se opõe à razão.

- Já tentou sentir raiva enquanto sorri? Experimente!

- Você não pode controlar as ações das outras pessoas, mas pode controlar sua reação mental às ações delas, e isso é o que mais conta.

- A verdadeira sabedoria começa com o autoentendimento baseado na autodisciplina.

- A autodisciplina faz com que a disciplina vinda de fora se torne desnecessária.
- Quando você tem *controle total* sobre si mesmo, pode ser seu próprio chefe.

BOA SAÚDE FÍSICA

- Coma bem, pense bem, durma bem, divirta-se bem e poderá economizar o dinheiro das despesas médicas para as próximas férias.
- Se você pensa que está doente, está mesmo.
- Comece a procurar sintomas de doença, e ela logo aparecerá.
- A busca pelos sintomas muitas vezes leva a doenças físicas e mentais.

CAUTELA

- Tenha cautela com o homem de quem os cachorros e as crianças se afastam com medo.
- Cautela em excesso é tão ruim quanto cautela nenhuma. Deixa os outros desconfiados.
- Olhe com muita atenção para ver se o gramado do outro lado da cerca é realmente mais verde, pois pode haver muitos espinhos misturados à grama.
- Quando alguém falar: "Disseram isso e aquilo", pergunte o nome dos que "disseram" e veja a pessoa se contorcer em constrangimento.

- Quando um estranho parecer por demais ansioso para fazer alguma coisa para você, tome cuidado para ele não fazer nada contra você.

- Preste muita atenção no camarada que tenta vender o modo de vida dele para você, para ter certeza de que seja tão bom quanto o seu.

- Cuidado com o cara que tenta iludi-lo a crer que está se saindo muito melhor do que você.

CONSCIÊNCIA DO SUCESSO

- Se você não tem plena aprovação da sua consciência e da sua razão, é melhor não fazer o que está cogitando.

- Um pedido de desculpas é um indicador saudável de que uma pessoa ainda está conversando com a própria consciência.

- Se a sua consciência não está limpa, é melhor começar a faxina interna.

- A consciência fala, não em palavras audíveis, mas com aquela vozinha interior.

CONTROLE DOS PENSAMENTOS

- Se alguém falasse em voz alta todos os pensamentos que lhe vêm à mente, não teria amigos.

- Pensamentos são contagiosos. Por isso, cuidado com aqueles que você externa.

COOPERAÇÃO

- A menos que seja oficial do exército, você pode conseguir melhores resultados pedindo do que dando ordens.

- Nenhuma pessoa é capaz de dar ordens a não ser que saiba como receber ordens e cumpri-las.

- A cooperação voluntária produz um poder duradouro, enquanto a cooperação forçada termina em fracasso.

- Tente falar para o seu capataz as coisas de que você gosta e veja como ele vai ajudá-lo de boa vontade a se livrar daquilo de que você não gosta.

- A cooperação amigável rende mais do que uma agitação hostil em qualquer área.

- Nenhuma pessoa pode ter sucesso e mantê-lo sem a cooperação amigável dos outros.

- A cooperação deve começar na chefia de departamento se é esperada da outra parte. O mesmo vale para a eficiência.

- A cooperação amistosa nunca faz parte do trabalho do diabo. Ele trabalha do outro lado.

- A maioria das pessoas vai responder mais espontaneamente a um pedido que a uma ordem.

- Um homem que não consegue receber ordens afavelmente não deve se atrever a dá-las.

- Lembre-se de que ninguém pode ferir seus sentimentos sem a sua cooperação e complacência.

CORAGEM

- Se não sabe, tenha a coragem de admitir e estará no caminho para aprender.

- A coragem geralmente está apenas um pulo à frente do medo.

- O homem que reclama que nunca teve uma chance provavelmente não teve coragem de correr um risco.

CRÍTICAS

- Uma maneira de evitar críticas é não fazer nada e ser um joão-ninguém. Aí o mundo não vai se importar com você.

- Nunca tenha medo de uma crítica injusta, mas certifique-se de que é injusta.

- Nunca critique alguém que você não entende. Melhor empregar o tempo tentando aprender alguma coisa sobre a pessoa, talvez a crítica então seja desnecessária.

- Se os inventores temessem as críticas, ainda estaríamos viajando em carro de boi e usando roupa tecida em casa.

- Não tenha medo das críticas, mas esteja preparado para recebê-las se tiver alguma ideia nova para oferecer.

- Nunca critique os atos de um homem a não ser que saiba por que ele fez o que fez. Existe a chance de que você fizesse a mesma coisa nas mesmas circunstâncias.

- Se você não aceita críticas, não tem direito de malhar os outros.

- Antes de criticar o café, lembre-se de que algum dia você também pode estar velho e fraco.

- Se você não se deu muito bem com o excesso de críticas aos outros, por que não muda de filosofia e experimenta elogiar?

- Antes de começar as críticas, melhor amaciar um pouco com elogios.

- Se quiser ser popular, elogie com mais liberalidade do que critica.

DEFICIÊNCIAS

- Um menino cego pagou toda a sua educação, até o mestrado na Northwestern University, tomando notas das aulas em taquigrafia braille, datilografando-as e vendendo cópias para os colegas que tinham olhos sadios mas ambição deficiente.

- Se ficar desmotivado, pense em Helen Keller, que, mesmo cega, surda e muda, ganhou a vida escrevendo livros de inspiração para pessoas mais afortunadas do que ela.

- A pessoa que começa do alto tem uma imensa desvantagem, porque só pode seguir numa direção: para baixo.

DESAFIOS

- Preste um serviço maior e melhor do que o esperado se quiser atrair uma promoção rápida e permanente.

- Toda vez que cumprir uma tarefa, tente superar seu desempenho anterior e logo vai superar as pessoas à sua volta.

- Quem foi que disse que não dava para fazer, e que grande façanha essa pessoa realizou que a qualifica a estabelecer limitações para você?

- Dizem que Henry Ford ofereceu US$ 25 mil a qualquer um que mostrasse como poupar um único parafuso e porca de cada automóvel que ele fabricava.

- Mostre-me como economizar dez centavos em qualquer operação de fábrica e lhe mostro como conseguir uma promoção rápida e adequada.

- Onde você vai estar e o que vai ser daqui a dez anos se continuar no caminho em que está agora?

- Nunca destrua nada a não ser que esteja preparado para construir algo melhor no lugar.

- Na hora da derrota, muitos homens descobriram sua verdadeira grandeza ao aceitar a derrota apenas como um desafio para tentar de novo.

DESEJOS

- Se me dessem um só desejo para ver realizado, eu pediria mais sabedoria para desfrutar das muitas bênçãos que possuo por viver sob a forma de governo dos Estados Unidos da América.

- Se me dessem um só desejo para ver realizado, eu pediria mais sabedoria.

- O cientista é o único tipo de pessoa que não tem desejos esperançosos e aceita todos os fatos que encontra.

DISCURSO EFICAZ

- Lembre: cada palavra que você fala dá aos outros a chance de descobrir o quanto – ou quão pouco – você sabe sobre um assunto.

- Nem sempre o que você fala, mas a maneira como fala, é o que conta.

- Você já percebeu como é fácil modificar o tom de voz para que soe agradável quando se pede um favor?

- Fale de modo gentil e não terá que medir as palavras com tanto cuidado.

- A pessoa que fala de modo gentil é ouvida mais longe.

- Palavras expressas sem cuidado muitas vezes têm um retorno constrangedor.

- A dor mais mordaz vem de uma língua afiada.

- Você pode imaginar Nosso Senhor difamando uma pessoa por algum motivo?

- Pense o que quiser, mas tenha cuidado com a forma de expressar seus pensamentos.

EDUCAÇÃO OU APRENDIZADO

- Educação significa o desenvolvimento da mente a partir de dentro, para que ela ajude a desmontar os problemas e fazê-los funcionar a favor e não contra o indivíduo. Toda educação é adquirida, já que ninguém pode educar outrem.

- O que você aprende com um trabalho pode ser mais valioso do que o pagamento imediato que recebe por ele.

- Se você não está aprendendo enquanto ganha dinheiro, então está abrindo mão da parte mais importante da remuneração.

- Uma pessoa pode aprender ouvindo, mas não falando. Antes que alguma coisa possa sair da mente, algo tem que ser colocado lá.

- Nenhuma pessoa está devidamente educada até ler e compreender os ensaios de Emerson.

- Um bom professor é sempre um bom aluno.

- Uma pessoa educada não é necessariamente a que tem conhecimento, mas a que sabe onde adquiri-lo quando precisa.

- Analisar uma pessoa em busca de ideias construtivas dá mais resultado do que procurar seus defeitos.

- Conhecimento não é poder; é apenas poder potencial, que se torna real quando utilizado.

- Você pode aprender muitas coisas úteis analisando uma abelha, contanto que não tente mostrar a ela como fazer o trabalho.

- Aprenda a fazer alguma coisa melhor do que qualquer pessoa e poderá esquecer dos seus problemas financeiros.

- Se você não está tentando aprender tudo sobre o trabalho do seu supervisor, está jogando fora a possibilidade de promoção para o cargo dele ou para outro melhor.

- Onde é que o filósofo aprende tanto sobre os erros das pessoas? Com aquelas que erram!

- Conhecimento usado de maneira inteligente atrai mais conhecimento.

- Quanto mais você aprende sobre o seu trabalho, mais pode ganhar com ele.

- A pessoa que aprende enquanto recebe pagamento está sendo paga para ir à escola.

- O conhecimento é inútil até ser transformado em benefício por meio de ações.

ENTUSIASMO

- Onde o *entusiasmo* é um *hábito*, o medo e as preocupações não permanecem.

- Se você não tem entusiasmo, não tem um objetivo principal definido.

- O entusiasmo faz girar as rodas da imaginação.

- Uma pessoa sem entusiasmo é como um carro sem gasolina.

- As pessoas mais felizes são aquelas que aprenderam a misturar trabalho com diversão e a encontrar os dois juntos com entusiasmo.

- Muitas vezes o entusiasmo torna interessante uma conversa enfadonha.

ESFORÇO EXTRA

- Um pacifista sempre se dá melhor que um agitador.

- Lembre-se de que, sempre que você faz um esforço extra, alguém fica em dívida com você.

- O fim do arco-íris situa-se no fim do esforço extra.

- Só aqueles que têm o hábito de fazer um esforço extra chegam ao fim do arco-íris.

- Sempre que influencia alguém a trabalhar melhor, você o beneficia e aumenta o seu próprio valor.

- Um bom pescador dá-se ao trabalho de colocar a isca que os peixes preferem, o que não deixa de ser uma boa dica para quem deseja ser bem-sucedido nas relações humanas.

- Você não pode fazer todo mundo gostar de você, mas pode privá-los de uma boa razão para não gostarem.

- O mais importante é aprender a negociar com os outros sem atrito.

- O Touro Ferdinando tem boas qualidades, mas você não vai despertá-las agitando um pano vermelho na frente dele. O mesmo vale para as pessoas.

- Lembre-se: você pode deixar qualquer pessoa em dívida com você se conseguir induzi-la a *aceitar seus favores*.

- Mais cedo ou mais tarde, a pessoa que faz mais do que é paga para fazer recebe espontaneamente um pagamento superior ao serviço que presta.

- Comece a fazer um esforço extra e as oportunidades vão começar a seguir você.

- Não pise nos outros se você tem calos nos pés.

- A pessoa mais rica é aquela que mais presta serviços aos outros.

- Só a estrada do serviço útil leva à cidade da felicidade.

ESPERANÇA E INCENTIVO

- Se você olhar em volta, sempre vai encontrar alguém em situação pior que a sua. Agradeça por não estar no lugar dele.

- O tempo é o maior de todos os médicos. Se tiver uma chance, pode curar a maioria dos males de que as pessoas reclamam.

- Quando as coisas ficam tão ruins que não podem piorar, geralmente começam a melhorar.

- O infortúnio raramente se intromete com quem tem dois guarda-costas permanentes: a *fé* e a *esperança*.

- Esperança e medo não andam juntos.

- Quando a esperança morre, a oportunidade raramente comparece ao funeral.

- Fé e esperança são serviçais solícitos dos homens bem-sucedidos.

- Opulência sem esforço é esperança não realizada.

FÉ

- A fé não pode ser criada, mas pode ser *adquirida* por todos aqueles que preparam a mente para recebê-la.

- A fé nunca diminui pelo uso, mas aumenta.

- Ninguém pode destruir sua fé em nada, a não ser que você consinta.

- O maior de todos os milagres é o poder da simples fé.

- O infortúnio raramente se intromete com quem tem dois guarda-costas permanentes: a *fé* e a *esperança*.

- A fé precisa de uma base para se sustentar. O medo não precisa de base.

- A fé nasce da *definição de objetivo* operando com uma atitude mental positiva.

- Fé é um estado mental que geralmente torna a palavra "impossível" obsoleta.

- A fé não vai trazer o que você deseja, mas vai mostrar o caminho para você mesmo ir buscar.

FELICIDADE

- Alguns acumulam dinheiro para poder transformá-lo em felicidade, mas os mais sábios acumulam felicidade para poder distribuí-la e mesmo assim tê-la em abundância.

- A felicidade pode ser multiplicada compartilhando-a com os outros, sem diminuir a fonte original. É o único ativo que aumenta quando distribuído.

- Um sorriso é uma pequena coisa que pode produzir *grandes resultados*.

- A felicidade está em fazer – não apenas em possuir.

- Você não pode encontrar felicidade roubando-a de outrem. O mesmo vale para a segurança econômica.

- Um sorriso ajuda na aparência e faz a pessoa sentir-se bem, sem custos.

- Qualquer pessoa pode ser conquistada mais rapidamente pelo afeto do que pelo ódio.

- O homem que distribui felicidade livremente sempre tem um grande estoque dela à mão.

- Você pode rechaçar com risos preocupações que não consegue amedrontar e despachar com uma carranca.

FORÇA DE VONTADE

- A coisa mais interessante do selo postal é a persistência com que não desgruda de sua tarefa.

- Qualquer um pode desistir quando o trajeto é difícil, mas um puro-sangue não desiste até vencer.

- A vitória é sempre possível para a pessoa que se recusa a parar de lutar.

- A natureza revela seus segredos mais profundos à pessoa *determinada* a descobri-los.

FRACASSO

- Edison fracassou dez mil vezes antes de aperfeiçoar a lâmpada incandescente. Não se preocupe se você fracassou uma vez.

- Vagar por aí, sem propósito ou objetivo, é a primeira das 30 maiores causas de fracasso.

- Edison fracassou dez mil vezes antes de aperfeiçoar a lâmpada incandescente. Pessoas comuns desistiriam no primeiro fracasso. Por isso existem tantas "comuns" e apenas um Edison.

- As pessoas podem descobrir no fracasso e na adversidade oportunidades que não conseguiriam reconhecer em circunstâncias mais favoráveis.

- Tornar "fácil" a vida das crianças geralmente torna "dura" a vida adulta delas.

- As pessoas não se incomodam de ter suas falhas apontadas se você é generoso o bastante para incluir também algumas de suas virtudes.

- Sucesso não exige explicação. Fracassos precisam ser acobertados com desculpas.

- Existe uma enorme diferença entre fracasso e derrota temporária.

- Ninguém pode ser bem-sucedido enquanto não entender essa diferença.

- Uma pessoa nunca é fracassada enquanto não aceitar uma derrota como permanente e desistir de tentar.

- A maioria dos fracassos poderia ser convertida em sucesso se as pessoas aguentassem mais um pouco ou fizessem mais uma tentativa.

- Sucesso atrai sucesso e fracasso atrai fracasso por causa da lei da atração harmoniosa.

- A pessoa que tenta conseguir algo a troco de nada geralmente acaba não conseguindo nada em troca de algo.

- O homem que aposta a dinheiro é um trapaceiro potencial, pois está tentando conseguir algo a troco de nada.

- Não é curioso que as pessoas frequentemente sejam tão espertas para inventar desculpas e tão lerdas para fazer o trabalho que tornaria desculpas desnecessárias?

- Os erros de outrem são uma desculpa fraca para os seus.

- O fracasso não é uma desgraça se você realmente fez o melhor que pôde.

- Se você não tem um grande objetivo, está navegando para o fracasso certo.

- Não culpe uma criança malcriada. Culpe aqueles que fracassaram em educá-la.

- Os defeitos humanos são como ervas daninhas. Crescem sem ser cultivados e logo tomam conta se não forem arrancados.

- Lembre-se de que os defeitos humanos são distribuídos muito uniformemente entre todos nós.

- A autocomiseração é um ópio.

- O sábio observa seus defeitos mais atentamente do que suas virtudes; os outros fazem o contrário.

- O fracasso é uma bênção quando expulsa o indivíduo da poltrona confortável da autossatisfação e o obriga a fazer algo de útil.

- O fracasso parece ser um plano da natureza para preparar a pessoa para grandes responsabilidades.

- Seu fracasso pode revelar-se um ativo desde que você saiba por que fracassou.

- Se você não sabe por que fracassou, não está mais sábio do que antes.

HÁBITOS SAUDÁVEIS

- Quando se sentir lerdo, tente o remédio da natureza. Pare de comer até sentir fome outra vez.

- A melhor hora para "se tratar" é antes de ficar doente.

- Se quer ter boa saúde, aprenda a parar de comer antes de ficar totalmente satisfeito.

- Mantenha a mente em suas enfermidades físicas e você sempre estará doente. O mesmo vale para a boa saúde.

- Alguns atletas fazem anúncios de cigarros pelo cachê, mas não fumam por dinheiro algum.

- Frutas maduras e vegetais crus compõem uma dieta saudável, na qual nunca se pode cometer excessos.

- Você sabe o que colocar no seu automóvel para ele funcionar bem. Então, trate de aprender o que colocar no seu corpo para ter uma boa saúde.

- Não tente curar uma dor de cabeça. É melhor curar o que a provocou.

- Um grande apetite nem sempre leva a uma boa saúde.

- Você tem o hábito de fumar, ou é ele que domina você?

- Comprimidos não vão curar uma intoxicação, mas muita água sim.

- Dieta e eliminação adequadas são mais úteis do que uma maçã por dia para manter o médico a distância.

- Observe seus hábitos alimentares e economize o gasto com médico.

HARMONIA

- A ordem do mundo das leis naturais é uma prova clara de que elas existem sob o controle de um plano universal.

- Existe harmonia em tudo, por todo o universo, exceto nas relações humanas.

- O atrito numa máquina tem um custo financeiro. O atrito nas relações humanas empobrece o espírito e o bolso.

- Se você não consegue se entender com outrem, pode pelo menos evitar o bate-boca.

- Existem três lados na maioria das suas desavenças com outros: o seu lado, o lado da outra pessoa e o lado certo, que pode estar em algum ponto entre os dois outros.

- A pessoa que inspira harmonia nas relações humanas sobe na vida. A pessoa que incita atritos cai. Essa ordem nunca é revertida.

- Se as perdas causadas pelos atritos nas relações humanas pudessem ser evitadas, ninguém precisaria pagar impostos, e as guerras do mundo seriam pagas num único ano.

- A tarefa mais importante é aprender a negociar com os outros sem atritos.

- Lembre-se de que é preciso pelo menos duas pessoas para brigar.

- Um poder ilimitado pode ficar disponível quando duas ou mais pessoas coordenam suas mentes e ações em espírito de perfeita harmonia para atingir um objetivo definido.

- Confiança mútua é a fundação de todas as relações humanas satisfatórias.

- Um bom pescador dá-se ao trabalho de colocar a isca que os peixes preferem, o que não deixa de ser uma boa dica para quem deseja ser bem-sucedido nas relações humanas.

- A pessoa que gera coleguismo entre os homens nunca ficará sem amigos.

- A pessoa que ama a harmonia geralmente sabe como mantê-la.

- Todo sucesso duradouro tem como base relações humanas harmoniosas.

- Se quiser se intrometer em relacionamentos humanos, procure agir como pacifista e não terá muita concorrência.

- Qualquer coisa que perturbe a harmonia entre as pessoas provavelmente originou-se daqueles que lucram com a desconfiança.

IDEIAS

- Deixe suas opiniões de lado e me dê apenas os fatos para que eu possa formar a minha opinião, e talvez você me seja mais prestativo.

- A solidez de uma opinião não passa da capacidade de julgamento de quem a oferece.

- Se tiver uma maneira melhor de fazer alguma coisa, sua ideia pode valer uma fortuna.

IMAGINAÇÃO

- A pessoa que mergulhou sorvete numa calda de chocolate e chamou de Eskibon ganhou uma fortuna pelos cinco segundos de imaginação necessários para ter a ideia.

- Clarence Saunders ganhou US$ 4 milhões em quatro anos, levando a ideia de cafeteria *self-service* para o varejo e batizando-a de Piggly-Wiggly. Imaginação dá lucro!

- Seu trabalho nunca vai ser maior do que sua imaginação permitir.

INICIATIVA PESSOAL

- O melhor trabalho vai para a pessoa que consegue executá-lo sem jogar a culpa nos outros ou voltar com desculpas.

- Aja por iniciativa própria, mas esteja pronto para assumir plena responsabilidade por seus atos.

- Quem reprime a iniciativa pessoal é inimigo da realização individual.

JULGAMENTOS

- Não julgue a igreja inteira por seus piores membros. O trigo sempre tem um pouco de joio ao redor.

- Você se arriscaria a ser julgado no céu pelas mesmas regras com que julga os outros?

JUSTIÇA

- A justiça tem um registro preciso de todos os créditos e débitos e faz seu balanço contábil regularmente, ainda que não rapidamente.

- A justiça tem o estranho hábito de apanhar as pessoas quando elas menos esperam.

LEALDADE

- Amor e amizade são duas coisas que o dinheiro não pode comprar. São dádivas dos deuses e não têm preço fixo.

- Uma grande lição que se pode aprender com os cachorros é a *lealdade duradoura*.

- O verdadeiro grande homem é um servo – não um feitor.

- O cachorro que não abana o rabo quando o dono chega em casa faria bem em procurar outro dono.

- Se todas as pessoas tivessem a lealdade e a gratidão dos cachorros, o mundo seria muito mais justo.

- Pelo amor de Deus, não morda a mão que o alimenta.

- A pessoa que tem um bom cachorro nunca fica sem um amigo.

- Os amigos devem ser cultivados – e não dados como certos.

LEI DA COMPENSAÇÃO

- A pessoa que não faz mais do que é paga para fazer não tem base real para pedir um aumento porque já está ganhando tudo o que merece.

- Mais cedo ou mais tarde, a pessoa que faz mais do que é paga para fazer recebe espontaneamente um pagamento superior ao serviço que presta.

- Se você estiver procurando encrenca, algum intrometido vai ajudá-lo a encontrar.

- Algumas pessoas parecem "alérgicas" ao trabalho honesto, mas a oportunidade é igualmente alérgica a elas.

- A pessoa que faz seu trabalho exatamente como faria se fosse a dona do negócio talvez veja o dia em que será dona desse negócio ou de outro melhor.

- Lembre-se de que a maioria das encrencas em que as pessoas se metem sobrevém quando estão em má companhia ou em lugares onde não deveriam estar.

- Quando partiu, Cristóvão Colombo não sabia para onde estava indo, não sabia onde estava quando chegou lá, nem onde havia estado quando voltou; por isso, seus vizinhos desconfiaram e o acorrentaram na prisão.

- A pessoa que se coloca deliberadamente no caminho da oportunidade, mantendo-se em atividade o tempo todo, mais cedo ou mais tarde é coroada por ela.

- Henry Ford ficou rico não pela venda de automóveis, mas pelo serviço que prestava com eles.

- Sempre que influencia alguém a trabalhar melhor, você o beneficia e aumenta o seu próprio valor.

- Faça seu trabalho exatamente como faria se fosse seu próprio chefe e mais cedo ou mais tarde você será!

- A pessoa que dá uma boa reputação ao seu empregador quase sempre ganha uma boa reputação desse empregador.

- Não se satisfaça em ser bom no seu trabalho. Seja o melhor e logo você será indispensável.

- A lei da compensação nem sempre é rápida, mas é tão certa quanto o pôr do Sol.

- Faça o dinheiro trabalhar para você e não terá que trabalhar tanto por ele.

- Primeiro, a pessoa consome bebidas ou cigarros por sua escolha; depois eles a consomem independentemente da escolha dela.

- Causar dano à reputação de alguém não vai ajudar em nada a sua; então, por que se dar a esse trabalho sem recompensa?

- Quanto mais você se compromete a troco de nada, menos vai receber em troca de algo.

- O infortúnio que você deseja para os outros pode se transformar no padrão da sua própria vida.

- Nunca caia em cima de uma pessoa porque ela está sujeita à sua autoridade, pois a autoridade às vezes se inverte.

- Quando você começa a dar, logo começa a receber.

- A eterna lei da compensação equilibra todas as coisas no universo com a mesma medida de seus opostos.

- Se você tem alguma coisa de que não precisa, dê para alguém que precise. Isso terá retorno de um jeito ou de outro.

LIBERDADE

- Ninguém é livre até aprender a pensar com a própria cabeça e ter a coragem de agir por iniciativa própria.

- Pensar com exatidão liberta uma pessoa. Nada mais liberta.

- Quem guarda rancor contra outrem não é livre, pois está preso às próprias emoções. Não pegue muito no pé do "chefe", porque você pode vir a ser o "chefe" um dia.

- Pagar impostos altos e ter bastante liberdade é melhor do que não pagar impostos e não ter liberdade.

- Liberdade e medo não podem coexistir na vida de alguém.

- Um homem livre nada teme.

- Ninguém pode ser totalmente livre enquanto não for totalmente honesto consigo mesmo.

MASTERMIND

- A mente só cresce com o uso e atrofia no ócio.

- Uma pessoa não é maior do que os pensamentos que dominam sua mente.

- A verdade tem uma coisa que a torna facilmente reconhecível por todos que a procuram com a mente aberta.

- Uma mente fechada tropeça nas bênçãos da vida sem reconhecê-las.

- Tome posse de sua mente e logo poderá viver a vida nos seus próprios termos.

- A mente de Henry Ford era exatamente igual a qualquer outra mente normal, mas ele a usava para pensar e não para cultivar o medo e limitações autoimpostas.

- Lembre-se de que a mente se fortalece pelo uso. O esforço gera poder.

- Cuidado com a pessoa que tenta envenenar sua mente contra outrem sob o pretexto de ajudá-lo. As chances de que ela esteja tentando ajudar a si mesma são de mil para uma.

- As mentes mais sagazes são aquelas que foram mais afiadas pela experiência prática.

- Uma decisão rápida geralmente denota uma mente alerta.

- Controle a própria mente e nunca mais será controlado pela mente de outrem.

- Ninguém pode deixá-lo com raiva a menos que você abra a porta de sua mente para isso.

- O progresso na vida de uma pessoa começa em sua mente e termina no mesmo lugar.

- Seu verdadeiro chefe é aquele que anda debaixo do seu chapéu.

- A mente que melhor serve é aquela que é mais usada.

- A mente nunca se cansa, mas às vezes fica "entediada" com o tipo de alimento que recebe.

- Conheça sua mente e será tão sábio quanto os sábios.

- Sua mente é sua, assim como a responsabilidade na maneira de usá-la.

- Se você conhece sua mente, sabe o suficiente para mantê-la sempre positiva.

MEDO

- Ameaças ruidosas costumam indicar grandes medos.

- A derrota vai respeitá-lo mais se você aprender a aceitá-la sem medo.

- Não contemporize com o medo, vá em frente e acabe com ele.

- Lembre-se de que o policial é o único tipo de pessoa que obtém resultados satisfatórios com o medo e a força. Os outros se dão melhor por meio da persuasão.

- O medo é a maior arma do demônio e o maior inimigo do homem.

- O medo é a mais cara das emoções humanas, embora a maioria dos medos não tenha embasamento em fatos.

- Pessoas com a consciência limpa raramente têm medo de alguma coisa.

- Todo negócio baseado no medo ou na força é um mau negócio para quem o forçou.

- Vá dormir rezando, e acorde cantando e veja como vai trabalhar bem nesse dia.

- Cachorros e mulas não respeitam quem tem medo deles.

- Mantenha-se tão ocupado correndo atrás do que gosta que não vai ter tempo de temer o que não gosta.

- Feche a porta do medo atrás de você e veja a rapidez com que a porta da fé se abrirá à sua frente.

- Conte-me o que uma pessoa mais teme e lhe direi como ela pode ser derrotada.

- Liberdade e medo não podem coexistir na vida de uma pessoa.

- O medo é espalhafatoso, a fé trabalha em silêncio. Mas trabalha. Quando os dois batem de frente, a fé sempre domina o medo.

- O azar parece preferir quem tem medo dele.

- Guarde seus medos para você. O outro camarada tem os dele.

- Medo e esperança *não* viajam juntos.

- O homem que *teme* a pobreza nunca será rico.

- O medo mata mais gente do que a maioria das coisas de que as pessoas têm medo.

- Você não precisa temer a pessoa que tem medo de si mesma, a não ser que você seja essa pessoa.

- A fé precisa de uma base para se sustentar. O medo não precisa de base.

MENTE SUBCONSCIENTE

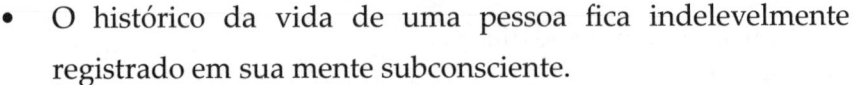

- O histórico da vida de uma pessoa fica indelevelmente registrado em sua mente subconsciente.

- A mente subconsciente geralmente trabalha nos maiores problemas de uma pessoa quando a mente consciente está dormindo.

- Mantenha a mente consciente fixada no que deseja e sua mente subconsciente vai guiá-lo sem erro até lá.

MODO DE AGIR

- Observe a pessoa que está à sua frente e saberá por que ela está na frente. Depois trate de imitá-la.

- Se você quer que um trabalho fique pronto rápido e seja bem feito, peça a alguém ocupado para fazer. O preguiçoso conhece muitos atalhos e desculpas.

- Não se pode esperar que uma pessoa que não toma uma decisão rápida quando dispõe de todos os fatos necessários possa cumprir decisões depois de tomá-las.

- O homem que só trabalha o suficiente para "ir levando" raramente consegue mais do que "levar".

- Boas intenções são inúteis até serem expressas com ações apropriadas.

- É preciso mais do que a assinatura no livro da igreja para alguém ser chamado de cristão.

OBJETIVO DEFINIDO

- O mundo é belo para quem sabe exatamente o que quer da vida e se ocupa correndo atrás.

- Um homem sem um objetivo principal definido está tão perdido quanto um navio sem bússola.

- Toda riqueza consiste do hábito de pensar com clareza. Se você não tiver um objetivo principal na vida, seus objetivos menores vão produzir apenas uma existência rasa.

- Força de vontade é o resultado da definição de objetivo expressa em ação persistente, baseada na iniciativa pessoal.

- Um bote sem remos e um homem sem objetivos acabam encalhados numa praia deserta.

- Honestidade e trabalho duro são traços de caráter elogiáveis, mas nunca farão da pessoa um sucesso se ela não os direcionar para um objetivo principal definido.

- A vida sem um objetivo principal definido não promete nada a não ser uma existência rasa.

- Se você não tem um objetivo principal, está à deriva rumo ao fracasso certo.

- Objetivo constante é o primeiro princípio do sucesso.

OBJETIVO OU META PRINCIPAL

- O que você quer da vida e o que precisa dar em troca para ter direito ao que quer?

- A pessoa de sucesso mantém a mente fixa naquilo que quer da vida – não no que não quer.

- Peggy Joyce Hopkins casou-se com quatro milionários, um depois do outro, porque sabia o que queria e não aceitava outra coisa.

- Não importa o que você fez no passado. O que você vai fazer no futuro?

- A única coisa permanente em todo o universo é aquilo que uma pessoa estabelece na própria mente.

- Se você não sabe o que quer da vida, o que acha que vai conseguir?

- Tenha certeza do que quer da vida e certeza dobrada sobre o que terá que dar em troca.

- Analise com o máximo de cuidado as coisas que mais deseja.

- A sabedoria consiste em saber o que não querer tanto quanto saber o que querer.

- Mantenha-se tão ocupado correndo atrás do que quer que não tenha tempo de temer o que não quer.

- Não tenha medo de mirar alto ao escolher seu objetivo de vida, pois, não importa quão alto você mire, a realização pode ficar abaixo disso.

- Se você não sabe o que quer, não diga que nunca teve uma chance.

OPINIÃO

- A maioria das opiniões são meros desejos esperançosos, não o resultado de análise cuidadosa dos fatos.
- Nunca dê uma opinião se não puder explicar como chegou a ela.
- É melhor fazer perguntas inteligentes do que dar opiniões grátis que não foram solicitadas.
- Se as suas opiniões valem alguma coisa, por que as distribuir de graça?
- Dê-me os fatos e deixe as opiniões de lado.
- Sua opinião ficará mais segura se você não a expressar como fato.

OPORTUNIDADE

- A oportunidade tem uma maneira estranha de perseguir a pessoa capaz de reconhecê-la e que está pronta para agarrá-la.
- O homem que é rápido em ver suas limitações geralmente é lento em ver as oportunidades.
- Os erros de uma pessoa podem ser um campo fértil de oportunidades se você souber o que causou os erros.
- Falar fora de hora pode agradar seu ego, mas também pode destruir suas oportunidades.

- Se você for norte-americano e tiver um corpo são, nunca diga que o mundo não lhe deu uma oportunidade.

- Se não é seu trabalho fazer, talvez seja a sua oportunidade.

- A oportunidade faz cara feia para monopólios egoístas.

- Empolgue-se com expectativas e talvez a oportunidade faça acontecer.

- A oportunidade vai abandoná-lo se você não tiver força suficiente para segurá-la.

- Se você conseguisse ver uma oportunidade com a rapidez com que enxerga os defeitos dos outros, logo ficaria rico.

- Uma língua afiada pode cortar a linha de comunicação com a oportunidade.

- Quando você fecha a porta da sua mente para os pensamentos negativos, a porta da oportunidade abre-se para você.

- A oportunidade com frequência bate na porta, e ninguém atende.

- Uma pessoa engenhosa sempre tem a oportunidade ajustar-se às suas necessidades.

- A oportunidade não vai se esforçar procurando uma pessoa que perde seu tempo sem fazer nada ou se dedicando a ações destrutivas.

- A oportunidade não vai se interessar por uma pessoa que não esteja interessada nela.

ORAÇÃO

- As melhores e mais eficazes orações são aquelas oferecidas em gratidão pelas bênçãos que já possuímos.

- É melhor agradecer pelas bênçãos que já possuímos do que rezar pedindo mais bênçãos.

- Orações proferidas com medo ou dúvida sempre produzem apenas resultados negativos.

- A arte de ser grato pelas bênçãos que você já tem é em si a forma mais profunda de devoção, uma joia incomparável.

PAZ MENTAL

- Não se leve muito a sério se deseja ter alguma alegria na vida.

- Nada que faz um homem se preocupar vale o custo da preocupação em paz mental e saúde física.

- Uma pessoa que está em paz consigo também está em paz com o mundo.

- Enquanto não tiver paz mental, você não será livre.

- Fique bem consigo mesmo e veja a velocidade com que as outras pessoas ficam bem com você.

- Se não está em paz consigo mesmo, você não pode estar em paz com os outros.

- Se realmente estiver em paz consigo mesmo, você nunca estará em guerra com os outros.

PENSAMENTO ORGANIZADO

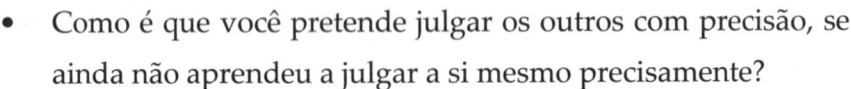

- Pense no seguinte: você tem controle total sobre uma única coisa, que é o poder do seu pensamento.

- Você está onde está e é o que é por causa dos alimentos que come e dos pensamentos que tem.

- Algumas pepitas de pensamento valem mais do que pepitas de ouro.

- Não adianta nada "parar, olhar e escutar" a menos que você também pense.

- Se você é realmente inteligente, sabe quando parar de falar e começar a escutar.

- Pense no caminho a seguir – e aí ponha o corpo a andar.

PENSAMENTO PRECISO

- Como é que você pretende julgar os outros com precisão, se ainda não aprendeu a julgar a si mesmo precisamente?

- Você enganou o outro cara ou a si mesmo? Pense bem antes de responder.

- A pessoa que pensa antes de agir raramente tem que pedir desculpas por seus atos.

- Tentar convencer uma pessoa que não gosta de pensar é trabalho perdido.

- Pensar em como sair de seus problemas é mais seguro do que desejar sair deles.

- O cara que pensa que o mundo inteiro está errado poderia se surpreender com o que o mundo pensa dele.

- Muitos homens que pensam que chegaram a algum lugar ficam surpresos ao saber que estavam viajando de marcha à ré.

- Se você não pensa, também não precisa escutar.

- Cuidado para não passar a perna no homem que pensa antes de agir.

PERSONALIDADE AGRADÁVEL

- As pessoas gostam mais de você quando as recebe com um sorriso no rosto em vez de uma carranca.

- Duas palavras simples – "por favor" – contêm grande encanto.

- Você sempre será bem-vindo se chegar com um sorriso no rosto e deixar as preocupações em casa.

- Ouvi dizer que as pessoas nunca desconfiam de alguém que canta ou assobia enquanto trabalha.

- A vida nunca é doce para a pessoa que é amarga com o mundo.

- Uma coisa que desarma uma pessoa raivosa é um sorriso quando espera uma carranca.

- Se não puder vencer, você pode pelo menos sorrir.

PREOCUPAÇÕES

- Nunca pare para pensar nas suas preocupações, porque elas vão alcançá-lo rapidamente, a menos que você corra mais rápido que elas.

- A consciência do sucesso é como uma sentença de morte para as preocupações.

- Preocupação e sucesso não podem morar na mesma casa.

- Você pode matar com risos muitas preocupações das quais não consegue se livrar de outro jeito.

- Preocupações não alimentadas logo morrem de inanição.

- Antes de se preocupar em como conseguir um pagamento maior, tente pensar em como pode fazer um trabalho melhor e talvez não precise se preocupar.

- Quando o entusiasmo entra pela porta da frente, a preocupação sai correndo pela porta dos fundos.

- As preocupações de hoje podem se tornar as experiências inestimáveis de amanhã.

- A preocupação mata mais rápido do que o trabalho.

- Nunca dê ouvidos a um cético a menos que queira virar um, pois o ceticismo é contagioso.

- Tome posse da sua mente, e as preocupações terão que procurar outra pousada.

- Os parentes da preocupação são: medo, má saúde, mau gênio, indiferença, procrastinação, ciúme, inveja, ódio, egoísmo, mau julgamento, pobreza, envelhecimento precoce e desânimo. *Que bando de vagabundos!*

- Deixe que *o outro se preocupe*, se ele não tiver ideia melhor.

- A preocupação prospera na autocomiseração.

- Você não tem que abrir a porta toda vez que uma preocupação bate nela.

- A maioria das preocupações não têm a metade da gravidade que seus donos atribuem a elas.

- Se você tem tempo para se preocupar, não teve tempo suficiente para ser bem-sucedido no trabalho.

- Se você estiver ocupado demais para visitar as preocupações, elas vão cansar de ficar à espera.

- As preocupações costumam ir aonde são bem-vindas.

- Só os fracos anseiam por simpatia!

- Esqueça suas preocupações, e a maioria delas vai revidar esquecendo de você.

PROCRASTINAÇÃO

- Procrastinação é o mau hábito de adiar para depois de amanhã aquilo que deveria ter sido feito anteontem.

- O procrastinador habitual é sempre um especialista em inventar desculpas.

- O suspense é filho da indecisão e primo em primeiro grau da procrastinação. Também é o "animal de estimação" que mantém muita gente na pobreza.

REALIDADES

- As cinco realidades conhecidas em todo o universo são tempo, espaço, matéria, energia e a inteligência que organiza tudo isso.

- Os sonhos de hoje são as realidades de amanhã. Não menospreze o sonhador, porque ele é o precursor da civilização.

- Não existe essa coisa de boa ou má sorte. Tudo tem uma causa que produz os efeitos apropriados.

- Não existe essa coisa de fé passiva. Ação é o primeiro requisito de todo tipo de fé. Palavras apenas não servem.

- A única coisa permanente no universo é a mudança. Nada fica igual por dois dias seguidos.

RECLAMAÇÕES

- Algumas pessoas reclamam com razão, enquanto outras só reclamam.

- É melhor merecer uma promoção do que reclamar que quer.

- Se você precisa reclamar para ser feliz, pelo amor de Deus, reclame em voz baixa, para não perturbar os outros.

- Não seja muito duro com a pessoa que está sempre reclamando, porque ela mesma está dificultando muito a própria vida.

- Se quer reclamar, por que não reclamar por uma oportunidade maior de ser útil aos outros?

- Lamente-se por seus infortúnios, e eles se multiplicam, mas fique quieto e eles morrem.

- Dê bastante corda a um reclamão e ele vai se enforcar sem a sua ajuda.

RELAÇÕES HUMANAS

- O ciúme é como uma *insanidade* temporária.

- Você não pode ser perfeito, mas pode ser honesto.

- As roupas podem não fazer o homem, mas podem ajudar muito a dar um ponto de partida favorável.

- Para ser um bom executivo é preciso mais do que um título e uma mesa de mogno.

- A pessoa que *constrói* uma casa sempre ganha mais por seu trabalho do que a que *demole*.

- Harmonia nas relações humanas é o maior ativo de uma pessoa. Não permita que ninguém roube a sua parte.

- Uma coisa que desarma uma pessoa raivosa é um sorriso quando ela espera uma carranca.

- Se não puder vencer, você pode pelo menos sorrir.

- Seu trabalho não vai fazer mais por você do que você faz por ele.

- Vingança é uma característica do homem *primitivo*.

- Se você estiver procurando encrenca, algum intrometido vai ajudá-lo a encontrar.

- Comece a procurar doença, e ela logo aparecerá.

- Um mau hábito muitas vezes estraga uma dúzia de bons hábitos.

- Sua *reputação* é feita pelos *outros*; seu *caráter*, por *você mesmo*.

- Não importa o que você fez no passado. O que vai fazer no futuro?

- Lembre-se de que os defeitos humanos são distribuídos muito uniformemente entre todos nós.

- Falta de educação com um subordinado é um claro sinal de complexo de inferioridade.

- Imagine que você irrite outra pessoa? O que vai fazer com isso?

- Capacidade é mais importante que dinheiro, porque não pode ser *roubada* nem *perdida*.

- Ódio e justiça não podem ocupar uma mente pequena ao mesmo tempo.

RESPEITO

- Autorrespeito é a melhor maneira de se conquistar o respeito dos outros.

- Um bom caráter começa com o autorrespeito.

- É preciso mais do que um vozeirão para uma autoridade ser respeitada.

RESPONSABILIDADE

- Salários altos e capacidade de assumir responsabilidades são duas coisas que andam juntas.
- Se você faz o trabalho do jeito de outrem, a responsabilidade é dele. Se você faz do seu jeito, deve assumir a responsabilidade.
- Grandes honorários e pouca responsabilidade são circunstâncias que raramente se encontram juntas.
- O privilégio de trazer filhos ao mundo inclui a responsabilidade de ensinar a eles os fundamentos de um bom caráter.
- Não cobice o emprego de outra pessoa se não estiver preparado para aceitar a responsabilidade que vem com ele.

RETIDÃO

- Não ignore os pequenos detalhes. Lembre-se de que o universo e tudo o que nele existe é composto de átomos, as menores partículas da matéria.
- A melhor maneira de conseguir favores é começar a fazer favores.

SEGURO DE VIDA

- Você não tem que fazer mais do que é pago para fazer, mas pode avançar muito se fizer *voluntariamente*.
- O seguro de vida ajuda a matar o medo da pobreza na velhice.

- O amor de um homem pela sua família pode ser medido com bastante precisão pelo tamanho do seguro de vida que ele contrata para a proteção dela.

- O homem que gasta tudo o que ganha vai morrer na penúria se não fizer seguro de vida.

- Ninguém deve acumular uma dívida maior do que o montante do seu seguro de vida.

SILÊNCIO

- Às vezes, a pessoa que você acha que venceu com palavras levou a melhor sobre você com o silêncio.

- O silêncio tem uma grande vantagem: não dá a ninguém uma pista de qual vai ser o seu próximo movimento.

- Pensamento silencioso tem mais poder do que palavras faladas.

SONO

- Quando não souber o que fazer com um problema, tente dormir com ele por uma ou duas noites.

- Uma consciência amiga é uma ótima cura para a insônia.

- Se não estiver conseguindo dormir, veja como está seu estômago ou tenha uma conversa confidencial com sua consciência.

SUCESSO

- Rico de fato é o homem que tem mais amigos do que inimigos, que não teme ninguém e está tão ocupado construindo que não tem tempo para dedicar à destruição dos planos e esperanças dos outros.

- De vez em quando, vale a pena ficar à margem da vida e se observar, a fim de ver como o mundo o vê.

- A melhor de todas as escolas é popularmente conhecida como universidade dos golpes duros.

- Dois tipos de pessoas nunca vão adiante: as que só fazem o que mandam fazer e as que não fazem o que mandam fazer.

- O dinheiro pode não fazer alguém ser um sucesso, mas dá uma ótima reputação.

- A maior regra do sucesso é a seguinte: faça aos outros o que faria se estivesse no lugar deles.

- Nenhuma pessoa é tão bem-sucedida a ponto de não apreciar uma palavra gentil de reconhecimento por um trabalho bem feito.

- A maneira mais garantida de se promover é ajudar os outros a progredir.

- Não se apresse demais para chegar ao topo da escada do sucesso, porque de lá só pode se mover numa direção: para baixo.

- O líder bem-sucedido toma decisões rapidamente, mas as muda devagar, caso devam ser modificadas.

- A maioria das pessoas que alcançaram os degraus mais altos do sucesso só acertaram suas melhores tacadas depois dos quarenta anos de idade.

- A pessoa que só tem tempo para fofoca e calúnia está ocupada demais para chegar ao sucesso.

- Qualquer um pode aguentar a pobreza, mas poucos conseguem suportar o sucesso e a riqueza.

- Descubra como aumentar a produção e você vai subir junto com ela, acompanhado de um contracheque maior.

- Economize gastos para a empresa, e a empresa vai economizar dinheiro para você de modo proporcional.

- Se uma pessoa trabalhasse tão duro na tarefa que deve fazer quanto na tarefa que deseja fazer, chegaria a algum lugar.

- Numa empresa bem administrada, todas as promoções são por merecimento. O único papel do empregador é verificar cuidadosamente se a promoção foi merecida.

- Se você fosse seu próprio patrão, estaria inteiramente satisfeito com o trabalho que fez hoje?

- A pessoa que tenta se promover denegrindo os outros não consegue ficar por muito tempo no topo, caso chegue lá.

- A melhor cura conhecida para solidão, desânimo e insatisfação é um bom trabalho que produza um suor saudável.

- Um político "de sucesso" é lento ao fazer promessas, mas rápido ao cumpri-las.

- Sucesso atrai sucesso, como evidenciado pelo fato de que você pode conseguir o que quer mais facilmente quando não tem uma necessidade urgente.

- As pessoas raramente atingem os mais altos escalões do sucesso antes dos quarenta anos, principalmente porque passam a maior parte da juventude desaprendendo coisas que não eram verdade.

- Algumas pessoas são "espertas", outras são "sábias". A diferença é que as "espertas" sabem ganhar dinheiro, as "sábias" sabem ganhar e usá-lo com sabedoria.

- Se você consegue mostrar como economizar tempo e material, consegue mostrar facilmente como seu contracheque pode aumentar.

- Lembre-se de que a porta da oportunidade abre para dois lados: *para dentro* e *para fora.*

- Ninguém pode mantê-lo por baixo, exceto você mesmo.

- Uma derrota não desencoraja aquele que *sabe* que está certo.

- O homem que reclama que nunca teve uma chance provavelmente não tem coragem de arriscar.

- O sucesso que vem fácil é capaz de ir embora depressa.

- Quando você aprende a receber a vida como ela vem, ela geralmente vem do jeito que você quer.

- É certo que você não vai terminar se não começar.

- Se for colocar todos os ovos numa única cesta, assegure-se de que ninguém dê um chute nela.

- Não importa o que o outro cara não fez. O que conta é o que você *faz*.

- Se você for um pastor, seja o *melhor* e poderá ter o seu próprio rebanho.

- Você sempre pode se tornar a pessoa que gostaria de ter sido.

- Mais cedo ou mais tarde, o mundo irá descobri-lo e recompensá-lo ou puni-lo *exatamente pelo que você é.*

- Se lhe oferecessem o melhor cargo na fábrica, você estaria pronto para ocupá-lo?

- Você está esperando o sucesso chegar ou vai procurar onde ele está se escondendo?

- Lembre-se: não é necessário que os outros fracassem para você ser bem-sucedido.

- A vida diz: "Dê o melhor ou dê o fora, mas não dê desculpas".

- Quando um emprego vai atrás de alguém, geralmente escolhe uma pessoa que está empregada.

- Se não é seu trabalho fazer, talvez seja a *sua oportunidade.*

- Mantenha a mente consciente fixada no que deseja e sua mente subconsciente vai guiar você sem erro até lá.

- O mundo abre passagem e dá espaço para a pessoa que sabe onde está indo e está a caminho.

- A escalada será mais fácil se você levar outros consigo.

- Não existem ruas sem saída para a pessoa persistente que sabe o que quer e onde espera encontrar.

- Antes de se preocupar em como conseguir um pagamento maior, tente pensar em como pode fazer um trabalho melhor e talvez não precise se preocupar.

- Lembre-se de que uma pipa voa contra o vento e não a favor.

- A pessoa que não se arrisca raramente recebe uma chance.

- É melhor *superar* outra pessoa do que perder tempo invejando-a.

- Ninguém pode fazer a vida compensar a menos que saiba exatamente *o que quer*!

- A escada do sucesso nunca está apinhada no alto.

- Oportunidade é algo que permite passar pela porta do sucesso, mas não a arromba.

- A natureza revela seus segredos mais profundos para a pessoa *determinada* a descobri-los.

- Nenhuma pessoa pode ter sucesso e mantê-lo sem a cooperação amigável dos outros.

- A oportunidade nunca chega para a pessoa indecisa em cima do muro.

- Se você espera algo a troco de nada, está fadado à decepção.

- Nunca discuta detalhes sem importância, pois, se vencer, não terá obtido vantagem alguma.

- Você nunca vai tirar muito da vida se permitir que os outros vivam por você.

- As grandes realizações nascem da luta.

- Ter um propósito constante é o primeiro princípio do sucesso.

- A melhor maneira de conseguir ser transferido de um trabalho de que você não gosta para outro que prefere é prestar o serviço atual tão bem que a gerência vai querer aproveitar suas habilidades num trabalho mais importante.

- O trabalho que você menos gosta de fazer pode dar a experiência necessária para ser promovido para um trabalho melhor.

- Muitos pais dificultaram a vida dos filhos ao tentar facilitá-la excessivamente.

- Quando o trajeto for duro, apenas vá em frente e chegará lá mais rápido do que quem acha o percurso fácil.

- A pobreza pode não ser uma desgraça, mas com certeza não é recomendável.

- Não olhe para as estrelas em busca da causa dos seus infortúnios. Olhe para si mesmo e obtenha resultado melhor.

- A pessoa que trabalha mais quando o chefe não está por perto está a caminho de um trabalho melhor.

- O trabalho deve ter sido proporcionado como uma bênção, pois todas as criaturas devem trabalhar ou perecer.

- É mais fácil estar adiantado do que tentar regularizar um trabalho atrasado.

- Você já percebeu que o trabalhador mais eficiente geralmente é o mais ocupado?

- Rejubile-se com a pessoa que está tendo sucesso, e ela pode compartilhar o segredo do sucesso com você.

- Você está esperando o sucesso chegar ou vai procurar onde ele está se escondendo?

- Não importa o quanto você sabe! O importante é o que você consegue fazer com o que sabe.

- Não há muito que se possa fazer por uma pessoa que não tenta fazer nada por si.

- Se alguém consegue alguma coisa de graça, geralmente tal coisa vale o que custou.

- A pessoa que não economiza sistematicamente um percentual definido de tudo aquilo que ganha nunca terá condições de adquirir segurança financeira.

- Um pequeno trabalho bem feito é o primeiro passo para um trabalho maior.

- Não fique empolgado com um sucesso temporário, porque pode ser só uma isca para determinar com quanto você é capaz de lidar.

- Você nunca terá sucesso até treinar a mente para ter consciência do sucesso.

- Uma pessoa nunca vai muito longe até ser sua própria "vidente".

- A quantidade e a qualidade do serviço que você presta determinam seu salário e o tipo de experiência que você tem.

- É provável que seu trabalho goste de você tanto quanto você gosta dele, mas não mais.

- Vadiar no trabalho prejudica seu empregador, mas prejudica você ainda mais.

- Não pergunte a seu empregador por que você não é promovido. Pergunte à pessoa que realmente sabe: você mesmo.

- Se você tem mais inimigos que amigos, a chance é de mil para um que você fez por merecer.

- A longo prazo, o que conta não é tanto o quanto você ganha, mas o quanto economiza.

- A quantidade e a qualidade do serviço que você presta são o único padrão pelo qual seu pagamento pode ser estipulado.

- A maior de todas as riquezas é o simples bom senso.

- O sistema norte-americano da livre iniciativa não só gera riqueza, como também gera líderes de sucesso.

TATO

- Uma pessoa verdadeiramente grande nunca tenta impressionar as outras com a sua grandeza, nem tenta "viver como o vizinho".

- Nunca pode haver mal algum em falar de outras pessoas, desde que seja sobre suas boas qualidades.

- É melhor pedir a alguém para fazer um serviço do que dar uma ordem.

- Quando a expressão facial do outro se mostra aborrecida, é hora de parar de falar ou mudar de assunto.

- Quando não tiver nada de bom para falar sobre alguém, feche a boca e se sentirá melhor.

- Você pode se aproximar de qualquer pessoa pelo simples processo de nutrir um interesse sincero pelo que ela faz.

- Um elogio merecido vai despertar interesse recíproco em qualquer pessoa.
- Se você tiver que falar sobre as suas qualidades, procure não se estender demais.

TEIMOSIA

- Certeza de opinião sem tolerância geralmente é apenas teimosia.
- Teimosia pura com frequência é confundida com "orgulho".

TEMPERAMENTO

- Bom humor é bom, desde que não seja às custas de outrem.
- Temperamento é um estado mental composto de 90% de "têmpera" e 10% de energia "mental".
- Quando você perde a cabeça, é melhor voltar atrás para procurá-la.
- Cabeça quente não produz pensamentos frescos.
- Quando estiver com tanta raiva que nem souber o que fazer, é melhor não fazer nada.

TEMPO

- Diga-me como usa seu tempo "livre" e direi o que você vai ser e onde estará daqui a dez anos.

- O tempo é um curador maravilhoso. Tende a igualar o bom e o mau e corrigir os erros do mundo.

- Você pode descobrir como economizar tempo e material no seu departamento e com isso assegurar um aumento de salário e um cargo melhor. Por que não tenta?

- Você vai encontrar tempo para tudo o que precisa se o seu tempo for devidamente organizado.

- O tempo mais lucrativo que qualquer pessoa gasta é aquele pelo qual ela não é diretamente remunerada.

- O homem que desperdiça seu tempo pode ser tão ladrão quanto aquele que rouba a propriedade dos outros.

- No fim, o tempo cura todos os males e erros do mundo. Com o tempo nada é impossível.

- Existe sempre uma escassez de gente que faça um bom trabalho no prazo *sem desculpas ou resmungos*.

- O tempo que algumas pessoas dedicam a manchar a reputação dos outros seria muito melhor gasto se recuperassem as suas.

- O tempo que uma pessoa fica num emprego é uma medida bastante boa de sua confiabilidade.

- Não perca tempo com a pessoa que forma uma opinião antes de examinar as evidências.

- O homem que briga com a mulher na hora da refeição provavelmente briga com os colegas de trabalho o resto do tempo.

- A melhor hora para vender qualquer coisa a um homem é logo depois do jantar. (Mulheres, tomem nota.)

- Corra, irmão, corra! A areia na sua ampulheta se esvai a cada segundo, e o frasco não pode ser reabastecido.

- O tempo é precioso demais para ser desperdiçado com insatisfação ou brigas tolas.

- O tempo é a única coisa racionada para todo mundo e não existe no mercado negro a preço algum.

- O que você está esperando – e por que está esperando?

- Indecisão e falta de um objetivo principal são os maiores ladrões de tempo.

- Se o seu tempo não tem valor para você, talvez possa fazê-lo valer para os outros.

- Ninguém é pago pelo seu tempo, mas pode ser pago pelo uso que faz dele. Só o tempo utilizado tem valor.

- O uso que uma pessoa faz de seu tempo determina o espaço que ela ocupa no mundo.

- Cada vez que você pensa em termos de benefício para o seu empregador, dá mais um passo rumo a um benefício igual para você.

- Se você não é capaz de perdoar, não peça para ser perdoado, pois estará perdendo tempo.

- O tempo cura preocupações que não respondem a nenhum outro tratamento.

- Viva cada dia como se fosse o último e você desenvolverá um vívido respeito pelo tempo.

- Quando sofrer uma derrota, não gaste todo o seu tempo contando as perdas. Separe um pouco para procurar ganhos e pode descobrir que ganhou mais do que perdeu.

- Alguns erros podem ser corrigidos, mas não o erro do desperdício de tempo. Quando o tempo passa, ele se vai para sempre.

- O poeta chora: "Para trás, volte para trás, ó tempo que voa". Mas ele chora em vão, porque o tempo só flui para a frente.

- O uso mais benéfico do tempo é em meditação silenciosa em busca de orientação vinda de dentro.

- O tempo gasto em pensamentos silenciosos pode render riquezas formidáveis pela criação de boas ideias.

- Quando não houver trabalho para suas mãos, empregue sua mente para não desperdiçar um segundo de tempo.

- Cada minuto economizado em qualquer trabalho é um passo a caminho da promoção.

- Não basta chegar apenas. Você tem que chegar em tempo.

- A maioria dos infortúnios resultam do mau uso do tempo.

- O tipo mais baixo de desperdiçador de tempo é chamado de "vagabundo" e às vezes é encontrado temporariamente em companhias respeitáveis.

- O tempo, o grande médico universal, pode curar todas as doenças humanas – e a maioria delas bem rápido.

- Lembre-se de que sempre existe um fim para tudo, exceto o tempo e o espaço.

TOM DE VOZ

- Lembre-se de que o seu tom de voz com frequência transmite o que se passa em sua mente com mais exatidão do que as palavras.

TRABALHO EM EQUIPE

- Um bom time de futebol consiste mais de uma coordenação harmoniosa do esforço do que de talento individual.
- Quando pedir a alguém para fazer alguma coisa, pode ser útil para ambos você dizer

    o que fazer

    por que fazer

    quando fazer

    onde fazer

    qual a melhor maneira de fazer

TRAÇOS DE CARÁTER

- Confiabilidade é a pedra fundamental do bom caráter.
- Você pode saber o tipo de caráter de uma pessoa pelas companhias que ela escolhe.
- Sua reputação é o que as pessoas pensam que você é, seu caráter é o que você é.
- Todo pensamento que uma pessoa emana torna-se parte permanente de seu caráter.

- Caráter sólido é o maior ativo de um homem, porque proporciona o poder com o qual ele pode surfar nas emergências da vida em vez de se afogar nelas.

- Alguns homens parecem relógios baratos. Não são confiáveis.

- Pegue uma pessoa que você admira e imite-a o máximo que puder. É idolatrar um herói, mas melhora o caráter.

- Ostentação normalmente é uma confissão de complexo de inferioridade.

- Palavrões são sinal de vocabulário inadequado ou de mau julgamento, ou ambos.

- Se tiver que trapacear, assegure-se de nunca tapear seu melhor amigo – você mesmo.

- O dinheiro é uma boa ou má influência, de acordo com o caráter da pessoa que o possui.

- Ninguém é tão bom que não tenha nada de mau, nem tão mau que não tenha nada de bom.

- A pessoa que só é honesta por um "preço" deve ser considerada desonesta.

- Um homem preguiçoso está doente ou não encontrou o trabalho de que mais gosta.

- Uma pessoa de bom caráter geralmente não se preocupa com a sua reputação.

- Cuide bem do seu caráter, e sua reputação vai cuidar de si.

- A falsidade sempre tem mais de uma maneira de se revelar.

- Ou uma pessoa é honesta, ou é desonesta. Não há meio-termo.

- Banqueiros geralmente emprestam dinheiro com base no caráter, mas raramente na reputação, pois sabem que nem todas as reputações são merecidas.

- Honestidade é uma qualidade espiritual que não pode ser medida em dinheiro.

- É muito fácil uma pessoa justificar a desonestidade se ganha a vida com isso.

- Verdade demais vai deixar mais gente louca do que verdade de menos.

- A educação geralmente começa em casa – ou nem começa.

Uma série de artigos inéditos do homem que mais influenciou
líderes e empreendedores no mundo. Esses ensaios, que
contêm ensinamentos sobre a natureza da prosperidade e como
alcançá-la e oferecem insight sobre a popularidade e o estilo
envolvente do autor como orador e escritor motivacional, são
publicados aqui em forma de livro pela primeira vez.

* Mais de **100 milhões** de cópias vendidas no mundo

NAPOLEON HILL

Autor do *best-seller* mundial *Think and Grow Rich*

+ ESPERTO QUE O DIABO

O mistério revelado da liberdade e do sucesso

UMA ENTREVISTA EXCLUSIVA COM O DIABO Escondida desde 1938

Tradução e Epílogo
M.Conte Jr. FRC, M.·.M

INTRODUÇÃO DE **THIAGO NIGRO**

Fascinante, provocativo e encorajador, *Mais Esperto que o Diabo* mostra como criar a sua própria senda para o sucesso, harmonia e realização em um momento de tantas incertezas e medos.

Após ler este livro você saberá como se proteger das armadilhas do Diabo e será capaz de libertar sua mente de todas as alienações.

"Medo é a ferramenta de um diabo idealizado pelo homem."

Sua mente é um talismã secreto. De um lado é dominado pelas letras AMP (Atitude Mental Positiva) e, por outro, pelas letras AMN (Atitude Mental Negativa). Uma atitude positiva irá, naturalmente, atrair sucesso e prosperidade. A atitude negativa vai roubá-lo de tudo que torna a vida digna de ser vivida. Seu sucesso, saúde, felicidade e riqueza, dependem de qual lado você irá usar.

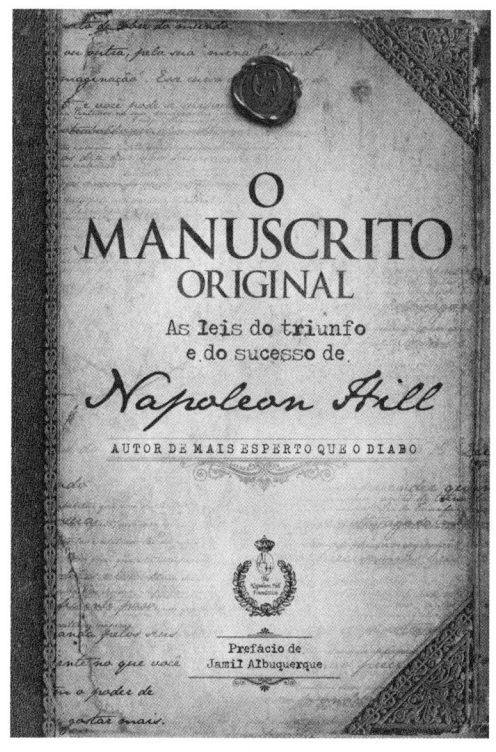

O manuscrito original - As leis do triunfo e do sucesso de Napoleon Hill ensina o que fazer para ser bem-sucedido na vida. Sucesso é mais do que acumular dinheiro e exige mais do que uma mera vontade de chegar lá. Napoleon Hill explica didaticamente como pensar e agir de modo positivo e eficiente e como conseguir a ajuda dos outros para a realização de objetivos.

THE NAPOLEON HILL FOUNDATION

What the mind can conceive and believe, the mind can achieve

A instituição MasterMind tem sua marca registrada na língua portuguesa e é a única autorizada e credenciada pela The Napoleon Hill Foundation (EUA) a usar seu selo oficial, sua metodologia em cursos, palestras, seminários e treinamentos que são altamente recomendáveis.

Mais informações:
www.mastermind.com.br

MasterMind®
Treinamentos de alta performance